Les dames de Bretagne

TOME 2

1488-1492

Rebelles

Jean Nahenec

Éditeur : François Doucet
Révision linguistique : Féminin pluriel
Correction d'épreuves : Nancy Coulombe, Katherine Lacombe
Conception de la couverture : Matthieu Fortin
Illustration de la couverture : © Getty images
Mise en pages : Sébastien Michaud
ISBN papier 978-2-89765-994-3
ISBN PDF numérique 978-2-89765-995-0
ISBN ePub 978-2-89765-996-7
Première impression : 2018
Dépôt légal : 2018
Bibliothèque et Archives nationales du Québec
Bibliothèque Nationale du Canada

Éditions AdA Inc.
1385, boul. Lionel-Boulet
Varennes, Québec, Canada, J3X 1P7
Téléphone : 450-929-0296
Télécopieur : 450-929-0220
www.ada-inc.com
info@ada-inc.com

Diffusion

Canada :	Éditions AdA Inc.
France :	D.G. Diffusion
	Z.I. des Bogues
	31750 Escalquens — France
	Téléphone : 05.61.00.09.99
Suisse :	Transat — 23.42.77.40
Belgique :	D.G. Diffusion — 05.61.00.09.99

Imprimé au Canada

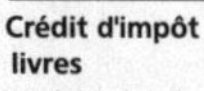

Financé par le gouvernement du Canada | Canada

Participation de la SODEC.
Nous reconnaissons l'aide financière du gouvernement du Canada par l'entremise du Fonds du livre du Canada (FLC) pour nos activités d'édition.
Gouvernement du Québec — Programme de crédit d'impôt pour l'édition de livres — Gestion SODEC.

À madame Micheline Orr, conférencière amoureuse d'histoire,
née à Versailles, devant le château des rois de France.

Les dames de Bretagne

J'ai toujours senti dans mon corps, ma tête et mes tripes le poids de ce combat. Si j'ai choisi de le mener, ce fut sûrement dès l'époque où je commençai d'exister dans le ventre de ma mère, Marguerite. L'époque où mon père venait déjà me parler, sa bouche posée doucement sur le satin blanc de la chair distendue. De ses comptines chantonnées, de ses espoirs murmurés, j'ai tissé mon destin.

Dès mon plus jeune âge, ensuite, j'ai toujours su que la terre de Bretagne coulait dans mes veines. Mon sang aussi chantait. Il parlait de liberté.

Mes actes m'ont ainsi, en quelque sorte, été dictés. Et pour donner à mon âme quelque repos, j'ai accepté de suivre ce courant violent, cette voie, cet appel fait de tous les cris de ces gens qui croyaient en nous. Qui croient encore.

Alors, j'ai œuvré. Au péril de ma vie et de la raison, parfois, en usant des idées les plus folles comme des plus audacieuses, en voguant telle l'intrépide caravelle sur les flots de la colère, mais aussi sur ceux de l'amour. L'amour de la terre et des gens qui y vivent, et sur ce postulat d'un duché de Bretagne indépendant et fier pouvant avec noblesse coexister avec la France et ses puissantes voisines.

Si j'ai fait ce rêve et qu'il meurt, alors que je meure aussi.

Mais pas sans combattre.

Anne

Table des matières

Chapitre 1

L'homme-ours

Sur la route de Saint-Aubin-du-Cormier, dimanche 27 juillet 1488

Agrippée à l'encolure de son cheval, Françoise de Maignelais luttait pour chasser les images de mort et de désolation qui envahissaient son esprit. Son cauchemar de la veille lui revenait en force, à tel point qu'elle avait l'impression de galoper dedans. Heureusement, tout cela n'était qu'illusions et chimères. Simon le lui disait, le lui criait, parfois !

Il se penchait et prenait sa main :

— Nous ne sommes plus très loin, madame...

« Le Gros », comme on le surnommait, savait que la jeune femme n'allait pas bien. Le vieux destrier de Françoise souffrait aussi. Ils avaient quitté Nantes des heures auparavant, s'étaient égarés à plusieurs reprises à cause des chemins de traverse qu'il fallait prendre pour éviter de tomber sur des Français.

À la nuit tombée, ils s'engouffrèrent dans une forêt touffue. Animaux et habitants effrayés fuyaient pêle-mêle leurs tanières et leurs maisons, et peuplaient ces bois. Les deux cavaliers trouvèrent refuge contre un pan de roche : un abri de fortune qui n'était même pas une grotte. Les chevaux s'abreuvèrent. Eux-mêmes mangèrent le peu qu'ils avaient emporté.

Françoise s'assoupit pendant que Simon prenait son tour de garde. La jeune femme avait rassuré son compagnon : elle aussi veillerait pour lui laisser le temps de récupérer. En vérité, elle dormit d'un sommeil agité traversé de tant de songes inquiétants que le jeune homme n'eut pas le cœur de la déranger.

L'aube arriva, et avec elle des bruissements secrets, comme si la forêt accueillait en son sein des milliers de soldats invisibles. La brume jouait à hauteur d'homme, et tous les spectres se mélangeaient : ceux encore vivants ce matin et ceux qui seraient morts ce soir.

Françoise se leva trop vite. Un violent étourdissement la força à se rasseoir.

— La terre bascule, gémit-elle. Trop de victimes. Elle boit leur sang.

La fille aînée du duc de Bretagne perdait-elle l'esprit? Simon hésitait. Françoise avait toujours été à ses yeux la *fille*, celle qui avait surgi dans la vie de Pierre, son meilleur ami, pour le lui voler. Celle aussi qui disait lire l'avenir dans ses rêves ou ses cauchemars. Il y a quatre ans, d'un seul baiser, elle avait fait échouer le projet de fuite des deux garçons. Depuis, elle entretenait avec Pierre une relation brûlante, secrète, dangereuse. Ce jeu les menait aujourd'hui au cœur de cet enfer tissé par un brouillard aussi gluant que mille toiles d'araignées.

Françoise insista pour remonter en selle. Elle prétendait savoir où se trouvait l'armée bretonne. « Toujours son idée fixe, se dit Simon : aller trouver les chefs et tenter de les dissuader d'affronter les Français. »

De temps en temps, la jeune femme tirait sur ses rênes.

— Simon, avoua-t-elle, je ne sais pas si nous allons réussir. Les images…, les images sont si précises, si réelles dans ma tête !

Son visage était tendu, tordu, même, sous l'emprise d'une douleur et d'une horreur intérieures qu'elle ne pouvait pas, avec la meilleure des volontés, partager avec son compagnon.

— Vous êtes épuisée, maugréa Simon. Et ces bois ne sont pas sûrs.

— Nous ne pouvons plus rebrousser chemin. Ils sont près, je le sens.

Le jeune homme hocha la tête. Lui aussi savait qu'ils n'étaient pas seuls dans ce brouillard. Non loin renâclaient d'autres chevaux. En combattant aguerri, Simon savait reconnaître la présence des hommes en armes. Des centaines, voire des milliers de soldats étaient rassemblés non loin, et pourtant cachés, dérobés par les bancs de brume.

L'angoisse l'étreignait aussi à cause de ces autres hommes, leurs poursuivants, dont il avait presque senti l'haleine durant la nuit. Il hésitait à en parler à Françoise, de peur de lui causer davantage de soucis.

Car la *fille* souffrait. Non pas pour elle-même, mais pour Pierre. L'amour était une chose incroyable et périlleuse que Simon ne connaissait pas encore. Mais après avoir vu son ami se débattre dans ses filets, il n'était pas trop certain de vouloir un jour éprouver cette émotion puissante qui vous mettait l'âme et le cœur à nu.

— Madame… lâcha-t-il soudain en dégainant son épée.

— Là ! s'exclama Françoise, un village.

« Ou un hameau », songea Simon.

Ils venaient d'atteindre Moronval, un bourg voisin de Saint-Aubin-du-Cormier. La rue unique était déserte. Les maisons qui la flanquaient gardaient leurs portes et leurs volets clos. Les feux étaient éteints, la place, vide. Quelques cheminées fumaient, signe que les habitants s'étaient cloîtrés. Ils avisèrent plusieurs chèvres et brebis qui bêlaient et allaient au hasard. Des traces de bataille et de sang encore frais étaient visibles sur les murs et près de l'unique puits.

— Il y a eu des combats, ici, grommela Simon.

Il tenait sa lame basse, prête à fendre. Il entendit soudain le déclic métallique familier de l'arbalète que l'on charge, fouilla les taillis du regard…

Françoise mettait pied à terre. Elle s'approchait d'une porte… Simon perçut le feulement du carreau.

— Attention ! hurla-t-il.

Il se rua sur Françoise et la renversa. Une idée battait ses tempes. S'il arrivait malheur à la fille que Pierre aimait, jamais son ami ne lui pardonnerait ! Le jeune homme reçut les deux carreaux d'arbalète destinés à la fille dans les reins. Peu après, trois hommes jaillirent du bois et s'approchèrent.

— Fuyez ! râla Simon.

Mais Françoise tira sa propre épée. Elle ne portait pas une armure de chevalier pour rien.

— Arrière ! gronda-t-elle.

Également vêtus de fer, les inconnus avaient baissé la visière de leur heaume.

— Lâches ! siffla Françoise tandis qu'ils s'approchaient en demi-cercle.

Simon tenait son épée à deux mains. Cependant, ses forces l'abandonnaient. Il ouvrit la bouche : nul son ne sortit de ses lèvres. Françoise capta pourtant sa pensée et se récria :

— Je ne fuirai pas. Déclinez vos noms !

Les trois soldats rirent tout bas. Ils étaient venus dans un but précis. La veille, déjà, ils avaient cru rattraper les fugitifs. Cette nuit, ils les avaient cherchés dans le noir. À présent, l'heure était venue...

Françoise le savait : ces hommes voulaient l'assassiner. Elle battait des paupières sans pouvoir empêcher le flot d'images de la submerger ; sa jeune vie passait en accéléré devant ses yeux. L'invasion du château de son père par les barons en colère, en avril 1484. Son don de double vue qui l'avait prévenue de ce funeste événement, ce cauchemar qu'elle avait fait et qui l'avait conduite, dans un état de demi-sommeil, sur le chemin de ronde. Et puis, le beau garçon aux yeux si bleus qui l'avait sauvée. Pierre ! Le palefrenier qui rêvait de liberté. Pierre ! L'artiste qui dérobait des bijoux pour en faire des copies en bois avant de les rendre.

Les images...

Pierre qui ne l'avait par la suite plus quittée. Il s'était insinué en elle avec la fureur d'un ouragan. Son cœur, son âme, son corps en avaient été imprégnés. Les mois passant, ils s'étaient apprivoisés. Tous deux rebelles et écorchés vifs, ils cherchaient leur place dans cet univers fait de violence et de folie.

Lors du siège de Nantes, au printemps de 1487, ils avaient fait l'amour pour la première fois. Ensuite...

Des larmes venaient aux yeux de la jeune femme. Le cercle de ses assassins se rapetissait. Elle voyait scintiller leurs lames. Bientôt, elle pourrait les toucher avec la sienne.

Et cependant, les images déferlaient en elle avec la force d'un ressac en colère.

Françoise avait été forcée d'épouser l'affreux baron Raoul d'Espinay. Elle avait vécu sur les terres de son époux. Elle avait conçu un enfant, Arnaud, qu'elle avait confié à Odilon et Awena, sous la garde de sa sœur Anne, à Nantes, avant d'entreprendre ce voyage de la dernière chance.

— Vous êtes Bretons ! haleta-t-elle, désespérée, en revenant à la réalité. Alors, aidez-moi ! Il me faut gagner notre camp pour empêcher un bain de sang.

Les autres rigolèrent encore et avancèrent d'un autre pas.

À bout de force, Simon avait glissé contre un battant de porte. Une trace sanguinolente trahissait ses blessures profondes. Françoise l'entendait râler. Bientôt, elle irait le rejoindre.

« Non ! se rebiffa-t-elle. Je suis la fille du duc ! Je suis la comtesse de Clisson et la baronne du Palet ! »

— De grâce, implora-t-elle de nouveau, reculez ! Je vous paierai.

Un coup brutal s'abattit sur sa lame. Le choc résonna le long de son bras.

— Tu vas mourir, bâtarde ! cracha un des agresseurs.

Françoise tenta de briser l'encerclement. Elle fit des moulinets avec sa lame, gagna l'espace de quelques toises. Les autres s'esclaffèrent. Puis, d'un commun accord, ils résolurent d'en finir.

— Sus ! s'écrièrent-ils avant de s'élancer.

Françoise ferma les yeux. C'en était terminé de sa jeune vie, de son combat, de son amour interdit. La dernière sensation qui lui vint fut le sentiment à la fois doux et ardent qu'elle éprouvait pour Pierre. Le souvenir de leur dernière nuit passée ensemble dans les combles du château de Nantes. L'infinie tendresse qui les avait alors unis.

« Je meurs heureuse », se dit-elle en souriant sous son heaume.

Désormais trop lourde pour sa main, sa lame tomba d'elle-même. Elle s'abandonna à la violence des hommes.

« Et à celle des femmes », songea-t-elle en devinant *in extremis* le nom de celle qui avait commandité son meurtre. Le visage de la comtesse Françoise de Dinan-Laval lui apparut, fourbe, calculateur, moqueur, sombre. Les secondes s'égrenaient. Elle imaginait la comtesse triomphante. La Dinan avait trahi le duc, sa famille, sa patrie. Ironie du sort, elle était responsable de l'éducation d'Anne et d'Isabeau !

Au bout d'un moment impossible à mesurer, Françoise se demanda si elle n'était pas déjà morte. Hébétée, elle battit des paupières. Allait-elle se voir étendue aux côtés de Simon le Gros ? Transpercés de coups d'épée, tous deux seraient promptement jetés dans un trou recouvert de terre. Une méthode rapide, efficace et anonyme qui avait à maintes occasions fait ses preuves.

Au lieu de cela, ses trois agresseurs gisaient et geignaient devant elle. Étrangement, ils avaient chacun une lance tirée à bout portant dans le cœur et ils se tenaient la poitrine en chancelant.

Il y avait d'autres hommes autour d'elle, ainsi que des femmes.

— Venez, lui murmura-t-on. Asseyez-vous. Buvez un peu d'eau…

Elle aperçut son heaume entre les mains d'une paysanne. Un homme énorme vêtu d'une peau d'ours noire la dévisageait.

Il dit :

— Vous êtes en sécurité. Vous pouvez vous reposer.

— Je suis Françoise de Maignelais, balbutia-t-elle, la fille du duc. Je viens pour…

La tête lui tournait. Elle s'en remit aux femmes, qui lui tendaient les bras.

— Il faut que…

Elle ajouta qu'il était urgent de gagner le camp breton pour empêcher un massacre. La face effrayante de l'homme-ours se rapprocha. Une infinie tristesse flottait dans ses traits rudes.

— La magicienne a assuré qu'il était déjà trop tard, laissa-t-il tomber en réponse à sa supplique.

Françoise n'était pas sûre de comprendre. On la tira doucement par un bras.

— Venez. La magicienne avait dit que vous viendriez, que trois hommes voudraient vous assassiner, qu'il fallait vous sauver.

On la conduisit dans une maison.

— Il y a eu des combats, ajouta l'homme-ours. Beaucoup ont fui. D'autres, comme nous, vous ont attendue.

Françoise frôlait l'épuisement. Ses cauchemars, elle en était sûre, allaient de nouveau l'engloutir. Ce don obscur et peut-être démoniaque qui lui permettait de voir l'avenir la tenait en vérité prisonnière. Elle but un gobelet de vin, qu'elle avala en s'étranglant à moitié. Un nouveau visage se présenta devant ses yeux : celui d'une vieille femme dont les yeux étaient aussi purs qu'un cristal de roche. Devant tant de beauté, rien d'autre ne pouvait exister : que le bon, le doux, le lumineux.

— C'est ça, ma belle, fit la magicienne, laisse-toi aller sans crainte, sans peur…

Chapitre 2

La faille

Lundi 28 juillet 1488

La troupe jaillit du bois par des chemins de traverse. Elle sautait par-dessus les taillis et les épineux. Le jeune général Louis de La Trémouille aurait pu s'écrier « enfin ! » tant cette chevauchée avait été forcée et hasardeuse. Son armée l'avait suivi. Et c'étaient quinze mille bons gaillards qui retrouvaient la lumière du jour.

La Trémouille avait laissé derrière lui le village déserté de Moronval. Il cherchait cette vaste prairie dont lui avaient parlé ses coureurs ; il la trouvait finalement. À ses côtés, son cousin, le vicomte Bernard de Tormont, leva la visière de son heaume.

— C'est une belle lande de rencontre, déclara-t-il en aspirant une longue goulée d'air.

L'après-midi commençait. En matinée, ils avaient perdu plusieurs heures en vaines escarmouches. Si les Bretons avaient voulu les harceler afin d'éviter un affrontement direct, ils ne s'y seraient pas pris autrement. En vérité, La

Trémouille voulait marcher sur Dinan. Mais le destin avait eu d'autres exigences.

Pendant que le gros de sa troupe s'extirpait du bois, les deux jeunes gens étudiaient le futur champ de bataille. C'était une lande bordée à l'est et à l'ouest par des boisés, au nord par des coteaux et au sud par un ruisseau, celui, s'il fallait en croire les informateurs locaux, de l'Ouée. Un paysage bien breton ponctué de rochers et d'ajoncs, et d'une bruyère parsemée de petites fleurs roses.

— Vois, mon cousin ! s'écria Bernard.

Ils avisèrent l'extrémité du champ. À environ huit cents mètres se tenait l'armée ducale. Ce qui inquiéta vivement La Trémouille fut que les Bretons étaient déjà en position alors qu'eux émergeaient en désordre.

— Donnons l'ordre de se regrouper.

La Trémouille avait aussi dans l'idée de faire creuser des tranchées derrière lesquelles installer sa précieuse artillerie.

— Fais aussi mander le capitaine Galiota !

Cet Italien, génial artilleur, commandait les pièces.

La chaleur était pesante. Il y avait trop de bruit derrière eux pour entendre le chant des insectes et des oiseaux. D'ailleurs, La Trémouille savait que lorsque venait la guerre, la nature se retirait d'elle-même, bouchait ses oreilles et se fermait les yeux devant la folie et la vanité des hommes. Malgré cela, le général aurait bien aimé profiter, ne serait-ce que durant quelques instants, du chant d'un oiseau ou d'un grillon.

Il fit claquer sa langue, demanda de l'eau. Elle serait saumâtre, mais il gardait le vin pour célébrer ce soir sa grande victoire. Il avait hâte d'en découdre pour le roi, mais également pour prendre la mesure de son propre courage. Il repassa rapidement en mémoire son ordre de bataille. Bernard et lui-même dirigeaient le gros des troupes. L'artillerie était confiée à Brissac — il la ferait placer le long du ruisseau. Quant à l'arrière-garde, elle appartenait à Baudricourt.

— Vite, vite ! répéta la Trémouille, placez-vous avant que les Bretons n'ouvrent le feu.

— N'aie crainte, mon cousin, les troupes du duc ont le soleil dans les yeux.

Le général renâcla. Il n'était point sage de sous-estimer l'adversaire.

— Rassemble les porte-drapeaux.

* * *

Au même moment, Louis d'Orléans attendait au milieu de la piétaille de l'armée « bretonne ». Il était certes entouré par ses propres capitaines, mais sa position ne le rassurait guère. Il regrettait amèrement sa décision d'avoir cédé à la pression des barons. À pied, il se sentait tout nu. Que n'aurait-il donné pour avoir une selle sous les fesses ! Il échangea un regard peiné avec Pierre, son nouveau vassal. Quelle triste cérémonie d'adoubement il lui offrait là !

— Par Dieu ! s'écria-t-il en crachant au sol, ce n'est pas le temps d'attendre, mais plutôt de charger !

L'armée du roi se rangeait. Rieux et d'Albret étaient-ils si naïfs pour attendre encore ! Louis se tordit le cou pour apercevoir les porte-drapeaux. Quand l'ordre arriverait-il enfin d'attaquer ?

— Les imbéciles !

Tout près se trouvaient Pierre ainsi que le capitaine Le Guin. Eux aussi s'impatientaient. Soudain, un cri retentit : « Samson ! » C'était le cri de guerre choisi la veille.

— Samson ! répétèrent-ils.

Cette clameur déferla sur la lande. L'artillerie commença à pilonner les Français. Une décharge générale fut tirée.

— Samson ! s'écria encore Louis en s'élançant.

Un silence pesant suivit le vacarme des couleuvrines. Il fallait bien recharger.

Le premier assaut était une manœuvre illusoire qui se terminait souvent par le sacrifice de centaines d'hommes. Les deux piétailles se bousculaient et s'entremêlaient pendant que, de part et d'autre, les artilleries tonnaient et massacraient sans discernement. Et Louis se trouvait là, au lieu de se tenir en sécurité, le cul sur une selle !

— Samson !

En face, les mercenaires suisses répliquaient : « Saint Laur ! Saint Laur ! », du nom de leur propre sauveur.

Les hommes tenaient leurs piques basses, car il n'était pas encore temps de les relever. Devant eux, La Trémouille commençait à déployer son front de bataille. Par Dieu ! Ce diable d'homme ne faisait-il pas aussi creuser pour placer son artillerie ?

La lumière âpre du soleil les aveuglait. Ils couraient dans une lueur éclatante et brûlante de fin du monde. Le choc survint. Un bruit sourd et puissant, comme un gigantesque coup de boutoir fait des corps qui se heurtaient, mais aussi du froissement des armes et celui des cris, de la douleur.

À cet instant, les piques se redressèrent, les épées s'abattirent. Par l'étroite fente de son heaume, Louis n'apercevait que ses adversaires immédiats. Silhouettes hurlantes et mouvantes qu'il fendait à grands coups de lame tandis que les membres de sa lance l'épaulaient et le soutenaient. Il avait l'impression d'être plongé vivant dans une fournaise ardente. Plus rien d'autre n'existait que la bataille, le fracas de la cavalerie, les ordres criés, la fumée qui recouvrait la lande.

Ils piétinaient la douce bruyère. Le rose se mêlait au rouge. Le sol devenait visqueux. S'ils y glissaient, ils y mouraient.

— Regroupez-vous autour du duc ! Autour du duc ! entendirent crier Pierre et Le Guin.

Les capitaines firent corps pour protéger Louis. Que tout paraissait vain, en ces instants de furie où l'homme disparaissait tout entier sous la bête ! Où donc se cachait Dieu ?

Soudain, alors que les soldats tombaient comme pluie battante devant et sur ses côtés, Louis se rendit compte que l'artillerie française ne désarmait pas alors que la leur faisait défaut. Il vit décrocher les lansquenets allemands. Leur commandant leur cria bien de rester groupés, mais le front cédait inéluctablement.

— Lâches ! vitupéra Louis.

Il se tenait dos à dos, tantôt avec Pierre, tantôt avec Le Guin ou un de ses capitaines.

Les lansquenets fuyaient le tir de l'artillerie française et se mettaient à l'abri derrière un pli de terrain. Ils ouvraient là une faille qui pouvait…

Louis décapita un ennemi. Une gerbe de sang rougit le ciel devant ses yeux. À une centaine de mètres hurlait un homme juché sur son destrier. Que disait-il, au juste ?

* * *

Bernard de Tormont fut le premier à voir tout le bénéfice à tirer de la retraite des lansquenets. Il se pencha, attrapa un porte-drapeau par le col de sa tunique et lui hurla un ordre. Peu après, le drapeau remua : l'ordre était transmis à la cavalerie d'attaquer.

Le vicomte fit alors signe au capitaine Galiota de lâcher son artillerie et de le suivre.

— À l'attaque !

Il s'entendit crier aussi :

— Donnons plus bas !

Et il se rua à la tête de ses quatre cents cavaliers. La faille s'élargissait. Il fallait l'enfoncer au plus vite.

Galiota fut mortellement touché par un tir de couleuvrine. Sa tête pencha de côté, puis il versa tout entier dans la mêlée.

— Prenez leurs canons ! s'égosilla Bernard.

Un autre homme lança :

— Pas de quartier !

Les chevaux finirent d'enfoncer le front breton. Beaucoup de chevaliers s'écorchèrent vifs sur les piques et les pieux, mais on criait déjà :

— Baudricourt ! Baudricourt !

Les renforts arrivaient. Les Bretons allaient être pris à revers. Le gros de leur force se débandait. Rieux et d'Albret rompaient le combat.

« Les vaillants barons ! » songea Bernard, un goût de sang dans la bouche.

* * *

Le dos contre le bois d'Ussel, Louis et ses compagnons reculaient. Ils portaient plusieurs blessures aux jambes, aux flancs et aux bras, mais ils ne sentaient pas la douleur. Tout entiers plongés dans le chaos de la bataille, ils imposaient silence à leurs malheureux corps qui peinaient sous le poids des armures. De plus, un jus fétide constitué de sang et de transpiration rendait ardus chaque geste, chaque pas.

Pierre était hébété d'épuisement. Il avait conscience de ne tenir que par la seule force du courage ou bien de l'entêtement. Il haletait, il étouffait. Les Suisses les harcelaient tandis que leurs alliés lansquenets mouraient, traqués et abattus comme des bêtes. La lande se couvrait de cadavres. Les plus nombreux portaient les hoquetons rouges — ces infortunés Bretons grimés aux couleurs anglaises sur la brillante suggestion du maréchal de Rieux !

Leur groupe s'amenuisait. Ils s'appelaient entre eux. Chaque fois, il semblait à Pierre que les réponses tardaient ou bien qu'elles ne venaient plus. Il scanda :

— Le Guin ! Le Guin !

Mais son mentor et ami avait disparu dans la mêlée.

Pierre se retourna, frappa du plat de son épée, trancha. Un Suisse tomba sur le dos en râlant.

— Duc ! Duc ! s'écria Pierre.

Louis répondit, de même que deux autres capitaines.

Ainsi, ils n'étaient plus que quatre ! Et les Suisses les repoussaient toujours...

Pierre tomba, Louis le releva. Puis ce fut au tour du duc de s'effondrer. Aussitôt, les trois autres lui firent un rempart de leur corps. Les épées se levaient, retombaient. Leurs adversaires hurlaient. Mais il en venait d'autres, et d'autres, et d'autres encore !

À travers le sang qui ruisselait dans ses yeux, Pierre revit soudain Françoise. En ces instants barbares, son amante pensait à lui, elle priait pour lui. Il la sentait presque physiquement avec eux dans ce bois, sous ce soleil de plomb.

Finalement, ils furent poussés contre un entablement rocheux. Dix Suisses avançaient, lances relevées. Entre eux s'agglutinaient les corps de ceux tombés au combat. Tous de valeureux Suisses.

Leurs coreligionnaires criaient vengeance.

— Pas de quartier ! s'écria l'un d'eux.

Pierre se prépara à mourir. Il n'aurait été amant qu'une seule année, et chevalier quelques heures durant. Piètre existence !

Les lames allaient les découper quand un ordre tomba, net et clair.

— Halte ! On ne tue pas un prince de France !

Louis et Pierre relevèrent la tête. Derrière les Suisses se démenait un chevalier français. Il réitéra son ordre, s'avança, ôta son heaume.

— Je suis le vicomte Bernard de Tormont. Monseigneur, dit-il à Louis, votre épée !

Le ton était sans réplique. D'autres officiers français éloignaient les Suisses, qui renâclaient à laisser des survivants.

— Bernard… murmura Pierre en reconnaissant le jeune homme qu'il avait lui-même épargné un an plus tôt, durant le siège de Nantes.

Mais trop occupé à recueillir l'épée du duc, Tormont ne sembla pas l'apercevoir.

Ils eurent ensuite les poignets liés. La bataille était terminée. Bernard l'annonça à Louis. L'état-major breton s'était enfui. Poussés dans le dos, ils sortirent du bois.

Un homme était tiré d'un amoncellement de corps.

— Celui-là faisait le mort !

Les Suisses s'esclaffèrent, car il s'agissait de Jean de Chalon, le prince d'Orange.

Louis soupira. À ses compagnons, il avoua simplement qu'il regrettait qu'ils ne fussent pas tous morts les armes à la main.

— Anne de Beaujeu n'aura aucune pitié, grommela-t-il. Hélas, je la connais !

Chapitre 3

Sous la tente du vainqueur

Françoise sortit de sa torpeur. Un long moment, elle chercha à sa rappeler le fil des événements. Enfin, elle se remémora sa course folle dans les bois, les trois agresseurs qui avaient tenté de l'assassiner, Simon blessé à mort, le hameau abandonné, l'homme-ours qui l'avait sauvée... Plus que ces souvenirs entremêlés, ce fut la douleur immense et les visages en sang des soldats de l'armée bretonne qui la tirèrent du monde de ses cauchemars.

Il faisait sombre dans la pièce. Des odeurs de vieux bois et d'aromates piquaient ses narines. Une sensation d'étouffement la gagna.

— N'aie crainte, murmura une voix non loin d'elle.

Quelqu'un ouvrit un volet. Un rai de lumière éclaira un intérieur pauvre mais propre.

La vieille femme devança la question de Françoise :

— Je me nomme Magdeleine Bois et, oui, je t'attendais.

La jeune comtesse se redressa.

— Cette coupe de vin que l'on m'a donnée... Vous m'avez droguée ?

L'autre ne démentit pas.

— La bataille ? s'enquit encore Françoise.

— Déjà engagée, ma petite, et déjà perdue. Aujourd'hui, la terre boit le sang de nos frères, de nos pères, de nos fils. Comme tu l'as deviné, elle pleure la folie guerrière des hommes.

— Mon père…

La vieille posa une main parcheminée sur la sienne. Une chaleur, comme un contact, s'établit entre elles. Des images coulèrent de l'une à l'autre. La jeune femme eut la vive impression que Magdeleine gobait sa vie au complet. Elle ne pouvait rien lui cacher. Le flot de ses souvenirs était absorbé par celle que l'homme-ours avait appelée « la magicienne ».

Au bout d'une minute, Françoise retira vivement sa main. L'autre affichait un sourire espiègle. La jeune femme rougit, car son instinct lui révélait que la vieille venait de revivre la dernière nuit qu'elle avait passée dans les bras de Pierre, peu avant de partir sur les terres de son époux.

Françoise réclama à boire. On lui apporta un autre gobelet de vin tiède.

— Ah, non ! s'exclama-t-elle, pas encore !

— Rassure-toi, grommela la vieille, le premier était destiné à t'empêcher de faire des folies. Tu serais partie. À l'heure qu'il est, tu serais morte. Tu dois vivre. Ton fils a besoin de toi. Ce vin-là, assura-t-elle, est fortifiant. Et tu auras besoin de force pour accomplir ce que tu dois.

Françoise était vaincue. Cette vieille femme possédait réellement un pouvoir, un don. Ses paroles sonnaient juste. Et si sa tête cherchait à comprendre et à analyser, son cœur, lui, savait.

La magicienne ajouta que le jeune homme que Françoise cherchait avait survécu, mais qu'elle devait faire vite.

— Un ami t'aidera.

Françoise songea au pauvre Simon qui s'était sacrifié pour elle. À cet instant, elle entendit un geignement étouffé.

— Simon ?

Elle se releva avec peine. Il lui semblait que son corps n'était qu'une plaie à vif. Dans un autre coin de la pièce se trouvait l'ancien palefrenier, certes affaibli et inconscient, mais vivant.

— Comment ? laissa tomber Françoise. Il avait au moins deux carreaux plantés dans le corps !

La vieille sourit. À cause de ses longs cheveux blancs hirsutes qui tombaient sur sa figure, on ne voyait pas grand-chose d'elle à part des traits grossiers, des rides et la lumière presque insoutenable de son regard, qui, à elle seule, rachetait l'ensemble et la faisait paraître belle.

— Tu vas prendre un bain. Nous avons lavé tes vêtements et ton armure.

Un hennissement rassura Françoise.

— Mon destrier ?

— Oui, ma fille. Allez, bois ceci, tu te sentiras mieux.

Elle lui offrit également du pain. Françoise avait l'intuition que c'était là tout ce que possédait la vieille femme.

— Frigolin va t'accompagner, ajouta la magicienne.

L'homme-ours se pencha sous les poutres. Françoise se délesta de son collier en argent. Il y pendait deux perles rares qu'elle destinait à la magicienne en paiement pour les soins que Simon et elle avaient reçus.

— Ton ami est encore trop faible pour voyager, fit la vieille femme. Si tu veux vraiment me payer, tu me donneras ce collier à ton retour.

Françoise soupira — il était inutile de négocier avec cette tête de mule en haillons. Elle se vêtit, puis sortit. Le jour déclinait. L'air était aussi humide, nauséeux et collant que du sang.

— Suis les nuages de fumée et la nuée des corbeaux, lui recommanda Magdeleine.

Et elle répéta, mystérieuse, en souriant à demi :

— Va, et accomplis ce que tu dois.

* * *

Louis, Pierre et les deux capitaines français survivants avaient été enfermés dans le sous-sol d'une maison de Saint-Aubin-du-Cormier. L'endroit était sinistre. Pourtant, on leur avait descendu deux baquets d'eau tiède ainsi que des vêtements propres. Ils s'étaient lavés sans piper mot.

À la nuit tombée, Bernard de Tormont vint les chercher. Il tendit sa torche et appela :

— Monseigneur !

Louis était encore interloqué. Après la furie et l'extase de la bataille, il s'était longtemps senti comme absent de lui-même. Une sensation vécue par beaucoup de combattants après une rude bataille. Mais un bain, de l'eau, un quignon de pain et des habits secs peuvent faire des miracles.

— Si vous voulez me suivre, Altesse, ajouta Bernard, vous et vos compagnons êtes conviés sous la tente de mon cousin, La Trémouille.

Louis serra les dents. Qu'était-ce que ce destin facétieux qui lui faisait vivre les mêmes événements ou presque que son père, soixante-treize ans plus tôt, après la cuisante défaite d'Azincourt ?

Au moment où Pierre passa devant Bernard, le vicomte reconnut enfin celui qui lui avait sauvé la vie. La surprise fut si totale qu'il demeura immobile face au jeune Breton, sans trop savoir comment réagir. Finalement, Tormont baissa les yeux et donna l'ordre d'emmener les prisonniers.

Les quatre hommes furent conduits en charrette et sous bonne garde au cœur du campement français. Leur victoire faisait peine à voir. La liesse, la bière, le vin, mais aussi les filles de joie des deux camps étaient de la partie. Louis grimaça, car c'était là tout le portrait de ce que, la veille, il avait imaginé pour ses propres soldats.

En se laissant mener jusqu'à la tente du général français, il songeait à son père et à la longue captivité, en Angleterre, qui s'en était suivie. Mais aussi au duc François II, son cousin, et à la jeune Anne, à qui il avait prêté le serment de fidélité et de loyaux services.

Un page écarta le pan de toile. Si dehors il faisait sombre, l'intérieur était vivement éclairé. Des fumets de bonne chère comme les aimait Louis flottèrent jusqu'à lui. Autour de la table se tenaient plusieurs officiers français ainsi que des traîtres bretons. Louis en reconnut plusieurs, dont Jean de Rohan, qui avait un air maussade et désabusé. Il apprit par la suite que le vicomte avait perdu François, son aîné, tué dans le camp breton. De ces hommes, seul le jeune général de La Trémouille se leva.

— L'heure, décréta-t-il avec diplomatie, est certes à la victoire de notre bon sire le roi sur son méchant vassal. Mais elle est aussi aux larmes que nous cause la perte de nombreux amis, pères, fils et frères.

Il inclina légèrement la tête ; Rohan et le duc d'Orléans firent de même.

— Prenez place.

D'autres rechignèrent. Quelle était cette générosité déplacée pour les vaincus et les traîtres? Le duc et ses deux capitaines étaient tout spécialement visés, car si l'on dévisageait Pierre, c'était davantage parce que personne ne le connaissait. Bernard était d'ordinaire un bon vivant. Ce soir, pourtant, il gardait la mine basse.

La bataille avait été pénible, sale et douloureuse pour tout le monde. Il n'appartenait pas aux gentilshommes rassemblés sous cette tente de débattre de ses raisons ni de ses conséquences — même s'ils en brûlaient d'envie. Il fallait laisser cette tâche au roi.

— Je vous en prie, déclara La Trémouille, faisons honneur au repas.

Des pages servirent une soupe paysanne qui manquait cruellement de saveur. Mais comme le disait le général français, il fallait s'en accommoder.

— Fort heureusement, nous avons du vin!

Du côté breton, nul ne parlait fort. Même Louis, habituellement loquace et joyeux fêtard, n'avait pas le cœur aux palabres. Des milliers de corps jonchaient la lande. Le cri des corbeaux qui faisaient bombance leur était à tous insupportable. Il convenait aussi d'oublier les détrousseurs de cadavres, à l'œuvre depuis le crépuscule.

— Le roi a fait interdire tout rachat de prisonniers, laissa tomber un des seigneurs français.

Ce manquement aux lois de l'hospitalité fit sourciller La Trémouille. Le général ne s'excusa pas pour son officier, mais il but pour la paix. Car si l'homme de guerre qu'il était détestait par-dessus tout l'inactivité, le lettré et père d'un tout jeune garçon avait assez de bon sens pour convenir qu'un royaume apaisé était un royaume heureux. Philosophie fort chrétienne que nul n'aurait songé à mettre en doute.

La Trémouille ne se privait pas pour dévisager le duc d'Orléans. Il ne le connaissait pas personnellement, mais ils s'étaient croisés à quelques reprises dans les châteaux royaux où logeait la cour. Le jeune général se rappelait combien le roi adolescent appréciait ce cousin frivole et certes ambitieux, mais également bon vivant, plein d'humour et de répartie, et fort généreux de ses deniers. Sans oser le demander, il semblait vouloir percer à jour les véritables raisons qui avaient jeté le duc dans cette partie de bras de fer entre France et Bretagne. Était-ce, comme l'avançaient certains, par pur calcul politique ? Ou alors par fidélité ou par amour pour Anne, la demoiselle encore enfant à laquelle il avait été brièvement fiancé ? D'autres, encore, affirmaient que Louis d'Orléans était tout bonnement un imbécile, ce dont La Trémouille ne pouvait convenir.

Vraiment, il hésitait à se faire une opinion.

Quand vint le dessert — assez frugal —, deux moines franciscains entrèrent. À leur vue, les capitaines français qui s'étaient battus aux côtés du duc frémirent. À la table, le silence tomba, ce qui les inquiéta encore davantage.

La Trémouille se leva. Il lui incombait là une tâche fort rebutante, mais utile et même souhaitable.

— Monseigneur, dit-il au duc, il ne m'appartient pas de décider de votre sort, mais à notre bon sire, le roi. Il n'en va pas de même pour ces officiers renégats et traîtres à leur pays. Messieurs, déclara-t-il sur un ton péremptoire en toisant les autres, recommandez vos âmes à Dieu et préparez-vous à mourir !

Pierre échangea un regard effaré avec ces chevaliers qui, la veille, avaient servi de témoins à son adoubement. Louis ne put faire autrement que se lever aussi. Il ouvrit la bouche pour protester, mais La Trémouille lui imposa silence.

— Monseigneur, le cingla le général, rasseyez-vous !

Mouché, D'Orléans retomba lourdement sur sa chaise. Pierre vit son visage se décomposer. Ainsi, on pouvait être riche, grand et glorieux, et être également aussi peu de chose qu'un manant ! Le sort des armes décidait vraiment de tout.

On vint tirer les deux capitaines de leurs sièges. Un troisième homme attrapa Pierre au collet et dit :

— Toi aussi !

Bernard de Tormont murmura quelques mots à l'oreille de son cousin.

— Pas celui-là, objecta alors La Trémouille. Il est Breton.

Cette déclaration à brûle-pourpoint n'expliquait rien. Cependant, Pierre fut relâché.

Après le départ des deux condamnés, l'atmosphère devint si sinistre qu'il fut convenu que le repas avait assez duré. La Trémouille posa sur le duc son regard brun et doux frangé de longs cils qui le faisait parfois ressembler à un damoiseau, et donna ensuite l'ordre de reconduire les prisonniers dans leur cellule.

Chapitre 4

Brèves retrouvailles

La maison était située dans le gros bourg de Saint-Aubin-du-Cormier. Abandonnée par ses habitants, elle avait été réquisitionnée pour servir de quartier général aux soldats chargés de surveiller les environs. À l'arrivée des Français, il restait bien peu de gens. Des vieux qui refusaient de quitter leurs demeures et pensaient être arrivés au terme de leur vie, quelques femmes sans hommes avec leurs enfants qui espéraient en la clémence des vainqueurs. L'église était pleine de miséreux, de déplacés, d'indigents. Quant aux autres, ils se cachaient ou bien ils étaient partis sur les routes pour Nantes ou Rennes — les grandes villes retranchées.

Bernard avait reçu de son cousin la responsabilité de ce secteur stratégique. Il avait donc déployé ses hommes de manière à traquer les déserteurs et surtout les survivants enclins à mener maintenant une guerre d'embuscade.

Après le souper, il ramena le duc et le jeune chevalier dans leur prison. Aucune parole, vraiment, ne fut échangée. Tous étaient las, exténués. L'avenir leur paraissait incertain, et Bernard, mal à l'aise, n'était pas le moins songeur des trois.

La porte se referma sur les vaincus. Le repas ainsi que l'exécution des deux capitaines leur restaient sur le cœur. Louis retenait ses émotions. C'était la première fois qu'il se retrouvait dans une aussi piteuse situation. Lui, un duc, un prince de France, l'héritier présomptif de la couronne, enfermé comme le dernier des malandrins ! Il s'assit dans un coin et se recroquevilla. L'envie même de faire de l'esprit ou de l'humour l'avait quitté.

Pierre aussi était déprimé. Malgré cela, il convenait qu'il lui restait la vie et que ses blessures n'étaient que légères. Le destin lui avait somme toute été clément. Ce qu'il perdait de liberté n'était pas grand-chose en comparaison des désillusions du prince. D'ailleurs, nombre des chimères de Pierre étaient déjà tombées : l'espoir d'une vie d'aventurier avec son ami Simon, son rêve d'un amour clandestin et passionné avec Françoise… Il était certes devenu chevalier. Mais cela valait-il quelque chose alors que devant lui, dans l'obscurité et l'odeur de moisi, son seigneur et parrain d'armes était au désespoir !

Il l'entendait soupirer. Que pouvait-il dire pour lui remonter le moral ? Peu après, des soldats avinés vinrent se tenir devant l'unique soupirail. Des chopes de bière à la main, ils gueulaient et réclamaient le prince renégat.

— Qu'on l'écorche vif, ce traître !

La nuit était chaude. L'odeur du fer et de la mort était encore partout. Celle du sang aussi. À peine séparés de leurs cadavres, les spectres des soldats tombés au combat flottaient alentour. Leur présence était lourde de reproches et d'accusations. Louis les ressentait si fort autour de lui ! Ils erraient telles des écharpes de poix glacées qui s'enroulaient autour de sa gorge. Alors, il toussait et crachait. Il se pliait en deux et vomissait la bile qui lui montait aux lèvres.

Comme les soudards ne désarmaient pas, il se rebiffa :

— Par Dieu, donnez-moi une épée ! s'écria-t-il, furieux. Que l'on me laisse au moins défendre mon honneur !

Il se rua contre la porte, frappa le battant jusqu'à se blesser les jointures. Bernard lui promit de calmer ces enragés. Quelques minutes passèrent, les soldats râlèrent, mais obéirent à leur commandant, qui n'hésita pas à les menacer du fouet s'ils continuaient à défier le prince.

Le vicomte revint plus tard et ouvrit la porte. Une autre personne se tenait derrière lui. Était-ce un soldat ? Son armure, en tous les cas, le laissait présager. Bernard toussota, puis murmura :

— Je ne peux vous accorder que quelques minutes. De grâce, faites vite…

La silhouette en armure le remercia avec chaleur.

— Votre Grâce, dit Bernard en s'adressant cette fois à Louis, venez, je vous offre à boire. Laissons-les seuls…

Le duc était abasourdi. Qui était ce visiteur qui tenait tant à s'entretenir en privé avec Pierre ? Il passa devant l'inconnu, s'arrêta. Alors, l'apparition releva la visière de son heaume. La stupéfaction le cloua sur place.

Françoise hocha du chef et sourit au cousin de son père. Louis suivit le vicomte dans un état second.

— Pierre ! s'exclama alors la jeune femme en se jetant dans les bras de son bien-aimé.

Le nouveau chevalier tombait des nues. Françoise, à qui il avait pensé si fort depuis ces derniers jours, surgissait dans cet enfer ! En même temps que son amour, il lui sembla recevoir contre sa poitrine un peu de la lumière de Dieu. L'angoisse accumulée durant la bataille céda d'un coup.

— Pierre ! répéta Françoise.

L'armure de la jeune femme blessait sa chair. Pourtant, Pierre la serrait de toutes ses maigres forces, embrassait ses joues mouillées de larmes.

— Bernard m'a dit que tu t'étais bien battu, mais que l'on te garderait prisonnier.

— Le roi, bredouilla-t-il en refoulant ses propres larmes, n'autorise pas le rachat des prisonniers. J'irai sans doute là où ira le duc.

Ils demeurèrent longtemps enlacés. Le moment n'était guère aux caresses, mais plutôt aux serments et à l'amour véritable.

À l'étage, Louis et Bernard buvaient en silence. De temps en temps, le vicomte laissait percer sa nervosité. Au bout d'un moment, Louis décréta :

— De Tormont, vous êtes un brave. Je connais bien ces jeunes gens…

Le vicomte plissa les yeux. Le ton du duc était légèrement inquisiteur. Après une brève hésitation, il répondit :

— Je leur dois la vie. Je paie ma dette.

En même temps, il rédigeait une missive à la lueur d'une bougie.

Au sous-sol, les deux amants se parlaient à voix basse. De temps en temps, ils échangeaient un baiser ardent. Françoise racontait ses derniers cauchemars. Elle avait vu Pierre honoré.

— Juste avant la bataille, balbutia le jeune homme, le duc m'a fait chevalier.

Françoise renifla, car ensuite elle avait vécu l'affrontement. Mais en rêve, elle s'était tenue à ses côtés.

— Je savais que tu en sortirais vivant, et en même temps, je sentais bien que tu ne me reviendrais pas comme avant.

Pierre ne put s'empêcher d'éprouver une pointe de jalousie.

— Tu es mariée, tu as un enfant.

Son mari ! Françoise n'avait rien vu à son sujet. Était-il mort, ou bien avait-il survécu ? Elle n'en savait rien. Et à franchement parler, cela la laissait indifférente.

— Arnaud, mon fils... poursuivit-elle, les yeux étrangement brillants.

Elle était sur le point de révéler à Pierre qu'il était en vérité le père de son enfant. Qu'Arnaud était *leur* fils ! Au dernier instant, une peur, un doute ou une hésitation venue des tréfonds de son être la retint. Ne se sentant pas la force de surmonter son émotion, elle se lamenta plutôt :

— Je t'aime tant !

Pierre se raidit. Il l'avait sentie au bord des aveux. Lesquels ? Mais au fond, qu'espérait-il ? Il était trop tard pour fuir et trop tard pour demeurer ensemble.

— Si je le pouvais, se révolta-t-elle, je t'enlèverais !

Pierre l'imagina en chevalier libérant sa belle. L'image, quoique cocasse, ne le fit pas rire. Le temps leur était compté. Il l'embrassa de nouveau sur les lèvres.

Lorsque Françoise remonta enfin, elle était aussi épuisée et troublée qu'à son arrivée. Bernard et le duc se levèrent. Dehors, les soldats recommençaient à s'agiter. Ils prirent un villageois à partie. Bernard dut sortir et intervenir. Lorsqu'il revint, il trouva Françoise et le duc, les mains dans les mains, en tête à tête.

— Dites-leur bien toute ma tristesse, insista Louis. Et, aussi, qu'ils gardent l'espoir.

Bernard se refusa à les questionner. Cependant, son indulgence avait des limites.

— Je ne puis faire davantage, Françoise, dit-il à regret. Mon cousin serait furieux d'apprendre que…

La jeune femme lui caressa la joue.

— Oserais-je vous confier un pli ? demanda-t-il. C'est pour dame Awena…

Françoise tiqua. Comment le jeune vicomte connaissait-il la maîtresse de son père ? Elle se chargea néanmoins du message et lui donna sa parole.

Louis était médusé. Il régnait dans la masure une fade odeur de défaite et de désespoir, mais aussi un irréel et agréable parfum de rose. La rose de l'amour ou en tout cas celle de la tendresse, de la complicité. Avec Pierre, ils étaient tous trois à la fois hommes de guerre et d'amour courtois, et ils se reconnaissaient comme tels.

— Françoise, implora encore Bernard, laissez-moi vous bailler deux de mes hommes pour vous raccompagner. Les routes ne sont pas sûres. En cas de barrage ou de contrôle, ils vous seront fort utiles.

Il appela sa garde. Quatre soldats se présentèrent. Le choix fut rapide. Bernard désigna d'instinct deux jeunes de sa connaissance, fidèles et méritants, quoiqu'encore mal dégrossis.

— Ils me sont dévoués, ajouta-t-il.

Le premier était brun et plutôt sombre, le second, blond avec des yeux perçants et un air bravache sur le visage.

— Merci, rétorqua Françoise, mais j'ai déjà des compagnons.

— J'insiste, fit Bernard.

Avait-il peur pour Françoise ou bien pour sa lettre d'amour? Nul, sur le coup, ne le savait vraiment, pas même le vicomte. La jeune femme céda finalement. Après tout, elle devait rendre l'homme-ours à la magicienne et reprendre en passant Simon, dont l'état, on le lui avait promis, se serait de beaucoup amélioré. La présence à ses côtés de deux soldats français ne pouvait que l'aider à passer à travers les lignes ennemies.

Elle donna au vicomte une brève accolade fraternelle.

— Ne vous en faites pas, lui assura Bernard, je vous promets de faire tout en mon pouvoir pour garantir à Pierre et au duc un traitement agréable.

Françoise se retenait d'arracher son amant de sa geôle par la force. Ce projet étant hélas irréalisable, elle sourit pauvrement. De retour à Nantes, elle se promettait cependant d'user de diplomatie pour le récupérer. Il y avait par ailleurs tellement en jeu!

Déchirée, l'âme vide et le cœur lourd, elle quitta Saint-Aubin en secret, accompagnée par l'homme-ours et suivie par les deux soldats français.

* * *

Le mardi 29 juillet, tôt le matin, un messager se présenta aux grilles du château du Verger, où séjournait le roi. Charles se réveillait à peine. Il gardait dans les narines l'âcreté du plâtre, car l'édifice était encore en construction. Les yeux collés de sommeil, un livre d'heures sur sa courtepointe, il venait d'être salué par Marguerite, sa toute jeune fiancée. La fillette aux joues rouges et aux yeux clairs se levait aux aurores, et elle adorait rendre ainsi visite à son promis. Charles appréciait autant son babillage que son éclatante blondeur.

Dans le salon se tenaient également le chancelier Rochefort, réputé de sage conseil, ainsi qu'Anne de Beaujeu, qui était la régente officieuse du royaume et la sœur du roi.

La nouvelle de la victoire mit tout le monde de joyeuse humeur. Une nouvelle journée de chaleur et de soleil pointait aux fenêtres du château de Pierre de Rohan, leur hôte. Ils feraient sûrement une grande promenade.

La dame, cependant, ne perdait aucunement le sens des réalités.

— Voilà qui est de bon augure ! s'exclama-t-elle.

Elle prit le jeune roi par les épaules en un geste d'autorité et de protection, et ajouta :

— Mon frère, nous avons là l'occasion que nous guettions depuis fort longtemps de poursuivre notre mouvement à l'intérieur du duché. La Trémouille peut aisément, maintenant, vous donner l'ensemble de la Bretagne. Le duc est à terre, n'attendons plus !

On apprit au roi que son cousin D'Orléans, battu, avait lui aussi été fait prisonnier.

Anne applaudit. Ses dames étaient tout sourire.

— Sacré cousin ! fit Charles. Ça doit être dur pour son orgueil.

— Ce sont les Suisses et le vicomte de Tormont, Votre Majesté, qui l'ont pris.

La dame pérora :

— Pauvre Louis ! Il n'a jamais su choisir ses combats. Prendre les armes contre vous, mon frère, a été sa dernière erreur. Trop d'hommes sont morts, hier. J'ose croire, insista-t-elle, que leur sacrifice ne sera pas vain. Je vous connais ! De grâce, méfiez-vous de votre bon cœur. Louis nous a par trop souvent défiés. Pour que les autres s'assagissent enfin, vous devez faire un exemple avec lui. Que son châtiment soit exemplaire. Vos peuples ne toléreront pas la moindre faiblesse.

Charles détourna le regard. Lorsque sa sœur prenait ce ton avec lui, tout son être se hérissait. Mais, il le sentait, il était encore trop neuf dans les affaires pour se défaire d'elle. Alors, sans vraiment lui répondre, il s'enthousiasma :

— Ces Suisses, tout de même, sont vraiment les plus forts, les combattants les meilleurs et les hommes les plus beaux que l'on puisse trouver !

* * *

Françoise ne regagna pas Nantes, mais plutôt Rennes, où s'était réfugié le gouvernement de son père. C'est Magdeleine qui lui avait fait cette révélation. Pour sa part, Simon se disait en état de voyager, mais seulement allongé sur un travois. La jeune femme fut bien heureuse de l'insistance du vicomte, qui lui avait fort commodément donné les bras nécessaires pour rapatrier le soldat blessé.

Dans la grande demeure ducale qu'on appelait « le château », tout était sens dessus dessous. L'atmosphère frisait l'hystérie. Les coursiers allaient et venaient, de même que les usuriers. La douleur et le désespoir étaient aussi palpables que de la neige en hiver.

Antoine, son jeune demi-frère, vint la trouver pour la guider.

— La nuit dernière, dit-il gaiement, j'ai rêvé que tu revenais, Françoisine !

De s'entendre appeler de la sorte fit chaud au cœur de la jeune femme. Depuis son départ de Saint-Aubin, elle se consumait aussi de joie à l'idée de revoir son fils et de le serrer dans ses bras.

Tandis que Simon gagnait l'infirmerie et que les deux soldats français, mal à l'aise, se laissaient conduire à la caserne — après leur avoir fait changer de vêtements, Françoise les avait fait passer pour des rescapés de l'armée ducale —, Antoine amena sa sœur dans l'appartement de leur père.

La prise de Fougères et la défaite de Saint-Aubin étaient tombées presque en même temps. Anne et Isabeau se tenaient dans un coin, au milieu de messagers et de courtisans effrayés. En robe de chambre et bonnet sur la tête, François était assis à sa table de travail. Revenu blessé du champ de bataille, le conseiller Montauban se reposait. Il assurait cependant son seigneur qu'il serait de retour auprès de lui dès qu'il aurait repris des forces.

Dans les corridors, Françoise tomba nez à nez avec le capitaine Le Guin. Pierre lui ayant dit que son mentor était mort, Françoise se raidit de surprise. L'autre baissa la tête. Il avait certes été blessé, car on l'avait cru mort. Il s'était réveillé alors que les détrousseurs de cadavres s'apprêtaient à trancher ses effets — toutes choses qu'ils avaient vivement regrettées lorsque le capitaine s'était relevé ! Il avait ensuite fouillé les taillis à la recherche de Pierre. En vain. Finalement, il s'était replié en solitaire, traqué jour et nuit par les patrouilles françaises.

— Ma fille ! s'écria le duc en reconnaissant Françoise.

Il lui ouvrit les bras.

— Quelle folie a été la tienne ! On m'a raconté…

Françoise hésitait à interpréter cette déclaration du duc. Elle croisa le regard d'Anne, qui tenait Isabeau par les épaules, et vint les embrasser. Tout de suite, elle sentit combien la jeune duchesse était inquiète, voire angoissée. Leur père était reparti dans un tourbillon d'activité qui l'épuisait — lui qui, déjà, n'avait pu conduire ses troupes au combat par manque de force !

— Vous, ici ! s'exclama alors une voix brève.

Françoise toisa la comtesse de Dinan-Laval. Les deux femmes gardèrent un silence glacé. La première accusait in petto la seconde de tentative d'assassinat — ces trois soldats envoyés pour l'occire ! La Dinan essayait de savoir si Françoise était ou non au courant de sa vile manœuvre…

Le duc interrompit leur bras de fer mental en se lamentant :

— J'envoie missive sur missive, mais je sais bien, hélas, que l'on me fuit. Mes barons me tournent le dos. Ils craignent trop les Beaujeu. J'ose demander du renfort aux rois Ferdinand et Henri. Vous verrez qu'eux aussi me battront froid !

Il se laissa tomber dans un fauteuil. Il semblait vieilli de plusieurs années. Malgré tout, comme il le disait lui-même, il gardait de l'espoir ! La flamme qui étincelait dans ses yeux fatigués brûlait encore.

— Les usuriers me prennent tout ce qui nous reste de biens, haleta-t-il. Il me faut trouver de l'argent frais. Mais mes peuples sont déjà saignés d'impôts.

Anne était aussi blanche et immobile qu'une statue. Françoise devinait combien elle prenait sur elle une part de la responsabilité et du désespoir paternels. Elle semblait un double de leur père : son miroir. Jeune encore, mais si impliquée, déjà, que cela faisait peine à voir.

Odilon amena enfin Arnaud. Françoise remercia sa servante et saisit son fils à bras le corps. Puis elle déversa sur lui un flot de larmes mêlées de joie et de reconnaissance. Toujours aussi belle, Awena se tenait dans le chambranle.

Soutenant son père, qui peinait à marcher, Françoise lui glissa à l'oreille le seul mot de réconfort qui lui venait à l'esprit : le message que lui adressait Louis d'Orléans. Un étourdissement saisit le duc. Il demanda un gobelet d'eau, qu'Awena courut lui chercher.

— Nantes est menacée, décréta-t-il, et l'on vient de m'apprendre que La Trémouille marche à présent sur Rennes.

Son ton de voix était celui d'un écorché vif. Anne et Françoise se dévisagèrent : était-il Dieu possible qu'elles fussent toutes deux frappées par le même terrible pressentiment ?

* * *

Alors que le duc se débattait dans l'urgence, les deux Français ramenés par Françoise laissaient tomber leur sac sur une couche de mauvais grain. Le blond au regard vif saluait leurs « camarades » bretons et arborait un visage bon enfant. L'autre se demandait ce qui pouvait bien l'enchanter dans leur situation. N'étaient-ils pas des soldats du roi fortuitement placés dans le camp de leurs adversaires ?

Il faut dire que Vincent Menez, son blond compère, était un curieux personnage. Né de père français, mais de mère bretonne, il avait été élevé à Paris. D'apparence frêle, il possédait ce charme à la fois juvénile et sombre qui faisait l'étoffe de ces gens promis à un destin flamboyant, mais hélas tragique. Il en portait d'ailleurs les marques dans ses yeux et dans ses manières de damoiseau autant que dans sa façon de toujours essayer, comme disait l'autre, de vous « caresser dans le bon sens du poil ». Un être finalement aussi inquiétant qu'imprévisible.

— Tu souris ? lui demanda le brun.

Vincent Menez ne répondit pas. Il se contentait de promener alentour le regard de celui qui avait décidé de faire son chemin dans la vie, peu importe où il se trouvait, seraitce même dans la gueule de l'ennemi.

Chapitre 5

Une signature difficile

Dire que la Bretagne fut perdue parce que les bourgeois de Saint-Malo abandonnèrent leur place forte au roi de France était exagéré. Cette désastreuse reddition n'était que le dernier clou enfoncé à un cercueil depuis longtemps dégrossi et sculpté avec patience par la fatalité. N'empêche que la nouvelle atterra le duc et son entourage. Depuis la défaite du 28 juillet, François II n'était plus que l'ombre de lui-même. Chaque jour, il recevait un nouveau coup au cœur. Il avait craint que Charles ne résiste pas à la volonté de sa sœur et envahisse le reste de la Bretagne. Fort heureusement, François avait un allié inespéré en la personne de Guillaume de Rochefort. Ce brave conseiller royal redoutait en effet que le peuple breton ne se soulève s'ils s'avisaient d'annexer le pays.

François avait donc envoyé une ambassade auprès du jeune roi. Le comte de Dunois la menait grand train, accompagné par le comte de Comminges, qui était pourtant un condamné à mort aux yeux des Français. Olivier de Coëtmen, dernièrement rentré en grâce, et Guillaume Guéguen la complétaient. Le 19 août, ce conseil réduit avait reçu du roi les conditions du traité.

À présent, nous étions le 30, et le duc se préparait à parapher ce qu'il nommait en lui-même « un odieux document ». Le matin même, ses enfants ne l'avaient-ils pas entendu s'écrier : « Rohan ! Rohan ! Traître ! » ?

Puis il était parti pour Sablé-sur-Sarthe, non loin d'Angers, pour se présenter au château du Verger, propriété de Pierre de Rohan, un manoir tout neuf qui serait, disait-on déjà, un des plus beaux de Bretagne. Le roi y résidait avec sa cour, même si l'édifice résonnait encore du bruit des burins et des spatules, et qu'une poussière blanche recouvrait les manteaux des courtisans.

François II y arriva au matin accompagné de quelques hommes d'armes et des seuls Dunois et Comminges — comme un ultime pied de nez au pouvoir royal. Son ami Montauban aussi avait voulu venir. Cependant, comme l'avait souligné François, qui, malgré les circonstances, gardait toute sa tête, il était plus sage que son meilleur homme et ami restât auprès de ses filles chéries.

Installé dans un salon dont on terminait de clouer les lambris, le duc attendait de contresigner le document. Autour de lui se trouvaient quelques hommes de loi du parti royal, dont le sage et rusé Guillaume de Rochefort.

De temps en temps, François feignait de chercher du regard soit Pierre de Rohan lui-même — n'était-il pas après tout le maître des lieux ? —, soit le roi et sa sœur, ses valeureux vainqueurs ! Toutes choses avec lesquelles il essayait vainement de gagner du temps.

Une fatigue lancinante lui donnait parfois des étourdissements. La chaleur, la touffeur de l'air, le va-et-vient des ouvriers, les regards faussement compassés de ces nobles français qui assistaient à sa déchéance n'arrangeaient en rien son état. Le duc s'était pourtant présenté non en vaincu, mais en grand seigneur. Son équipage et sa tenue étaient l'expression de la volonté d'un souverain, et non pas celle d'un simple vassal. Il agissait la tête haute et cachait son humiliation de n'être point reçu en personne par son cousin le roi.

Rochefort lui résuma mielleusement les termes du traité :

— Notre bon sire, le roi, n'a pas voulu vous accabler, monseigneur, bien qu'il n'ait pas souhaité cette guerre dont vous portez seul la charge. Ne voyez pas non plus en ce document sa volonté de faire sienne la Bretagne, mais uniquement son bon soin de vouloir redéfinir les termes de vos relations de vassalité.

François laissa parler le conseiller royal, car il connaissait les manigances déployées par la régente, qui avait travaillé à toutes les étapes de la rédaction du traité. Sa main suspendue sur le papier, François hésitait encore. L'encre menaçait de baver.

En clair, les Français gardaient de grandes villes et places fortes comme Saint-Malo, Dinan, Fougères et Saint-Aubin. Ils promettaient par contre de retirer leurs troupes des autres cités.

— Vous reconnaîtrez, monseigneur, ajouta Rochefort, que ce document vous laisse une belle autonomie de mouvement.

François avait envie de lui crier de se taire. Que tout ceci n'était que mensonges. Car au fond, il n'avait aucun choix et était au contraire obligé de tout abandonner. Mais toujours aussi fin diplomate, il fit l'effort de sourire.

En contrepartie de ces largesses royales, François devait renvoyer tous les étrangers s'étant battu pour lui, incluant les nobles français proches du duc d'Orléans, qui seraient peut-être condamnés à mort sitôt revenus dans leur pays. Et surtout, il ne pourrait plus, désormais, marier ses filles sans le consentement royal !

Cette disposition du traité le désespérait, car elle était un déni formel à toute sa politique. Il devrait également accepter de faire au roi le serment lige du vassal à son seigneur, ce qui, pour la première fois de son histoire, ferait entrer la Bretagne dans le giron des domaines de la couronne.

— Monseigneur ? interrogea le comte de Dunois.

— Certes, certes, mon ami, répondit évasivement François en forçant sa main à lui obéir.

Ses doigts étaient gourds. Cela faisait presque deux semaines qu'il assistait, impuissant, à cette nouvelle perte de son autonomie. Cette main était une extension directe de son pouvoir de souverain. Elle commandait l'acte de signer ou non. Et voilà qu'il en perdait l'usage ! Vraiment, cette venue sur les terres de Pierre de Rohan était plus qu'une chute : une véritable déchéance programmée.

Lorsqu'il sortit du château pour regagner son carrosse, le duc fut à peine surpris d'entendre, derrière lui, se gausser les nobles de France. Il montait sur le marchepied lorsqu'il fut atteint par cette dernière flèche :

— C'est un homme fini.

Dunois l'aida à s'asseoir. François ferma les yeux. C'en était effectivement fait de lui. Il s'était battu, et il avait perdu. Cependant, à travers ses larmes se dessinait le visage à la fois ferme et doux, beau et fier en diable de sa fille. « Anne, songea-t-il avec ferveur. Anne… »

Une intuition lui insuffla à cet instant dans le corps la promesse d'un espoir nouveau. Il sourit aux comtes de Dunois et de Comminges et se contenta, devant leur étonnement, de secouer la tête.

— Non, murmura-t-il comme pour lui-même. Tout, malgré les apparences, n'est pas terminé. Ô combien, non !

* * *

Une épidémie de peste s'étant déclarée à Nantes, François ne put regagner sa ville et son cher château en pierre de tuffeau blanc. Il dut se rabattre sur son domaine de Couëron. Ce n'était certes pas un palais, mais plutôt un manoir de bourgeois. Sis en campagne sur le bord de la Loire, il était entouré de landes, de bois, de gens simples et de bêtes. Tout ce à quoi, en vérité, le duc aspirait désormais après ces longs mois — ces longues années ! — de luttes incessantes, d'intrigues empoisonnées et de vaines manœuvres diplomatiques.

Ses gens installèrent la demeure. Lui se retrancha dans la plus grande pièce. Le soir, au coin du feu, entouré des membres de sa famille, il préférait parler de ce qui lui plaisait le plus : l'art. Un sourire attendri au bord des lèvres, il évoquait les tableaux et les œuvres qu'il avait mis en gage. Ses enfants l'écoutaient avec dévotion. Si d'Avaugour, « l'aîné des aînés », comme disait bonnement le duc, demeurait lointain et insaisissable, Antoine grandissait. « Il a fini par le faire ! », songea François en se rappelant que ce garçon, ce « Dolus », comme on l'appelait, avait été si proche, plutôt, de ses filles.

La main qu'Isabeau glissa dans celle de son frère fit plaisir au duc tant était vraie l'affection que ces deux-là se portaient depuis toujours. Étrange vie, étranges voies que prennent parfois les complicités entre frères et sœurs. Anne restait cependant identique à elle-même, et sa préférée : un roc tendre, mais dur en soi. Elle était cette île pure et immaculée sur laquelle il pouvait encore rêver à *sa* Bretagne. Une Bretagne forte qui, dans son imagination, pouvait se tenir debout face aux puissances d'Europe. Et il y avait aussi Françoise et Arnaud, le petit dernier !

Un des regrets du duc était d'avoir donné Françoise à un baron du clan des Rieux et Rohan. À l'époque, cette alliance lui avait semblé un judicieux calcul. Il voyait maintenant que la fidélité de ces gens était aussi changeante que le délicat équilibre d'une girouette.

« Non pas, se dit-il in petto, je l'ai toujours su. Ils ne se sont jamais vraiment cachés. Alors, pourquoi ? »

Il reparla de sa détresse de devoir abandonner au roi les Français qui s'étaient courageusement battus à leurs côtés. Comminges, présent, déglutit avec difficulté. Risquait-il encore l'extradition et la mort ? Et Dunois ?

— Tous nos mercenaires aussi doivent partir, se lamenta François. C'est un peu plus de mon sang qui se répand hors de mes veines.

Le soir du 8 septembre, un bon feu craquait dans la cheminée. Des serviteurs passaient des bols d'eau de rose, et les convives y trempaient leurs doigts. François regardait son petit monde, et surtout la belle Awena. Il sentait la main de la jeune femme glissée dans la sienne. Un moment, elle appuya sa tête blonde contre son épaule. La douceur de sa peau, le parfum léger de sa chevelure lui étaient d'un réconfort sans pareil.

La comtesse de Dinan aussi se trouvait dans la pièce. Le duc ne pouvait ignorer les œillades assassines qu'elle échangeait avec Françoise, qui avait tenu, drôle d'idée, à nourrir elle-même son fils.

— Ne suis-je pas une bâtarde? s'était défendue la jeune femme, lorsque la Dinan lui avait notifié qu'une noble dame de Bretagne ne s'abaissait pas à donner le sein à ses enfants.

— Vous êtes à présent une D'Espinay-Laval, ne l'oubliez pas! De plus, vu votre état, je doute fort que vous puissiez en être capable. Soyez tout du moins raisonnable!

Comment, en effet, Françoise pouvait-elle oublier une seule seconde qu'elle avait en quelque sorte été vendue à cette famille de traîtres! Cependant, la comtesse n'avait pas tout à fait tort.

La jeune femme prit sur elle-même et se força à cacher ses sentiments pour ne pas davantage peiner son pauvre père, qui, comme chacun savait, « revenait de loin ».

— Demain, annonça fièrement le duc, nous irons à la chasse.

Devant la surprise générale, il ajouta, fort gaillard :

— Ne manquons-nous pas de volailles et de belles cailles sauvages en cuisine? Ou alors, ajouta-t-il en riant, je n'aurai pas bien entendu.

* * *

Durant la nuit, Françoise fit de nouveaux cauchemars. Elle s'éveilla en sursaut au lever du jour. Devant sa fenêtre, un corbeau croassait à s'en arracher la gorge. Quelque part, ce cri ressemblait trop à un rire cynique pour ne pas cacher quelque diablerie. Il se mêlait si bien à celui que la Dinan avait poussé dans son mauvais rêve…

Odilon lui amena Arnaud. Rien que cette nuit, Françoise s'était réveillée trois fois pour lui donner le sein.

— Viens, mon bel amour, chantonna-t-elle.

— Madame ? s'enquit la servante.

Françoise hocha la tête : elle allait bien.

Ce qui était loin d'être vrai. En fait, pendant son cauchemar, elle avait vu Pierre et le duc Louis d'Orléans tomber dans une oubliette. En même temps, la Dinan et Rieux s'esclaffaient. « Ainsi, se rengorgeait la gouvernante d'Anne et d'Isabeau, ton voleur de palefrenier ne pourra parler ni nous trahir. Et crois-moi, Françoise, ils pourriront tous les deux ! »

Alors que Pierre hurlait d'effroi, Françoise lui tendait Arnaud et lui criait que cet enfant était de lui. Hélas, Pierre ne voyait pas le bébé, il ne l'entendait pas.

Un hennissement la tira de sa sombre rêverie.

— Diable, s'écria-t-elle, mais qui s'en va à cette heure si matinale ?

Odilon se pencha à la trouée.

— Monseigneur le duc, madame.

À cause d'Arnaud, qui buvait avec appétit, Françoise se retint de ne pas se lever trop brusquement. Un rictus déforma cependant le bas de son visage.

— Madame, est-ce que ça va ? s'inquiéta la servante.

— Il est fou, se contenta de répondre la jeune femme.

Puis, ne pouvant plus tenir, elle abrégea le repas de son fils et demanda sa houppelande. Elle ne supportait pas de rester à ne rien faire alors qu'il se jouait un drame à l'écurie.

— Simon accompagne votre père, lui lança Odilon, vous n'avez pas à vous en faire.

Françoise courut dans le corridor, faillit renverser la comtesse de Dinan, qui sortait de la chambre d'Anne. La jeune duchesse elle-même tendit le cou hors du chambranle.

— Ne le laissez pas partir ! s'écria Françoise en parlant de leur père. De grâce, Dieu tout puissant, ne le laissez pas !

Elle haletait. Était-elle donc la seule à voir, entre ses iris et ses paupières tremblotantes, son père en train de disparaître lui aussi dans des ténèbres sans fond !

Chapitre 6

L'éternité pour linceul

Ce matin, la leçon de politique n'avançait guère. Les terribles circonstances ne faisaient-elles pas en sorte que l'on baignait de toute façon dedans ? Les propos de la comtesse sonnaient creux. Comment aurait-il pu en être autrement alors qu'elle se demandait sans doute ce que les Français faisaient de ses chers domaines de Dinan et de Châteaubriant, qu'ils occupaient illégalement ?

Sa baguette levée dans les airs, elle perçut, à travers son voile de contrariété, combien ses jeunes élèves eux-mêmes étaient songeurs. Anne la regardait, certes, mais l'écoutait-elle ? Isabeau ne cessait de gronder son chaton. Antoine essayait d'attraper des mouches — ce qui faisait rire sa cadette. Et Françoise nourrissait son bébé.

Un moment, la Dinan se tut. Personne ne lui en tint rigueur. Au bout de quelques secondes, elle sortit enfin de ses noires pensées et s'étonna :

— Mais que faites-vous donc tous à la fenêtre ?

D'en bas, une voix avait crié. Anne et Françoise se consultaient du regard. Tout le sang semblait s'être retiré de leur visage. Sans prévenir, elles jaillirent hors du salon.

— Enfin ! éructa la comtesse, je vous…

Antoine et Isabeau suivirent le mouvement, le chaton aussi, qui poussa un cri étranglé.

Des gens montaient les escaliers. Françoise confia Arnaud à Odilon et rejoignit les hommes. La haute silhouette de Simon dominait le groupe. Les épaules du soldat tremblaient. On fit de l'espace pour Anne et Françoise près de la civière que l'on montait à la force des bras.

— Monseigneur le duc… balbutiait Simon, les joues ruisselantes de larmes.

Maîtrisant toujours la situation, le capitaine Le Guin expliqua :

— Nous étions dans le marécage. Nous suivions un sanglier. Les chiens nous devançaient…

À son air navré, il devait revivre les faits.

— … et puis, le cheval de monseigneur a sauté pardessus un tronc abattu. Le duc est tombé à la renverse.

François II était blême. Légèrement blessé au visage, il geignait et transpirait tout à la fois.

— Menez-le à sa chambre, ordonna Françoise.

Le comte de Dunois apparut au bas des marches. Lui aussi avait participé à la chasse. Arriva ensuite le conseiller Philippe de Montauban. Tout ce beau monde se massa devant les portes. Awena, qui partageait la couche du duc, se tenait devant le chambranle. Elle semblait comprendre de quoi il retournait, car elle ouvrit tout grands les battants et s'en alla préparer le lit. Marie, une des servantes, accourut également. On manda le médecin du duc ainsi que le nouveau chapelain. Les courtisans et les serviteurs ayant suivi le duc à Couëron ne représentaient que le sixième des gens ordinaires de la cour de Nantes. Pourtant, il semblait à Françoise que la demeure était comble.

François d'Avaugour arriva bon dernier. Il n'était pas à la chasse, ce matin, mais semblait plutôt sortir des bras d'une quelconque donzelle.

— Notre père... lui lança la jeune femme sans terminer sa phrase.

Puis elle se détourna et dégringola les escaliers. Simon et le capitaine Le Guin, de même qu'Odilon, la suivirent dans la cour. En chemin, le jeune Vincent Menez l'aperçut et lui emboîta également le pas. Le transfuge français était devenu un page au service des jeunes duchesses, tandis que son compagnon avait été intégré à la garde sous les ordres de Le Guin.

Françoise atteignit les écuries.

— Madame! l'appela Odilon en tenant Arnaud sur son sein.

La jeune femme chercha Doucette, sa haquenée préférée, et la sella. Lorsque Le Guin et les autres la rattrapèrent, elle leur parla d'une femme qu'il lui fallait absolument aller chercher. Simon comprit qu'il s'agissait de Magdeleine Bois.

Simon se présenta devant son capitaine et lui demanda la permission d'accompagner Françoise.

— Nous venons aussi, s'imposa Vincent Menez en tirant Benoît, son compagnon, par le bras.

— Mais enfin, c'est pure folie! gronda Le Guin. Les médecins sont déjà auprès du duc et...

Françoise n'écoutait plus. Son cauchemar, la chute de cheval, les signes. Tout était clair dans son esprit.

Elle monta en croupe.

— Capitaine ! apostropha-t-elle Le Guin. Je vous confie la vie de mon fils.

Elle le fit venir près d'elle et murmura à son oreille une supplique pour le moins étrange :

— De grâce, tenez-le bien loin, je vous prie, des griffes de mon époux.

Vincent ouvrit les portes. Simon se juchait sur un destrier… quand surgirent Antoine et Isabeau, en pleurs.

— Françoisine ! s'exclama la jeune fille de dix ans.

— Père est au plus mal, expliqua Antoine.

Les yeux de Françoise s'agrandirent d'horreur. Ainsi donc, il était trop tard. Le destin était en marche. Si prévisible. Irréversible. Le Dolus ajouta que leur père terminait de dicter son testament.

Au même moment, des cavaliers entraient dans la cour. Françoise reconnut le maréchal de Rieux ainsi que son propre époux, le baron Raoul d'Espinay-Laval. Ainsi, comme on en avait colporté la « bonne » nouvelle, ces deux-là avaient survécu à la bataille. Le seigneur Alain d'Albret les accompagnait. Il sembla à la jeune femme que le ciel s'assombrissait de lourds nuages. Eux présents, comment dire, l'espace était soudainement réduit, comprimé, et l'air qu'ils respiraient, appauvri.

Comme elle s'y attendait, le maréchal prit immédiatement les choses en main. Cet homme agité et tonitruant semblait être en permanence entouré d'éclairs invisibles que Françoise ressentait plus qu'elle ne voyait. Et ces émanations nauséabondes pour l'âme l'insupportaient. Excellent bretteur, arrogant, prétentieux, vénal et fort calculateur, Rieux était de tous les complots, de toutes les cabales politiques. Tantôt allié au duc, tantôt son farouche opposant, il allait selon le vent de ses caprices et de son seul profit. Pour l'heure, il avait conduit les troupes du duc et il se trouvait dans leur camp. Mais pour combien de temps ?

Raoul le suivait comme son ombre ou un petit chien, son maître. D'Albret, c'était autre chose. Le seigneur gascon avait toujours été un fidèle du duc. Aussi grand, bien bâti et fort en gueule que le maréchal lui-même, il était de surcroît le demi-frère de la comtesse de Dinan.

Les trois hommes prirent d'assaut l'escalier du manoir. Isabeau tirait Françoise par le bras. Quelqu'un leur cria d'une fenêtre que le duc entrait en agonie.

* * *

L'accès à l'appartement était gardé par des hommes appartenant au maréchal. Le Guin lui-même, qui était l'officier de confiance de Philippe de Montauban, eut du mal à s'y introduire. Tous s'écartèrent néanmoins devant Isabeau et les trois bâtards du duc.

Si Isabeau put entrer dans la chambre où se trouvait déjà Anne, les trois autres durent se tenir dans l'antichambre déjà remplie de courtisans. Les conversations et les paris sur les chances de survie du duc allaient bon train. Il semblait cette fois que, malgré toutes les occasions où François II avait déjà failli mourir, celle-ci fut la bonne.

Françoise était proprement écœurée. Odilon tenait Arnaud, qui pleurait. L'enfant voyait-il plus loin que les adultes ? Françoise le serra dans ses bras.

— Ton grand-père se meurt, sanglota-t-elle dans le cou du bébé.

Les heures s'écoulèrent, la chaleur s'installa. L'attente aussi.

Un à un, les principaux serviteurs du duc entraient dans la chambre, puis en ressortaient. Les premiers furent la comtesse de Dinan, le maréchal de Rieux, le comte de Comminges, puis Philippe de Montauban. D'Albret y alla ensuite.

Françoise, d'Avaugour et Antoine assistaient, muets, à ce bal macabre. Antoine ruminait son chagrin, Françoise, son impatience, l'aîné des bâtards, sa colère. À un moment donné, alors que des domestiques faisaient passer des plateaux de friandises et des gobelets de vin, le jeune comte de Goëllo et de Vertus lâcha entre ses dents :

— Tu vas voir, ma sœur, ils ne nous introduiront pas.

— Mais, père ! bredouilla Antoine.

D'Avaugour lui imposa le silence.

— Nous ne sommes rien pour eux.

Françoise posa une main sur l'épaule de son frère aîné. Ce geste tendre lui fit curieusement de l'effet. Il n'était pas seul. Même si Françoise et lui s'étaient opposés par le passé, ils étaient logés à la même enseigne. Ils se sourirent pauvrement.

La porte s'ouvrit. Par l'entrebâillement, ils virent au moins qu'Awena était toujours présente au chevet de leur père. Cette belle jeune femme que l'on traitait irrévérencieusement de courtisane aimait le duc, et elle en était chérie en retour. Cela forçait le respect.

Anne et Isabeau étaient sorties durant les discussions entourant le testament. Elles revinrent, le teint toujours aussi pâle. Les jeunes duchesses échangèrent un regard éploré avec leurs aînés. Enfin, la Dinan apparut sur le seuil.

Françoise craignait d'apprendre ce que ces vautours avaient pu arracher de promesses à leur père. Heureusement, Philippe de Montauban aussi avait assisté aux apartés. À sa mine sombre et inquiète, il était facile, cependant, de deviner que l'état du duc empirait. Le médecin annonça d'ailleurs peu après que leur seigneur avait été confessé et absous de ses péchés. Le nouveau chapelain sortait également, aussi solennel que s'il venait d'officier dans une cathédrale.

— Père va nous faire appeler, répéta Françoise pour consoler ses frères.

— Tu te berces d'illusions, maugréa d'Avaugour.

Sans plus attendre près des siens, il se rapprocha du groupe du maréchal et du seigneur d'Albret. Françoise ne put que constater une fois encore combien son frère était un faible. Comme toujours, il allait selon les circonstances, sans égard pour sa conscience ou pour les intérêts de la famille.

Dans la pièce se tenait également Vincent Menez. Le jeune Français observait les événements. Souriant à tous et à chacun, lui aussi flairait la direction du vent. Il se dessinait clairement deux factions opposées autour du duc mourant. Les deux chefs en étaient d'une part le maréchal de Rieux, et d'autre part la toute jeune duchesse Anne.

Il s'agissait de ne pas se tromper de camp…

* * *

Dans la chambre, il faisait chaud. Bien trop au goût d'Awena, qui ouvrit d'elle-même toutes les fenêtres. Il y avait aussi trop de monde. Anne sut gré à la concubine de faire sortir une dizaine de personnes. Un moment, François II ouvrit les yeux et cligna des paupières.

Il souffrait trop de sa hanche brisée pour parler longtemps. La fièvre s'était installée au fur et à mesure que l'infection le gagnait. Le médecin n'avait pu le soulager autrement que par des saignées, qui ne faisaient que l'affaiblir davantage. À présent, il tenait la main d'Anne et il murmurait à son oreille. La jeune fille écoutait gravement tandis que sa cadette pleurait sans retenue. Touchée par la détresse d'Isabeau et sans doute pour y noyer la sienne, Awena la serrait dans ses bras.

Puis le duc demanda à la belle de se tenir en face de sa fille aînée légitime. Toutes deux lui prirent chacune une main.

— Je vais mourir, déclara-t-il dans un soupir. Anne… je continuerai à vivre à travers toi. Toi, tu seras forte, tu sauras te faire respecter, tu sauveras la Bretagne.

Il eut à cet instant comme un cri rauque, symbole de sa propre défaite ou impuissance face à la cruelle adversité. Il posa sa main tremblante et parcheminée sur l'épaule de sa fille. Cette main n'était pas plus lourde qu'une aile de colombe. Cependant, Awena sentit qu'elle pesait davantage qu'une enclume sur l'âme de la toute jeune duchesse. Il parut même à la concubine que le duc accomplissait là une sorte de transfert de responsabilité. Anne en était-elle seulement consciente ? Toujours est-il qu'après lui avoir fait jurer de continuer son combat et de remporter coûte que coûte la victoire, la jeune fille accusa un long moment de fatigue.

— Est-ce que ça va ? lui demanda Awena.

Anne paraissait étourdie. Elle se tassa sur elle-même, mais assura qu'elle se portait bien. Une vive douleur à la vessie la fit grimacer.

— Je vais… me reposer un peu, à présent… haleta François.

Il tapota le poignet d'Awena et lui répéta la prédiction qu'il lui avait faite un jour :

— Tu vas trouver ton beau prince, mon enfant. Oui, oui, et tu auras une vie grande, comblée et glorieuse, avec belle et nombreuse descendance…

Il se tut, réclama à boire, ferma les yeux. Il était temps de se retrancher derrière la barrière de ses paupières closes et de contempler ce qu'avait été sa vie.

Il était né au château de Clisson, bâti sur un promontoire de granite dominant la Sèvre. Sa jeunesse, il l'avait passée à la cour du roi Charles VII de France, le grand-père du frêle monarque actuel. Dès lors, il avait vécu dans un tourbillon de plaisirs et de folles aventures. Il était devenu duc à la suite du décès fort commode de deux de ses cousins et d'un oncle, et avait ceint la couronne à l'âge de vingt-cinq ans seulement. Il avait bâti, construit et rénové quantité de demeures, collectionné des œuvres d'art, incarné de son mieux l'âme de la Bretagne.

Ses deux épouses s'étaient toutes deux prénommées Marguerite, ce qui avait été pratique en somme. Il avait eu de nombreux enfants, dont hélas aucun fils légitime. Antoinette de Maignelais avait été son grand amour. Cousine de la belle Agnès Sorel, Antoinette avait aussi autrefois été la maîtresse du roi Charles VII. On l'avait même soupçonnée, un temps, d'être une espionne de Louis XI. Mais François et elle s'étaient véritablement aimés.

Et puis, il y avait eu les guerres. Contre Louis XI, mais aussi celles menées contre ses propres barons. Ces dernières, inlassables, avaient terminé de l'user.

À présent, il fallait quitter tout cela. Étrangement, il avait l'impression d'être non plus allongé sur son lit, mais en selle en train de courir sus au sanglier. Il était de retour dans le marécage. Il entendait l'aboiement des chiens, les appels de ses gens. Il échangeait même un sourire avec son bon ami Philippe de Montauban. Ils auraient de la bonne viande pour souper !

Et puis, soudain, la vision du marécage se rétrécit. Un brouillard humide se leva, gomma la silhouette de ses serviteurs et de ses compagnons. Il absorbait leurs voix dans un espace à la fois vaste et insondable. Un moment, les soubresauts mêmes de son cheval s'étiolèrent dans le néant. François flottait. Il ne pesait plus rien. Le marécage se réduisait à une espèce d'immense couloir. Un corridor fait de lambris sombres dans lequel il y avait beaucoup de fumée ou bien de la brume. Elle ne venait pas des cuisines, mais d'un ailleurs lointain et étrange qui sentait bon les fleurs. Oui, les grandes fleurs blanches de son enfance qui poussaient dans une prairie située tout au bout de ce couloir, dans cette lumière irréelle qui brillait au-delà.

François se sentit l'envie presque juvénile de se retrouver dans ce champ de fleurs. Il tendit l'oreille. Des femmes l'appelaient. Il sourit. Décidément, ce dernier voyage était des plus agréables. Soulagé du poids de tous ses combats, il pouvait se consacrer maintenant à de plus nobles plaisirs. Il répondit à l'appel : « Marguerite ! » Alors, les parois du corridor s'évasèrent, s'élargirent. Il ne resta plus que la lumière et le champ de fleurs.

Dans l'antichambre, chacun entendit le cri perçant que poussa la jeune duchesse de Bretagne. Le médecin sortit de la pièce et annonça à tous la mort de leur bien-aimé seigneur.

Chapitre 7

Une lugubre cérémonie

Nantes, 13 septembre 1488

Tôt le matin, les gens s'étaient massés le long des rues. Depuis, ils attendaient, silencieux, recueillis, que passe le convoi funèbre. Le héraut de Bretagne criait aux carrefours :

— Notre seigneur souverain, François, deuxième du nom, est mort. Gens de Bretagne, priez pour lui ! Notre dame souveraine, Anne, duchesse, lui succède. Gens de Bretagne, priez pour elle !

Anne et Isabeau marchaient immédiatement derrière le cercueil. Elles étaient entourées par les seigneurs et les gentilshommes de la cour, au nombre desquels se trouvaient le maréchal de Rieux et ses affidés, d'Albret, le Gascon, mais aussi la comtesse de Dinan-Laval et son fils François de Châteaubriant, Philippe de Montauban, le comte de Dunois, le sieur de Comminges, les ecclésiastiques, prêtres et chapelains, ainsi que la famille illégitime du duc : Françoise, Antoine et d'Avaugour.

Tout ce monde remontait la Haute-Grande-Rue en direction du couvent des Carmes, où, selon ses dernières volontés, François II souhaitait reposer entre ses deux épouses défuntes.

Le ciel était gris et lourd, mais la journée s'annonçait chaude. La population aussi était en deuil. Des messagers avaient été envoyés dans toutes les villes libres de Bretagne pour annoncer au peuple l'accablante nouvelle.

Les jours précédents, selon la coutume, le conseiller Montauban avait fait remettre de somptueux cadeaux à tout ce que la cour comptait d'hommes et de femmes importants. Des habits de deuil avaient dû être commandés pour les jeunes duchesses, mais aussi pour les membres des maisons de François et pour le personnel attaché à Anne et Isabeau, des sommes folles qui grevaient encore plus le trésor déjà passablement vide.

Parvenu devant le bâtiment austère, le convoi s'arrêta, et le bal macabre put commencer. Les gens entrèrent derrière le duc défunt dans un ordre établi par le protocole, en silence, avec le respect dû à la fois au souverain et à l'ordre du Carmel. Philippe de Montauban avait tout réglé dans une pompe volontairement lugubre qui convenait parfaitement, à son avis, aux circonstances.

Françoise avait l'impression de vivre un cauchemar. Elle ne devait pas être la seule. Comment imaginer leur vie et le château de Nantes sans le duc ? François était souvent malade, mais il était présent. Depuis son départ, le vide à combler était immense. Tous les regards convergeaient à présent sur Anne. Françoise plaignait sa sœur de toute son âme, car ces attentes qui s'accumulaient en un nuage au-dessus de la tête de la jeune duchesse allaient bientôt peser des tonnes sur ses frêles épaules.

Pire que cela, il y avait les ambitions que la mort du duc faisait renaître chez les nobles ! Françoise devinait déjà chez plusieurs d'entre eux un bouillonnement intérieur qui montait, montait. Même ici, dans le silence du sépulcre, entre les statues et les gisants de pierre, cette fièvre était ô combien perceptible.

L'archevêque entama son homélie. Dans les rangs, certaines personnes s'agitaient. Soudain, Françoise frissonna. Ne voyait-elle pas son époux, Raoul, debout entre Alain d'Albret et le maréchal avec son fils Arnaud dans les bras !

Raoul se hissa à sa hauteur. Arnaud sommeillait en effet sur le pourpoint de cet homme infâme qui avait arraché le bébé du sein de sa mère dès sa naissance, puis qui l'avait enfermée, elle, Françoise, et presque emmurée vivante pendant des semaines.

Raoul avait l'air embêté. On l'aurait été pour moins. Cet homme vil et calculateur, traître et empoisonneur à ses heures avait-il une conscience ? Françoise se le demandait alors que le cercueil de son père était lentement descendu dans le caveau, précisément entre les tombes de celles qu'il appelait avec affection « ses deux Marguerite ».

— Regardez, lui souffla Raoul en approchant son visage du sien, notre fils dort sans crainte dans mes bras.

— Notre fils ? s'étonna-t-elle.

Le baron eut un faible sourire et répéta qu'Arnaud était effectivement *son* fils *aussi*. Frôler la mort fait, dit-on, entrevoir aux plus aguerris dans le vice et l'orgueil des parcelles de sagesse et de véritable bonté. Raoul avait-il suffisamment vu sa propre fin dans les yeux des soldats qu'il avait affrontés sur la lande de Saint-Aubin-du-Cormier?

— En ces pénibles heures, soyons unis, proposa-t-il en baissant encore le ton.

Françoise avait le souffle court. Tout, ici, était lugubre : spécialement Raoul d'Espinay, son faciès de rouquin et son invitation à quoi, faire la paix? À tout oublier? À recommencer quelque chose qui n'avait jamais vraiment existé : leur couple!

— Nous avons un bébé, plaida-t-il.

La jeune femme tendit les bras — elle avait cru son enfant en sécurité aux bons soins d'Odilon! Raoul le lui donna de bonne grâce. L'homélie de l'archevêque tirait en longueur. Les membres de l'assistance commençaient à fatiguer. Isabeau oscillait d'épuisement dans son nouveau manteau.

Anne, par contre, demeurait droite, comme si elle devait déjà montrer l'exemple. Françoise ne s'y trompait pas : la jeune fille incarnait dès ce moment tragique ce renouveau en lequel tous ou presque plaçaient leurs espérances.

Deux autres participants avaient assisté à l'altercation muette, mais violente, entre Françoise et son mari. Vincent Menez, présent en tant que page personnel de la comtesse Françoise de Clisson et baronne du Palet, et le garde Benoît Vamier. Le premier cherchait toujours à flairer la direction que prendrait le vent, tandis que l'autre observait celui qui, par la force des choses, était devenu son compère. Menez avait une paupière à demi close, un tic nerveux qui l'agitait quand son cerveau essayait d'analyser trop d'informations en même temps.

Peu après, un autre incident l'intrigua encore davantage. Comme tout le monde à la cour, le page connaissait la belle Awena. La concubine du défunt duc avait marché en queue du cortège, sans doute pour ne pas éveiller les convoitises et les agressivités. En peu de temps, Vincent en avait appris de bonnes sur cette jolie femme blonde et sensuelle que les seigneurs dévoraient des yeux tout en ne se gênant pas pour la salir en paroles.

François d'Avaugour prit soudain la donzelle par la taille et l'entraîna à l'écart. Vincent les y suivit en glissant sans bruit sur les dalles tandis que l'on refermait la tombe du duc.

— Tu sais ce que l'on dit sur toi, Awena ? commença le bâtard de Bretagne.

La belle haussa ses rondes épaules, ce qui donna vie à ses seins joliment galbés et en cette heure cachés sous les boucles d'une cape en velours beige.

— Je n'ai jamais été ton ennemi, reprit d'Avaugour. Mais sache qu'à présent, il te faut un protecteur.

Nouveau haussement d'épaules. Le jeune homme grimaça, mais susurra encore, avant d'aller reprendre sa place :

— Penses-y.

Dissimulé derrière une colonne, Vincent accueillit ce nouveau lot d'informations en laissant nerveusement cligner sa paupière gauche. Un troisième aparté lui confirma qu'il était en veine. Deux autres personnages se détachaient en effet du groupe. Il s'agissait de la comtesse de Dinan et du seigneur Alain d'Albret.

L'un et l'autre se parlaient bas, mais Vincent était caché juste derrière eux.

— Il est grand temps, ma sœur, disait d'Albret, de penser aux promesses que m'a faites le duc.

— Que vous êtes impétueux !

— Vous vouliez connaître le prix de mon engagement auprès de vous et du maréchal, madame, vous le connaissez. Je n'accepterai rien de moins.

La Dinan baissa la tête, ce qui força le grand gaillard à incliner le buste.

— Rassurez-vous, mon frère, Anne a du caractère, mais elle fera comme je lui dirai.

L'autre sourit, Vincent également. La question, pour lui, était maintenant de savoir comment utiliser au mieux ce qu'il venait d'apprendre…

* * *

La cérémonie terminée, tous regagnèrent le château. À partir de ce moment, l'attente s'installa. Comme des chiens laissés à eux-mêmes, les courtisans piaffaient et discouraient sans finir. Mais, surtout, ils avaient peur.

Ils étaient revenus à Nantes au mépris des rumeurs d'épidémie de peste, et ils entendaient bien en ressortir vivants. Pour cela, il convenait de partir le plus vite possible. D'ailleurs, les bagages des duchesses n'avaient pas tous été montés dans les appartements, et les chariots attendaient dans la cour. Ce qui était un signe. Quelle serait la décision de Philippe de Montauban, pour l'heure enfermé en conseil extraordinaire avec les principaux barons et les membres survivants de ce qui s'était appelé « le parti du duc d'Orléans », soit les seigneurs de Dunois et de Comminges ?

Françoise se tenait quant à elle dans le passage secret attenant à la chambre d'Anne et Isabeau. Si la cadette se trouvait près d'Antoine et de Jeanne Porchet, sa nourrice, Anne s'était enfermée dans la petite étude voisine. Elle n'avait ni bu ni mangé et désirait demeurer seule. Françoise hésitait à la déranger, même si le temps pressait, même si elle partageait le vide et le chagrin de sa cadette, même si elle mesurait le poids de cette prise de conscience qu'Anne avait faite depuis le 9 septembre — ce cri bref et guttural qu'elle avait poussé en découvrant que son père, qui devait juste se reposer un peu, était mort.

À bout de nerfs, Françoise gratta au battant. Anne lui demanda aussitôt de venir. La jeune fille de onze ans et demi contemplait la Loire par la fenêtre. À sa posture un peu guindée, Françoise devina qu'elle devait être restée immobile depuis des heures.

— Anne, dit-elle, il faut partir, tu le sais.

Montauban avait, un peu plus tôt, échangé quelques paroles avec la comtesse de Dinan. En passant, Françoise les avait entendues. Si elle s'abstint de les répéter à Anne, c'est qu'elle sentait tout le désespoir qui transpirait de la frêle silhouette. Elle devinait aussi que sa sœur aurait volontiers eu envie de se retourner pour se jeter dans ses bras. Cela, hélas, ne se ferait pas. Anne avait en effet assez d'empire sur elle-même pour demeurer encore longtemps enfermée dans ses pensées comme dans une forteresse.

Françoise éprouvait de la pitié pour elle, car désormais, Anne était seule. On l'est toujours quand on se tient sur la plus haute branche d'un arbre. Elle s'avança néanmoins et lui dit tout bas :

— Je suis là. Je serai toujours là.

Anne ne se retourna pas ; elle eut un bref tressaillement de la main. Françoise ne prit pas cette main, mais se contenta plutôt de la réponse muette de celle qui était à présent la nouvelle duchesse de Bretagne. Quand elle sortit de la chambre, les paroles échangées entre Montauban et la comtesse trottaient toujours dans sa tête :

— Vous lui avez proposé plusieurs lieux de retraite ? Vous ! ironisait la Dinan.

— Moi, avait rétorqué le conseiller.

— Nous verrons cela très bientôt…

Quelques minutes plus tard, Anne sortit à son tour de la pièce et prononça un seul mot, accueilli par les courtisans avec un grand soulagement :

— Guérande.

… le lieu précis que Montauban lui avait le plus chaudement suggéré, car idéal pour y faire son deuil, reprendre des forces et, malgré les apparences et selon le vœu même de François II, organiser la suite de la guerre…

* * *

Depuis la fin de juillet, une troupe de cavaliers escortait une charrette bardée de fer et traversait nombre de petites villes et de villages français. Elle s'arrêtait le soir venu pour une nuit ou plus dans des localités qui possédaient une garnison, une tour ou bien une prison. Deux hommes au visage recouvert d'une cagoule en velours noir étaient poussés dans quelque soupirail. On déharnachait les chevaux. Des gardes partaient en quête d'eau, d'avoine, de fourrage, de vin et de nourriture. Chacun d'eux avait reçu la consigne sévère de ne dire que le strict minimum et de tirer leur épée si d'aventure les badauds se montraient trop curieux.

Bernard de Tormont n'aimait guère le rôle qui lui avait été assigné. Son cousin Louis de La Trémouille le lui avait apparemment obtenu du roi en personne. Mais qui, à la cour de France, pouvait réellement croire que les ordres venaient en effet du jeune souverain ! Le vicomte descendit de cheval, secoua la pellicule de poussière qui maculait son beau manteau, demanda à son sergent le nom de ce gros bourg.

— Lusignan, mon commandant.

Bernard s'étira. À force de chevaucher, il avait l'impression que son bas-ventre remontait dans son estomac et même plus haut, ce qui n'était pas drôle du tout. Comme à chaque halte, il alla s'enquérir de ses prisonniers. Il congédia les soldats qui les surveillaient et ouvrit l'huis de la cellule.

— Monseigneur, dit-il au duc d'Orléans, voici du pain et du vin.

Il allait ajouter : « Pas ceux qui siéent à des prisonniers, mais les miens propres. » Cependant, par orgueil, il n'en dit pas davantage.

Louis n'était plus que l'ombre de lui-même. Cette longue chevauchée vers l'inconnu était, il s'en doutait bien, destinée à égarer les éventuels poursuivants et à décourager les tentatives de libération par la force. La dame de Beaujeu n'avait en effet aucune confiance dans les amis officiellement apaisés du duc vaincu. De nombreux personnages s'agitaient auprès du roi pour que Louis soit incontinent relâché comme l'avaient déjà été la plupart de ses complices. Car excepté le prince d'Orange, jugé trop dangereux, Louis était le seul à demeurer encore emprisonné.

Le duc sépara lui-même son pain en deux portions égales et remit l'autre moitié à son compagnon. Peiné par ce triste spectacle, Bernard se détourna. Mais Louis l'interpella :

— Vicomte ! Un moment, je vous prie.

Il désigna Pierre Éon Sauvaige et s'enquit :

— Je conçois que le pouvoir royal se défie de moi. Quand je dis cela, vous savez surtout à qui je fais allusion. Mais Pierre, que voici, ne représente aucune menace. Pourquoi le tenir aussi serré que moi ?

Bernard était bien embêté, car il ne possédait aucune réponse logique. On lui avait simplement fait savoir qu'Éon Sauvaige devait également demeurer au secret.

La porte se referma. Le duc et l'unique chevalier qui lui restait partagèrent une unique coupe de vin. Puis les deux jeunes gens s'assirent et se réfugièrent chacun dans le silence. La nuit tombait doucement. De temps en temps, le soupirail ouvert dans le tiers inférieur du mur leur laissait voir des pieds, des mollets, parfois même le bas d'une robe.

Louis tentait alors de se montrer optimiste, ce qui était assez dans sa nature.

— J'ai des appuis solides à la cour. Outre Charles, qui m'aime bien, il y a mon cousin germain, le comte d'Angoulême. Et puis, j'ai aussi mes bons amis Georges d'Amboise, Dunois et Comminges. Ces derniers sont compromis, certes, mais ils ont encore du crédit. Tôt ou tard…

Il tapota l'épaule de son compagnon et ajouta :

— Non, plus tôt que tard, nous allons recevoir de bonnes nouvelles.

Celle qui leur parvint peu après ne fut guère au goût du jeune duc. Bernard revint les trouver. Il était accompagné par un homme d'une cinquantaine d'années. Il le leur présenta en ces mots, qui paraissaient arrachés de sa gorge :

— Mes bons amis, voici le commandant Rainier de Bourg. Il a été nommé par Sa Majesté pour prendre ma place auprès de vous.

Le dénommé Rainier fronça les sourcils. C'est en effet délibérément que Bernard avait prononcé les mots « mes bons amis », si sulfureux en la circonstance. L'homme se campa devant la grille et posa ses lourdes mains sur ses hanches. C'était un gaillard aussi fort de carrure que de visage. Une barbe noire mangeait le bas de sa figure. Sa tignasse hirsute, ses yeux gris et la large cicatrice qui lui labourait le front dénotaient l'homme brusque et autoritaire. Ses dents très blanches et sa mâchoire anguleuse terminaient de lui donner les airs d'une brute qui vivait en cet instant une sorte de consécration personnelle et secrète.

Sa voix aussi était rude :

— Le vicomte a raison, gronda-t-il. Dorénavant, vous êtes sous ma garde.

Il avisa le gobelet de vin, renifla, cracha au sol.

— Dès demain, lança-t-il, vous allez découvrir votre nouvelle existence.

En remontant l'escalier, il ne put s'empêcher de rire. Bernard de Tormont demeura encore quelques instants auprès des prisonniers. Louis soupira et dit simplement, comme si cela pouvait tout expliquer :

— Anne de Beaujeu…

Il se répondit à lui-même, avec humour :

— Que ne l'ai-je séduite quand elle m'en donnait l'occasion !

Bernard leur proposa de faire passer des messages. Pierre lui confia quelques mots pour Françoise. Louis hésitait encore. À qui Tormont pourrait-il bien parler en sa faveur ? Le roi ? En tout cas, sûrement pas à Jeanne, sa laideronne de femme !

Lorsqu'ils furent à nouveau seuls, Louis n'était plus aussi guilleret.

— Hélas, ronchonna-t-il, je crains, Pierre, que nous ne soyons au trou pour fort longtemps.

S'il avait été seul, Louis se serait totalement abandonné à sa hargne et à son désespoir. Heureusement ou pas, il y avait Pierre. Et aux yeux du jeune chevalier tout du moins, il demeurait un prince. Le mieux était encore de jouer ce rôle. Il savait pourtant, au faciès de leur nouveau geôlier, que le pire était à venir…

Chapitre 8

Des exigences irrecevables

Le chaton angora aux yeux verts s'échappa des mains de sa petite maîtresse et se faufila dans le corridor entre les jambes des soldats. Le capitaine Le Guin le reconnut, mais Benoît Vamier le prit pour un rat et leva sa hallebarde. Simon le Gros retint son mouvement juste à temps. On ne pouvait tuer le meilleur ami de la duchesse Isabeau !

Celle-ci les rejoignit en courant.

— Excusez-le, minauda-t-elle. Grisot ! Grisot ! Allez, reviens ici, petit chenapan !

Jeanne Porchet, la nourrice, faisait de grands gestes.

— Votre Grâce, rentrez vous réchauffer ou vous allez attraper la mort !

Les trois ambassadeurs envoyés en Bretagne par le jeune roi Charles VIII s'arrêtèrent pour saluer l'enfant. En entendant le titre, ils avaient espéré avoir affaire à celle qu'ils étaient venus trouver : Anne. Mais la fillette qui se tenait devant eux n'était, hélas, que la cadette.

Après un long corridor éclairé de loin en loin par des torches, ils atteignirent un vestibule nu et sombre. Ils frissonnèrent. Dehors, on entendait les vents sifflants et mugissants. L'humidité tombait sur leurs épaules. Si l'on ajoutait l'haleine des courtisans ramassés dans ce petit château qui surplombait l'océan plombé et brumeux, on comprenait bien que les Français se sentaient fort à l'étroit. Eux qui avaient tant entendu parler du faste de la cour du duc François !

Vincent Menez accueillit le groupe. Le page était embêté, car il n'avait pas été prévenu de cette visite.

— Nous sommes un peu en avance, expliqua le chef de l'ambassade.

— Veuillez, messires, attendre en ce lieu, je vous prie, le temps de m'enquérir…

Benoît songea en ricanant combien son compagnon s'était vite intégré à la nouvelle cour de Bretagne. Le soldat hargneux et impatient de se prouver au monde s'était transformé en un domestique soumis, stylé et même raffiné. Le voir habillé de la livrée ducale ne disait rien de bon à son « ami » transfuge…

Le page revint quelques instants plus tard. Avec une mine navrée, il annonça que les débats venaient de commencer au conseil de la jeune duchesse.

— Mais je vous fais apporter des sièges. Vous serez plus à l'aise pour attendre.

Le Guin saisit tout l'embarras et la frustration de ces hommes qui avaient chevauché longtemps dans le vent, le froid et la neige, et il leur proposa un pichet de vin chaud épicé. Il n'était guère dans ses habitudes de faire autant de manières, surtout à des Français. Mais les temps avaient changé. Avec la mort du duc, il avait silencieusement décidé de tout faire pour aider Anne.

— Certes, répliqua un ambassadeur, un remontant sera bienvenu. Mais vous en prendrez bien tous avec nous !

Le Guin saisit le sous-entendu. Ces Français s'imaginaient-ils vraiment que la duchesse cherchait à les empoisonner ? En attendant que la porte du salon où se réunissait le conseil daigne s'ouvrir, ils burent chacun en silence un gobelet de vin. L'objet était en bois assez grossier. Ce détail n'échappa pas aux ambassadeurs.

* * *

La pièce choisie dans la grande demeure comme étude pour y réunir le conseil de tutelle était vaste, mais sobrement meublée. Les extrémités de la guerre ayant déjà à maintes reprises poussé le duc à faire appel aux usuriers, il ne restait guère de beaux meubles dans la place. La peste avait sévi à Nantes, et elle menaçait de s'étendre plus à l'ouest. Il était même question, en cette mi-janvier froide et venteuse, de changer encore bientôt de résidence. Néanmoins, un bon feu de cheminée ronflait dans un angle.

Ce matin, le conseil de tutelle devait régler un problème de taille : celui de l'argent qui manquait toujours aussi cruellement.

Le conseil comptait six membres, et il était présidé par le maréchal de Rieux, choisi par le duc comme tuteur officiel de ses deux filles mineures. Outre le maréchal, le duc avait également nommé, pour soutenir Anne, la comtesse de Dinan, mais aussi le seigneur Alain d'Albret, les fidèles Français Dunois et Comminges, ainsi que Philippe de Montauban, qui héritait du poste de chancelier.

Ces six personnages étaient assis de part et d'autre de la grande table. À ce nombre s'ajoutait Anne elle-même, installée en retrait sur une chaise à haut dossier de bois noir. Le jour étant blanc aux fenêtres, une lumière pâle, mais gênante pour l'œil, venait de derrière ce fauteuil et contribuait à estomper les traits de la jeune fille.

Jusqu'à présent, Anne s'était montrée plutôt bonne élève. Dès la seconde moitié du mois de septembre, elle avait, par lettre, demandé aux notables de Rennes de la conseiller sur la conduite à tenir par rapport aux termes du traité du Verger. Les lettres lui avaient été dictées, mais Anne avait signé de son titre — ce qui était en soi un premier acte de désobéissance. Le roi s'en était aperçu et avait menacé d'envoyer ses remontrances. Le conseil avait passé outre.

— Donc, déclara promptement le maréchal, il nous faut discuter des moyens à saisir pour renflouer ces satanés coffres !

Si d'Albret rit franchement — les deux hommes étaient presque sortis du même moule —, les autres se permirent seulement un sourire en coin.

Philippe de Montauban avait préparé l'affaire.

— Je propose, annonça-t-il, d'y faire rentrer de belles pièces en soumettant au vote du conseil les prérogatives suivantes.

Il préconisait, chose qui n'était pas nouvelle, d'augmenter encore le fouage, d'imposer des contributions aux officiers, aux marchands et aux évêques, et de lancer des emprunts obligatoires pour les villes.

Il ajouta, un rien moqueur :

— Je doute que ces artifices nous aident à long terme, mais ils devraient couvrir une partie des pensions pour l'année en cours, qui s'élèvent toujours, je vous le rappelle, à près de soixante mille livres.

Les trois personnes assises en face de lui ne tiquèrent pas. On passa ensuite au point suivant : les méthodes à utiliser pour contrer une offensive probable du jeune Charles VIII. Le nom du roi était utilisé davantage pour une raison de convenance, car c'était en fait à sa sœur, la dame de Beaujeu, et à son discret vieux barbon de mari qu'ils avaient vraiment affaire.

— Si vous recherchez de nouveau l'appui d'Henri VII, annonça la comtesse, vous pouvez être sûrs que cet homme, qui est fin politique, nous ficellera dans des accords dont nous ne pourrons plus sortir.

Rieux frappa du poing sur la table.

— Tudieu ! lança-t-il, ces Anglais rêvent encore de notre Bretagne comme de leur petite Angleterre !

Anne observait, mais ne pipait mot. Jusqu'à présent, ce qui se disait lui était connu.

Montauban mentionna que le roi des Romains, qui était à son avis le pire adversaire des Français, serait d'une aide précieuse. Aussitôt, les autres se raidirent, car choisir Maximilien, c'était ressusciter des promesses de mariage dont ils ne voulaient plus rien entendre.

— Vous surestimez de beaucoup sa puissance, les prévint la comtesse. Il est à peine élargi de prison et il est criblé de dettes.

D'Albret avait croisé ses grands bras sur sa poitrine. Ses yeux noirs charbonneux allaient de Montauban à la jeune Anne, qui ne daignait pas même lui retourner ses sourires — ce qui semblait fort l'échauffer.

L'on vint ensuite introduire les ambassadeurs, qui attendaient depuis une bonne heure. Quelques friandises et des gâteaux au sel furent montés sur un plateau d'argent finement ciselé, un des derniers qui leur restait.

— Je vous en prie, annonça le comte de Dunois à ses compatriotes, prenez place.

Ces hommes ne lui étaient pas inconnus. Parmi eux se trouvait même Guillaume de Rochefort, le conseiller royal réputé fort sage et en faveur à la cour de Charles.

— Messieurs, commença Rochefort en se raclant la gorge tant le vin qu'il avait pris était épicé, nous avons pour mission de vous présenter les annexes au traité voulus par notre bon sire, le roi.

Montauban en fit lecture.

Charles réitérait ses demandes précédentes : se voir accorder la tutelle des jeunes duchesses, imposer le retrait immédiat des mercenaires étrangers toujours présents dans le duché et, également, interdire à Anne l'usage du titre qui était le sien « en attendant, disait Rochefort, qu'une commission statue sur ses véritables droits ».

Pour la première fois, la jeune duchesse se leva. À cause de la lumière qui venait de derrière elle, on ne distinguait toujours pas très bien l'expression de son visage, ce qui lui donnait un avantage certain.

— J'ai été, comme vous le savez, dit-elle de sa voix si nette, reconnue authentique et légitime héritière aux états de Rennes, voilà trois ans. Et la reconnaissance de mes pairs me suffit.

Elle quitta incontinent la salle sans saluer les ambassadeurs.

Le maréchal pestait. Que cette petite avait du front! Même lui n'aurait pas osé renvoyer ainsi les serviteurs du roi. Il regardait les diplomates redescendre la côte qui menait au château.

— Vous savez, n'est-ce pas, ce que cela signifie! maugréa-t-il. Les Beaujeu vont nous refaire la guerre.

D'Albret garda le silence, mais la comtesse se tourna vers Montauban, qui s'efforçait de rester de marbre :

— Vous vouliez vous rapprocher de l'Anglais, minauda-t-elle. Vous vous en repentirez.

* * *

Françoise avait longtemps attendu des nouvelles. Elle en obtint certaines de la bouche même d'Anne.

— Dunois leur a redemandé la libération de Louis d'Orléans? fit-elle.

Ses yeux brillaient, car elle savait que Louis et Pierre étaient logés à la même prison. Laquelle, au juste? Personne ne savait. Mais Rochefort avait assuré que le duc y était bien traité.

Anne faisait la moue.

— Comment? objecta Françoise. Tu en doutes!

La jeune duchesse ne répondit pas, mais s'amusait un peu avec Isabeau. Elles habillaient toutes deux une poupée de chiffons. Françoise sentait tout de même qu'Anne était ailleurs.

« Elle cache son jeu », se dit-elle, un rien fâchée que sa sœur ne se confie pas totalement. Mais elle-même se doutait aussi que les deux prisonniers ne se portaient pas si bien qu'on le leur avait dit. Outre qu'elle avait reçu des nouvelles par Bernard de Tormont, ses cauchemars ne la laissaient pas en repos.

Et puis, Anne était ainsi. Secrète, patiente, prudente. Si elle ne prenait pas encore de vraies décisions, elle tenait à être avertie de tout avant de se faire sa propre opinion. Et Dieu savait combien il était difficile, ensuite, de l'en faire changer. À Breton, Bretonne et demie…

D'autres soucis jetaient un voile d'angoisse et de mélancolie sur le visage étroit de Françoise. D'abord, elle avait égaré le pli que lui avait remis Bernard, à Saint-Aubin-du-Cormier, pour Awena. Ensuite, surtout, il y avait Raoul. Plus que jamais, Françoise laissait parfois ses mèches blond roux tomber sur son front pour cacher un peu ses yeux, par défi. Et au diable les remontrances de la Dinan ! Cette dernière était en ce moment fort occupée de politique, ce qui faisait l'affaire de Françoise, qui pouvait ainsi s'occuper à loisir de son petit Arnaud.

Donc, surtout, elle avait été obligée de se plier à une vie commune avec Raoul, puisque le baron, au service de Rieux, l'était aussi à Anne et aux membres de sa maison. Avec ses hommes, il assurait la protection des environs de Guérande, emploi qui lui plaisait et qui le retenait fort commodément, la nuit, dans ses divers cantonnements. Dans ses moments d'intimité retrouvés, Françoise pouvait jouer de nouveau à la mère attentive avec Arnaud et à l'amante avec un double invisible de Pierre. Elle imaginait son visage, son sourire, ses yeux, ses caresses, ses baisers. Et elle s'endormait repue et heureuse.

* * *

Depuis leur installation à Guérande, Awena s'était reconvertie en dame de compagnie pour Anne et Isabeau. Le choix, s'était offusquée la Dinan, était grotesque. Mais Anne avait tenu bon. Elle n'oubliait pas la dévotion de la jeune concubine pour son père mourant ni l'amour que celui-ci lui avait porté. L'amitié, même, dont la duchesse Marguerite l'avait autrefois gratifiée, jouait en sa faveur. Et puis, Awena était certes belle, mais assez intelligente, aussi, pour se montrer discrète.

Un soir, après la fin de son service, la jeune femme rentra chez elle. Elle était en train de démêler ses longs cheveux avec un peigne que lui avait confectionné Pierre quand une silhouette se dressa soudain dans l'encoignure de sa porte.

— Vous ? s'étonna-t-elle.

Elle s'était plutôt attendue à ce que le jeune d'Avaugour revienne à la charge, tant il est vrai qu'il se languissait ouvertement pour elle à longueur de journée.

— Moi ! rétorqua l'importun. Awena, Awena, comme ce nom-là est chantant et plein de charme !

Il entra et la saisit au corps.

— Monsieur le maréchal ! s'offusqua-t-elle.

Rieux gloussa, ce qui le fit ressembler encore davantage à ces sangliers qu'il chassait volontiers dans les bois alentour.

Le goujat tâtait la chair ferme et blanche. Il passait ses grandes mains le long du dos nu sous la fine toile de lin. De ses lèvres gercées, il cherchait celles de la belle, et en même temps, il parlait et postillonnait.

— Je t'ai remarquée avant le duc, tu sais ! Tu venais d'arriver à Nantes. Tu n'as pas changé, ou si peu !

Ce disant, il poussa la fouille sur le galbe des seins, puis sur le ventre satiné et plat. Awena lui mordit l'oreille. L'autre prit cela pour une invite et la poussa vers le lit.

— Non, Seigneur, non ! se récria Awena en frappant sa poitrine avec les poings.

— Était-ce un jeu dont tu usais avec le duc ? s'enhardit l'autre. J'aime, oui, j'aime !

Il la tenait sous lui et desserrait déjà sa ceinture lorsqu'une voix tremblante s'éleva :

— Halte !

Rieux fit volte-face. Son visage était rouge brique, ses traits, figés, ses yeux, chargés d'éclairs.

À la vue du jeune page dressé devant lui, il éclata de rire. Alors, Vincent Menez saisit l'épée du maréchal tombée au sol. Sans avoir l'air de forcer, il en posa la lame sur sa gorge.

Awena s'était retranchée derrière un meuble. Que le page paraissait frêle face au baron ! Pourtant, il ne baissait pas les yeux et il tenait l'épée fermement brandie sur la carotide du géant.

— Ôte ça de ma face, impudent vermisseau ! Je vais te faire étriper.

Vincent Menez appuya tant sur la lame que Rieux fut obligé de reculer et de tomber de tout son long sur la couche. Sa rage n'avait d'égale que sa fureur. Humilié par un misérable page !

Des appels retentirent alors du couloir. On allait et on venait. À cette heure tardive, cela paraissait suspect. Mais c'est en reconnaissant la voix tonitruante d'Alain d'Albret que Rieux recouvra enfin son empire sur lui-même. Il éloigna la lame qui visait maintenant son cœur et ouvrit la porte toute grande.

D'Albret venait vers lui à grands pas. Il semblait si emporté par la colère que Rieux trouva moyen d'y reverser la sienne.

— Pourquoi tant de tapage ? gronda-t-il.

Le seigneur gascon lui jeta un regard dur tout en bafouillant qu'il était humilié. Et tous savaient, n'est-ce pas, ce qu'un Gascon aussi trempé que lui pouvait faire en pareil cas !

— On me repousse ! On me fâche ! On me jette ! On me trahit ! Prenez garde, infâmes pourceaux !

Rieux était un compagnon de beuverie du Gascon. Ce langage hurlé dans le couloir de la petite duchesse, que l'on tenait plus volontiers dans une taverne, avait tout de même de quoi surprendre, même de la bouche paillarde de d'Albret.

— Allez au diable avec vos promesses ! J'ai été trahi, vous dis-je, et vous allez tous vous en repentir !

Le maréchal oublia aussitôt Awena et le page, et se rua vers la chambre d'Anne, d'où s'échappaient d'autres cris. Devant les portes ouvertes, il remonta tant bien que mal son pantalon et balbutia :

— Mais que…

Le conseiller Montauban et Françoise de Clisson-Palet accouraient également aux nouvelles. Rieux remarqua une silhouette tremblante blottie sous le lit à baldaquin : c'était Isabeau qui tenait son chaton dans ses bras. En chemise de nuit, debout sur le lit face à sa gouvernante, Anne paraissait hors d'elle.

La comtesse de Dinan aussi était outrée. D'ailleurs, elle hurla :

— Je suis toute retournée par votre conduite, Anne ! Et le mot est faible.

— Jamais ! Jamais ! Jamais ! répliqua vertement la jeune fille en se hissant le plus haut qu'elle pouvait sur le matelas.

— « Jamais » n'est pas un mot à prononcer en politique, Anne, ne vous l'ai-je pas appris !

— Mais, diantre, lança Philippe de Montauban, que se passe-t-il donc, ici ?

— Comme si vous ne le saviez pas ! gronda la comtesse.

— Jamais, répéta Anne, je ne me coucherai avec un vieillard poilu et braillard qui pue l'ail !

La Dinan aperçut Françoise, qui suivait le chancelier.

— Vous ! cracha-t-elle, c'est vous !

Françoise accusa le coup sans comprendre.

— Folles que vous êtes ! poursuivit la Dinan en s'adressant cette fois aux deux demi-sœurs. Vous ne comprenez pas qu'en la circonstance, Alain est le seul, s'il est fait duc, à pouvoir tenir la Bretagne debout face à nos ennemis !

Puis elle partit en courant à la suite du Gascon en s'écriant, affolée, comme plus tôt Isabeau avec son chaton :

— Mon frère, mon frère ! Revenez !

Chapitre 9

Tiré par le col

Après avoir abrité un atelier de la monnaie, la grosse maison fortifiée accolée aux remparts près de la porte Saint-Michel servait de demeure ducale depuis près d'un siècle. De ses plus hautes fenêtres, Anne aimait regarder les toits de la nouvelle cité, et plus loin les teintes ocre, grises et brunes des marais salants. Ravagée lors du sac de 1342 par des troupes à la fois espagnoles, génoises et françaises, Guérande avait depuis été reconstruite avec de solides murailles — notamment sous le règne de son père. L'hiver, l'océan amenait parfois du gel au niveau du sol. Balayé par les vents, ce givre disparaissait dès les premiers rayons du soleil ou presque.

Ce matin, entre la messe, le service de confession, les leçons et la séance du conseil, Anne n'avait pas réfléchi. Isabeau lui avait demandé : « Tu viens ? » Et à sa grande surprise, sa sœur d'ordinaire si sérieuse l'avait suivie. Depuis, elles couraient toutes deux dans les couloirs du château derrière Grisot, qui chassait lui-même quelques souris, quand, soudain, quelqu'un cogna à la grande porte bardée de fer.

Anne y alla en personne, s'arc-bouta, ouvrit. Lorsque la sentinelle revint en courant à son poste, la chose était faite : les deux jeunes filles se trouvaient face à deux paysannes guérandaises, leurs enfants et une charrette conduite par un vieux bœuf.

— Nous apportons du lait de nos vaches, du beurre et du bon pain pour les petites duchesses, dit une des femmes en se tenant le ventre tant elles avaient marché sur le sentier pentu.

Anne et Isabeau prirent joyeusement livraison des denrées. La duchesse assura les paysannes que les destinataires seraient très heureuses de goûter de leur lait.

Les roues de l'attelage avaient défait la belle couverture de neige déposée par dame Nature. Mais Anne n'en voulait aucunement à ces bonnes gens. Déjà qu'elle faisait loger la plus grande partie de ses courtisans chez l'habitant ! Les Guérandais avaient encore la générosité de venir, comme ce matin, lui apporter du lait et du pain.

Des gardes et des laquais se pressaient autour des jeunes filles. Anne sortit sur le perron en mules de cuir et courte houppelande, et elle embrassa chacune des dames.

Philippe de Montauban se tenait dans l'ombre d'un pilier. Il avait assisté à la scène et s'était fait violence pour ne pas interrompre ce qu'il appelait « le charmant aparté de la duchesse ». Pourquoi briser ce jeu innocent par les mauvaises nouvelles qu'il tenait dans ses mains ? Plus ou moins mandaté par le roi, qui ne voulait pas porter la responsabilité de la reprise de la guerre, Rohan ravageait en effet les villes et les bourgs — en évitant toutefois Guérande avec soin. Il le faisait avec d'autant plus d'audace et d'ignominie que la régente lui avait promis la main d'Anne pour son fils !

Le chancelier sentit une présence à ses côtés. C'était Françoise. Ils n'échangèrent aucune parole. Simplement, ils virent Anne aider la sentinelle à refermer la porte. Puis, avec Isabeau, elles portèrent les denrées aux cuisines.

* * *

Un peu plus tard, lavées et habillées, les deux jeunes duchesses se rendirent à la chapelle, où elles devaient prier et se confesser. En les croisant, la comtesse de Dinan leur rappela la leçon de tout à l'heure, qui serait, hélas, ensuite interrompue par la tenue du conseil.

— Mais en attendant, mes bonnes filles, je vous encourage à communier avec Notre Seigneur.

Anne fronça son joli nez. Personnellement, elle le trouvait un peu trop gros au bout, mais c'était le sien, et il fallait, comme bien d'autres choses dans la vie, s'en accommoder. Elle lança un coup d'œil à sa cadette, qui était à son avis plus mignonne qu'elle. Nulle trace de jalousie ou de rancœur n'habitait cependant ses yeux vifs et clairs. Isabeau lui donna sa main. Anne la prit, et toutes deux trottèrent dans le corridor, suivies de loin par Simon le Gros, qui avait été placé à ce poste par le capitaine Le Guin.

La chapelle était petite et simplement meublée. Cependant, l'atmosphère qui régnait entre les quelques statues suffisait à y répandre ce même calme serein qu'Anne pouvait ressentir aussi à la vue des marais salants.

Elle humecta ses doigts d'eau bénite, s'agenouilla devant l'autel. Les vitraux étaient tristes, ce matin. Peu après, deux des quatre chanoines que comptait la cour vinrent les prendre en charge. Anne ne pouvait pas dire qu'elle appréciait beaucoup Adam Forget, l'ecclésiastique qui avait remplacé le chanoine Norbert Aguenac, assassiné au château de Nantes. Elle le trouvait trop imbu de sa personne, trop au-dessus de ceux qu'il devait écouter, conseiller ou absoudre. La comtesse affirmait que les prêtres étaient les intercesseurs entre les gens du commun, les anges et le Seigneur. Mais parfois, même si elle était très dévote et soumise à Dieu, Anne se posait aussi des questions.

Elle entra néanmoins dans le confessionnal et se prépara à libérer sa conscience. L'exercice n'était pas toujours aisé ni agréable. Il lui arrivait, comme ce matin par exemple, de ne pas savoir quoi dire. Plus exactement, elle n'avait pas pris la peine de se préparer comme elle le faisait d'ordinaire.

— Je vous sens troublée, mon enfant, murmura le chanoine.

Anne savait très bien ce qui la taraudait. Mais elle savait aussi qu'elle ne pouvait rien dire à cet homme assis benoîtement à côté d'elle. En vérité, s'il était essentiel à la sauvegarde de ses terres et de ses peuples qu'elle se mariât, l'idée lui faisait horreur. Ce n'était en fait pas tant le mot ni ses réalités qu'elle craignait, mais bien le mari qu'on voulait lui imposer. Du temps du vivant de son père, elle avait été totalement soumise à sa volonté. Mais à présent, il en allait autrement. La confession avançant, Anne sentit que sa hargne pouvait éclater en pleine chapelle, et cela l'effraya.

Un peu plus tard, la comtesse qui venait chercher ses élèves fut épouvantée d'entendre Anne s'écrier à trois reprises :

— Non ! Non ! Non !

... puis elle la vit sortir en courant, la mine revêche, le visage fermé, l'œil terrible, sans même lui accorder un regard.

La gouvernante attendit que le chanoine sorte à son tour. L'homme s'essuyait la face avec un mouchoir.

— Alors ? s'enquit la comtesse.

L'autre leva les yeux et ses mains osseuses au ciel.

— Je vois, ajouta la Dinan. Ainsi, elle s'opiniâtre...

* * *

C'est dans le courant de l'après-midi que le petit château prenait le plus les allures d'une cour. Les nobles, les courtisans, leurs femmes et leurs gens venaient rendre visite à la duchesse. Leur but était le même qu'à l'époque de son père : voir et se faire voir, montrer qu'ils étaient là. Et bien sûr quémander, soutirer, deviser, user de leur influence. C'était leur vie, leur œuvre.

L'agencement des pièces, hélas, ne facilitait pas la circulation d'autant de personnes, au milieu desquelles se faufilaient également des domestiques, des valets, des laquais, des coursiers, mais aussi des marchands venus rencontrer les intendants et les secrétaires pour y faire l'étalage de leurs produits ou de leurs services.

C'est dans ce mouvement et ce brouhaha continu que Vincent Menez reçut un pli des mains d'un domestique qu'il savait au service de la belle Awena. Benoît Vamier montait la garde dans un angle du grand salon. Tandis que son ami ouvrait le message, il s'approcha et lui demanda :

— Tu sais donc lire ?

Vincent sourit à demi.

— Oui. Par mon oncle, qui est clerc à Paris.

Benoît hocha du chef, car Vincent était d'ordinaire plutôt avare de détails sur ses origines.

— Ah bien ! fit Vincent.

— Elle te remercie pour l'autre soir ? voulut savoir l'autre. Tu sais, tout le monde ne parle que de ça et…

Vincent s'assombrit. Il était au courant. D'ailleurs, il lui semblait que les courtisans, et surtout leurs femmes, lui décochaient depuis des œillades insistantes. Il ne déplaisait pas à Vincent que l'on dise qu'il avait préservé l'honneur de celle qui était la plus belle dame de la cour. D'un autre côté, il ne pouvait avouer à son ami que ses entrailles se serraient de terreur chaque fois qu'il croisait un des hommes du maréchal.

Et justement, ceux que l'on appelait « les deux François » — d'Avaugour, le bâtard de Bretagne, et l'autre, son joyeux compère, Châteaubriant — venaient gaillardement au-devant de lui.

Ils avaient l'air déjà échauffé. À leur passage, on s'écartait, et les dames leur baillaient leurs plus charmants sourires. Les deux jeunes gens, ce n'était un secret pour personne, couraient les alcôves et y entraînaient le soir venu toutes les donzelles qui se présentaient aux jeux d'Éros et d'Aphrodite.

— Ainsi donc, déclara Châteaubriant avec morgue en toisant Vincent de bas en haut, c'est toi l'insolent laquais qui a tenu la gorge du maréchal au bout de sa propre lame ! Oh là là !

Il partit d'un rire moqueur qui ne fut pas au goût de certains seigneurs réunis à quelques pas de distance. L'un d'eux, Raoul d'Espinay, avait déjà la main sur la garde de son épée.

— M'est avis, mon cher François, ajouta Châteaubriant à son ami d'Avaugour, que nous devrions prendre des paris sur la vie de ce misérable.

Vincent avait envie de rentrer sous terre. Cependant, il savait que ces nobles suffisants n'attendaient que cela. Alors, l'ancien soldat releva le menton et fixa à son tour le jeune comte dans les yeux.

— Oh ! mais c'est qu'il a du caractère ! s'esclaffa Châteaubriant.

Anne entra dans la pièce par une autre porte. Cette heureuse diversion remua les groupes, qui se détournèrent enfin de Vincent. D'Avaugour se pencha à cet instant à l'oreille du laquais :

— Le maréchal n'est pas homme à tolérer un affront, murmura-t-il. Cache-toi, ou bien fuis. Sinon, ton cadavre nourrira bientôt la vermine et les rats.

Il le piqua ensuite sous la ceinture avec sa dague.

— Une chose encore, malotru. Ne t'avise plus de t'approcher à nouveau de dame Awena…

* * *

Le soir même, deux ombres se tenaient près de la porte de la chambre d'Anne.

— Allons, ma sœur, chuchotait l'homme, n'hésitez pas davantage.

— Vous n'y songez pas !

— Vous l'avez bien fait, il y a quatre ans, pour le duc d'Orléans.

— L'occasion était différente, et Anne n'était pas encore nubile. Non, non, mon frère, n'insistez pas. Et puis hier…

— Nous n'étions pas seuls, et oui, je l'avoue, j'avais un peu bu. Mais de grâce, vous savez l'importance que cela revêt pour nous tous. Laissez-moi m'expliquer devant elle.

— Soit, concéda la comtesse. Mais alors, quelques minutes seulement. Et par Dieu, mon frère, retenez votre haleine, vos élans et votre caractère !

La Dinan feignit d'ignorer la face de carême mangée par la grosse barbe grisonnante de son demi-frère. Elle ouvrit la porte, fit sortir les servantes d'Anne et d'Isabeau, et y introduisit Alain d'Albret. Elle fit mine d'entrer aussi, mais le Gascon voulait demeurer seul avec la duchesse. Qu'Isabeau soit présente ne le gênait pas. Après tout, lorsqu'il serait à la fois l'époux d'Anne et le nouveau duc de Bretagne, la cadette pourrait bien chauffer la couche d'un de ses fils !

La comtesse avait le cœur au bord des lèvres. Qu'allait-il se produire ? Les enjeux étaient de taille. Tous avaient reconnu, au conseil, qu'il était urgent de marier Anne, et surtout de bien choisir l'époux. Plusieurs possibilités s'offraient à eux. Si ce qu'elle appelait « l'autre parti », constitué de Montauban, de Dunois et de Comminges, préférait un souverain en titre ou bien un de leurs rejetons plus puissants et aptes, croyaient-ils, à tenir tête au roi de France, l'avis de la comtesse et de Rieux était de donner à Anne un mari issu de la noblesse du royaume. Un homme fort, un soldat, un chef. Bref, un prétendant tiré de leur moule. Malgré son âge, son caractère, un physique des plus torturés et une paillardise bien établie, un seul convenait, hélas, et il s'agissait d'Alain. C'était un calcul d'autant plus payant pour eux que le duché demeurerait ainsi en partie à des Bretons.

La Dinan était pressée de savoir comment se déroulait l'aparté. Elle ne fut pas longue à l'apprendre. Une série de cris retentirent. Elle y reconnut, mêlées, les voix apeurées d'Anne et d'Isabeau. Elle grimaça, se mordit la langue.

Qu'avait dit ou fait son bouillant demi-frère ? Il était si mufle, parfois, si imprévisible !

Chargé d'un baquet d'eau chaude pour les besoins de la nuit, Simon le Gros revenait des cuisines. Il laissa tout tomber et courut vers la chambre. Déjà, des portes s'ouvraient. La comtesse avait beau tenter de calmer les curieux : « rien de grave ne survenait dans la chambre de la duchesse », un attroupement se formait.

Simon fendit la foule. Montauban et Françoise arrivaient également à grands pas, suivis par quelques soldats.

— Rien de grave ! répéta la comtesse de Dinan en se tordant les mains.

Son regard accrocha celui de Françoise. La comtesse de Clisson-Palet tenait son enfant sur son sein. Simon fractura le battant fermé de l'intérieur d'un violent coup d'épaule et entra, sa lame à la main.

— De grâce ! plaida la Dinan, il s'agit là d'une rencontre officielle.

— Madame ! s'indigna le chancelier.

La comtesse entendit des jurons. C'était d'Albret qui en appelait encore à son honneur. Le capitaine Le Guin entra à son tour. Bientôt, le Gascon fut tiré hors de la chambre, comme un malappris, par la peau du cou.

Rieux et ses hommes accouraient. Après le propre affront qu'il avait subi la veille, le maréchal n'était pas d'humeur conciliante. Les yeux agrandis d'horreur, la comtesse de Dinan craignait un bain de sang sur le pas de la porte d'Anne et d'Isabeau.

— Mais tudieu, vain Dieu, lâchez-moi, bande d'infâmes ! hurlait d'Albret. Comment osez-vous ?

Simon et Le Guin tenaient leurs armes levées. Raoul d'Espinay et le sieur de Villeblance également. Rieux mesurait la situation. Quant à la Dinan, elle tentait une fois encore de calmer son demi-frère.

Anne elle-même, frissonnante, nu-pieds et en chemise de nuit, s'avança. Le sang s'était retiré de son visage. Ses yeux étaient fixes. Sa bouche transformée en gorgone de pierre. C'était comme si elle avait vu le diable en personne. Elle tremblait si fort, et Isabeau avec elle, que Rieux et la Dinan comprirent dans l'instant qu'ils étaient allés trop loin. Seul Alain d'Albret gueulait encore, tempêtait, menaçait.

— Retirez-vous, à présent, leur demanda le chancelier Montauban. Que chacun prenne un peu de repos et se calme les esprits. Nous reverrons cela au conseil. Demain.

Marie, la servante, mais aussi Françoise et Awena allèrent trouver les jeunes duchesses.

— Grisot a eu si peur, balbutia Isabeau en pleurant à chaudes larmes.

À l'autre bout du corridor, la Dinan rassurait ses compagnons. Il existait d'autres méthodes pour forcer l'opiniâtreté de la duchesse.

— Elle ne craint sans doute pas assez son chapelain, minauda-t-elle. Mais elle n'aura pas le front de désobéir au pape lui-même !

Chapitre 10

L'ombre boiteuse

Le bruit sec d'une étoffe qui se déchire tira Françoise de sa torpeur. Elle lutta pour chasser la vision qui persistait devant ses yeux effarés : Anne et elle se trouvaient d'un côté d'une crevasse, le maréchal de Rieux et la Dinan s'agitaient de l'autre. Pour compléter cet inquiétant tableau, de gros nuages noirs s'accumulaient au-dessus de leur tête. Le souffle court, la jeune femme revint péniblement au moment présent et à cette douleur qui irradiait dans sa poitrine. Plus exactement, ses seins lui faisaient mal, son mamelon gauche brûlait. Elle se pencha, sourit à son bébé, qui tétait dans ses bras.

Le soir était venu. Françoise se trouvait dans la chambre qu'elle occupait avec son époux. Odilon préparait le lit. La domestique ne disait rien. Cependant, à ses gestes brusques, il était clair qu'elle avait quelque chose sur le cœur. Une colère mêlée de peur. Un lourd chagrin ou un cri qui restait coincé dans sa gorge.

Françoise aurait pu l'apaiser. Lui sourire, par exemple. Mais elle-même était trop remuée par sa vision pour songer à comprendre l'angoisse de sa servante.

Car si Odilon n'aimait ni Guérande ni ce château exigu où elle dormait au sol sur une paillasse avec d'autres serviteurs, elle détestait surtout, désormais, l'obligation de servir Raoul d'Espinay, qui était à ses yeux responsable de la mort de son jeune frère. Heureusement, il y avait Arnaud ! Cet enfant dont elle s'occupait presque à temps plein était son rayon de soleil. À cet égard, Françoise et elle étaient logées à la même enseigne. Elles aimaient Arnaud, et cet amour atténuait quelque peu la frayeur qu'elles ressentaient à l'idée de partager le même espace que le baron d'Espinay.

Dans leurs prières, les deux femmes demandaient au Seigneur qu'il envoie un événement pour éloigner Raoul de leur vie. Piètre consolation, ce rustre qui se peignait, se parfumait et se lavait les dents deux fois par jour était souvent en déplacement autour de la cité avec ses troupes.

— Madame, déclara Odilon, tout est prêt. Voulez-vous que je couche Arnaud ?

— Merci, Odi, je le ferai moi-même.

La fille recula en baissant la tête.

— … mais tu peux l'embrasser, bien sûr !

Les deux jeunes femmes se sourirent. La domestique comprit alors que sa maîtresse lui pardonnait enfin sa faute d'avoir, lors de l'enterrement de feu le duc, laissé Raoul prendre Arnaud. Mais comment aurait-elle pu résister au baron ?

— Arnaud t'aime aussi, assura Françoise en voyant sa servante bercer le bébé.

À cet instant, elle eut une seconde vision plus heureuse et dit :

— Tu auras un jour un bébé, toi aussi ! Garde espoir.

Odilon ressortit avec au cœur à la fois de la joie et de l'anxiété. Comment, elle qui paraissait si quelconque, pourrait-elle se trouver un galant? Son imagination lui ramena incontinent l'image de Simon. Mais Simon était soldat. Autant dire, par les temps qui couraient, un mort en sursis...

Françoise se retrouva seule avec son enfant. C'étaient de loin les moments de la journée qu'elle préférait. Seule avec l'amour de sa vie. Elle étouffa un petit rire : ses deux amours. Car lorsqu'Arnaud ouvrait les yeux, c'est Pierre qu'elle revoyait aussitôt.

Pierre était celui vers qui allaient toutes ses pensées. Elle songeait d'ailleurs si fort au jeune homme qu'elle le sentait presque autour d'elle. Alors, elle couchait Arnaud dans son berceau et allait ensuite dans la ruelle du lit. Elle s'allongeait, tirait les courtines, et là, ils se retrouvaient enfin seuls tous les deux — le palefrenier et la fille bâtarde du duc de Bretagne. Et ils s'aimaient follement non loin de l'âtre et des bûches qui craquaient, dans le silence troublé des mille soupirs du château.

Elle était avec Pierre et pas avec *l'autre*. Son souffle s'accélérait. Ce n'était plus la peur ou l'angoisse qui nouait son ventre, mais une chaleur qui se diffusait lentement, doucement, dans tout son corps. Le visage de Pierre était proche du sien. Il appuyait sa poitrine sur la sienne. Leurs respirations se mêlaient. Leurs mains aussi. Françoise n'avait qu'à tendre la nuque pour toucher ses lèvres entrouvertes. Pierre ne restait pas sans rien faire. Ses mains connaissaient les sentiers secrets de son plaisir. Alors, la chaleur se changeait en un torrent de lave.

Il arrivait que, parvenue à l'endroit de ces sommets mystérieux, elle cesse toute pensée et tout mouvement, même le plus petit. Ses doigts s'immobilisaient. Alors, Raoul ouvrait la courtine et lui souriait dans l'obscurité. Son époux était saoul. Cependant, ils avaient chacun fait du chemin depuis le début de leur mariage. Françoise ne cachait plus de dague sous les draps. Elle n'avait plus à subir le plaisir de son époux revêtu de son armure.

À ce stade de sa rêverie sensuelle, Françoise ne résistait plus. Raoul devinait dans les draps le parfum de son désir. Il avait alors la sagesse et la prudence de ne poser aucune question. Il se déshabillait rapidement. Mieux encore ! Les yeux mi-clos, sa femme l'aidait. Il embrassait ensuite son corps chaud et offert. C'était la récompense du guerrier. Un retour aux sources. Ces moments étaient si fragiles qu'un rien pouvait les briser. Alors, Raoul acceptait de n'être que l'ombre désirée par sa femme : une silhouette anonyme. Pour autant que ce fût lui qui donnât le plaisir, que son épée intime tranchât et bataillât, rien d'autre n'importait vraiment pour elle comme pour lui.

Ensuite, ils restaient dans les bras l'un de l'autre sans bouger, sans parler, sans se regarder. La noirceur enveloppante était la complice de leur entente à la fois irréelle et secrète.

Raoul avait finalement accepté l'idée qu'Arnaud était né d'un autre que de lui. Mais au fond, en y réfléchissant bien, c'était une aubaine. Il avait déjà possédé deux femmes fidèles, mais stériles — stériles à cause de lui, s'avouait-il, seul avec lui-même. Voilà qu'il en avait une troisième, la plus jeune, la plus fougueuse du lot, qui était allée concevoir son héritier ailleurs. Mais son héritier *à lui* tout de même ! Arnaud portait son nom. Raoul l'avait reconnu et s'était par là même assuré que les biens qui lui venaient de sa famille lui resteraient. Cela ne comptait-il pas davantage que le fait qu'Arnaud ait ou pas les cheveux roux et des yeux noirs !

Certes, les yeux de cet enfant lui rappelaient par trop ceux du véritable père. Le plus dur avait été de l'accepter. Cela fait, rien n'empêcherait un jour sa vengeance de s'accomplir. Mais plus tard...

En attendant, il serrait une femme ardente dans ses bras. Une femme à qui il avait donné du plaisir. Dans son ivresse, ce sentiment d'accomplissement et de délivrance suffisait à son bonheur.

De son côté, Françoise feignait d'ignorer que c'était un autre que Pierre qui la tenait. Dans sa tête, elle était libre. Et c'était à Pierre qu'elle parlait. À lui qu'elle disait « je t'aime ». Dans les moments les plus forts de leur étreinte, elle avait prononcé quelques mots doux. Raoul pensait-il vraiment qu'ils lui étaient destinés ? S'il avait cette faiblesse, grand bien lui fasse ! En attendant, la jeune femme savourait sa joie. Le feu ronflait toujours dans son ventre. Un feu doux qui l'avait délivrée. L'entente tacite avec Raoul était toute simple. Elle était sa femme, et elle acceptait de se donner à lui quand il le voulait et autant de fois qu'il le souhaitait. En contrepartie, il reconnaissait Arnaud pour son fils et il la traitait en épouse aimée. Au fond, où était le problème, puisqu'elle avait trouvé un moyen pour faire son devoir envers Dieu, sa famille et son époux tout en y prenant quand même du plaisir !

La réalité reprenait hélas le dessus quand Raoul s'essayait à l'embrasser sur les lèvres tout en exigeant qu'elle garde les yeux ouverts. Françoise ne pouvait alors plus ignorer que Pierre était reparti dans les limbes de son imagination. Et

Raoul s'y prenait si mal ! Cependant, pour compenser, il était propre, il sentait bon, et sa bouche avait un goût de menthe.

Raoul voulut parler. Apeurée, Françoise lui souffla :

— De grâce, mon époux, ne discutons surtout pas de politique.

* * *

L'adolescent sortit de chez lui et passa devant une sentinelle endormie. Le soldat tressaillit, ouvrit des yeux tout ronds, rougit comme une donzelle.

— Majesté, balbutia-t-il, je...

Le jeune Charles VIII leva sa main dans un signe d'apaisement.

— Chut ! répliqua-t-il.

Et il passa devant le garde, en chemise de nuit, son bonnet de laine enfoncé sur la tête. Il ouvrit un huis dissimulé dans le mur derrière une tapisserie, puis disparut. Peu avant, il était allé rendre visite à Margot.

La blonde enfant voulait à toute force qu'il lui lise quelques histoires pour l'endormir. D'ordinaire, Charles aimait raconter des aventures. Mais les lire à une enfant aussi intelligente que Marguerite le mettait dans l'embarras. Les nourrices de la princesse aussi étaient présentes, attentives et sans doute moqueuses dès qu'il leur tournait le dos. Alors, au lieu de lire — ce qu'il faisait quelquefois encore avec difficulté —, Charles avait résolu le problème en imaginant des péripéties qui avaient enchanté tout le monde. Et au diable les mots, ces *b* et ces *d* qu'il avait du mal, parfois, à différencier !

Mais ce soir, après avoir regagné sa chambre, il n'avait pu trouver le sommeil et il était ressorti. Une langueur inassouvie le poussait à rôder dans les couloirs de son propre château — « comme un loup sous la lune », songea-t-il. D'ailleurs, la lune était-elle haute et ronde dans le ciel d'Amboise, ce soir ?

Après avoir dépassé la sentinelle assoupie, il se faufila jusque dans l'appartement de sa sœur aînée. Qu'espérait-il trouver d'autre, chez Anne et Pierre, que de la politique, encore de la politique, toujours de la politique ?

Il savait tout, déjà, de ce qui se passait dans son royaume. Car si sa sœur et son beau-frère gouvernaient à sa place, ils le tenaient bien informé. Par exemple, Charles savait qu'en ce moment même, Rohan ravageait la Bretagne. Le prétexte était qu'en cherchant à se marier à Alain d'Albret, la jeune duchesse Anne rompait une promesse que le duc François avait faite autrefois à Rohan de marier les petites duchesses à ses propres fils. Anne de Beaujeu avait expliqué à Charles qu'il serait intelligent de laisser Rohan combattre, quitte à le financer. Et pour le motiver davantage, à lui tenir les mêmes promesses que le duc, car cela sèmerait encore plus de troubles en Bretagne.

— Ainsi, mon frère, ce n'est pas toi qui portes la charge morale de la reprise des combats. Tu comprends ?

L'adolescent avait beau avoir des lacunes quant à son éducation, il n'était pas l'imbécile que beaucoup imaginaient. Avec sa sœur, il était à bonne école — le reconnaître et en profiter était déjà une preuve d'intelligence. Car Charles avait d'immenses projets. Il avait fait des songes envoyés, croyait-il, par Dieu ou les anges. Il deviendrait un grand roi. Il accomplirait de grandes choses. Quoi encore ? Il ne le savait pas. Mais pressentir qu'il comptait dans les desseins du Seigneur lui apportait beaucoup de bonheur.

Concernant les choses de la politique, il y avait aussi les annexes au traité du Verger et la petite Anne qui s'entêtait à signer ses documents du titre de « Duchesse de Bretagne », ce que Charles, conseillé par sa sœur, lui avait formellement interdit.

— Tu vas voir, elle va s'enferrer toute seule, avait prédit Anne de Beaujeu. Cette petite est opiniâtre en diable. (C'étaient les mots mêmes de sa gouvernante.) Aussi, on peut lui faire confiance. La petite va elle-même nous donner l'occasion de reporter la guerre en Bretagne. De plus…

Sa sœur avait avoué à Charles que, pour couronner le tout, son espion placé à Guérande assurait que les membres du conseil de tutelle nommé par feu le duc ne s'entendaient pas du tout. Comment aurait-il pu en être autrement ? François II s'était-il naïvement imaginé que des hommes et des femmes tels que la comtesse de Dinan, le maréchal de Rieux, d'Albret et Dunois pouvaient enterrer leurs folles ambitions et leurs différends pour venir en aide à une jeune orpheline ?

Oui, le duc avait été bien imprudent.

— De cela aussi nous profiterons, mon frère ! avait assuré la dame de Beaujeu.

Charles renifla. Il tremblait de froid dans sa chemise de nuit. Toute chose imprudente à vous faire attraper la mort, pieds nus comme il l'était, avec sa chandelle dans la main, à écouter aux huis comme le dernier des laquais.

D'ailleurs, que se passait-il dans la chambre de sa sœur aînée ? Entendait-il des soupirs, des halètements ? Ces élans naturels qu'on lui cachait encore alors qu'il se sentait bouillir en dedans ! N'avait-il pas dix-neuf ans ! Il n'était plus un petit garçon, mais un homme. Et que diable, où donc était ce bataillon de servantes dociles qu'on lui promettait ?

Ce n'était certes pas dans la ruelle du lit de sa sœur qu'il allait apprendre du vieux Pierre de Beaujeu à se conduire en amant auprès d'une femme ! Il s'apprêtait à faire demi-tour quand il entendit Anne avouer tout bas avec un soupir :

— Notre Seigneur a enfin entendu mes prières. Louis est dorénavant hors d'état de nuire. C'est un tel soulagement que de n'avoir plus à craindre ses bêtises.

— Il est certes serré, répondit Pierre de Beaujeu, mais en êtes-vous si bien aise pour autant ?

— Vous plaisantez, mon ami !

— Je croyais qu'il fut un temps où il ne vous déplaisait pas trop...

Charles n'entendit pas la réponse de sa sœur. Soit Anne avait embrassé son vieux barbon pour le faire taire, soit elle avait rougi, et le mari, fin diplomate, n'avait rien ajouté pour ne pas aviver l'embarras de sa femme.

Résultat : furieux et les entrailles toujours aussi échauffées, Charles revint sur ses pas. S'il passait une servante ou bien une blanchisseuse, peu importe son âge et sa joliesse, il l'entraînerait incontinent vers une alcôve. Ses courtisans en usaient à leur gré. Pourquoi pas lui ?

Mais il regagna sagement ses appartements, très fâché et le nez coulant. Il jeta sur son lit son précieux exemplaire de *La vie de Charlemagne*. Que pouvait-il apprendre là-dedans sur l'art d'aimer une femme ? Il lui faudrait des romans d'amour, des poèmes à saveur paillarde !

Il alla ouvrir un petit coffret en bronze, fouilla sous divers souvenirs qu'il y gardait, en sortit une piécette en argent, qu'il tint quelques minutes dans son poing fermé. Une chaleur agréable remonta dans son poignet, dans sa main, et se diffusa jusque dans son cœur. Cette pièce était un cadeau de sa mère, Charlotte…

Soudain, il sentit une présence derrière lui. Ce ne fut plus le désir, mais la peur qui le prit au ventre. Des fidèles de son cousin Louis venaient-ils pour l'assassiner ?

Une ombre s'étira sur le plancher, et elle boitait ! Ou en tout cas, la silhouette fragile qui venait…

— Toi ! se récria Charles. Tu m'as fait une de ces peurs !

Mais il se ressaisit aussitôt :

— Ma sœur, dit-il, que…

Jeanne se jeta à ses genoux.

— Mon bon frère, sanglota-t-elle, je t'en prie, je t'en supplie, soulage mon angoisse !

Charles accepta de lui prendre les mains. Jeanne, tout le monde le voyait bien à la cour, errait comme une âme en peine. Et à cause de qui ? De son mari. Parfaitement. À cause de Louis qui était emprisonné. Louis qui ne l'aimait pas. Louis qui, de l'aveu d'Anne, n'aimait en fait que lui.

— De grâce, mon bon frère, plaida encore Jeanne, fais-le libérer. Pour l'amour de Dieu. Pour l'amour de moi…

La dernière phrase n'était qu'un murmure, car Jeanne savait combien elle était laide et un supplice même pour la vue.

Mais contrairement à Louis et à leur propre père, Charles ne trouvait pas sa sœur si repoussante ni si monstrueuse que ça. Il savait combien elle était douce, bonne et belle *à l'intérieur.* Jeune, elle avait eu des visions de la Vierge Marie. Depuis, Jeanne était un peu comme sous la protection de la mère de Jésus.

— Hélas, ma sœur, répondit-il tout bas, je ne puis...

— Mais tu aimes bien Louis. Je le sais!

— Il me fait rire, avoua Charles.

— Il t'a armé chevalier.

— Mais il nous nuit. Il choisit mal ses combats et...

Il se mordit la lèvre, car il avait conscience de répéter les paroles que lui serinait leur sœur aînée. Il savait pourtant que seul Louis aurait le front, maintenant, de l'emmener incognito dans des tavernes où il pourrait tout à loisir boire et apprendre à séduire et à caresser les donzelles. Oh, oui, Louis était doué pour donner du plaisir aux femmes. D'ailleurs, lors des repas qui avaient suivi son sacre, il lui avait promis qu'un jour, tous les deux iraient faire la tournée de ces endroits où les filles sont chaudes, dociles et si expertes.

— Charles, je t'en conjure, répéta Jeanne en pleurnichant, tu as bien fait relâcher tous les autres!

Mais le jeune roi ne pouvait rien. Faire libérer Louis d'Orléans maintenant qu'ils avaient enfin réussi à le réduire à néant serait comme de redonner espoir à tous ces traîtres et ces ambitieux qui cherchaient à détruire cette grande et nouvelle France qu'avait voulu leur père.

— Non, vraiment, Jeanne, il me manque, c'est vrai, mais je ne peux le faire relâcher.

— Alors, permets-moi d'aller le voir et de soulager sa peine.

Étrange persistance et obsession que cet amour non payé de retour que Jeanne nourrissait pour Louis. C'était beau et touchant, mais hélas, pour Jeanne, sans espoir.

Charles l'embrassa sur les joues et hocha du chef. Il promettait seulement d'en parler à leur terrible sœur...

Chapitre 11

À la chasse

Guérande, hiver 1489

La comtesse de Dinan était blême. Dans ses mains, elle tenait un pli que venait de lui remettre un messager. Son beau château de Laval avait été saccagé par la populace en colère. Ses meubles, sa vaisselle, ses tableaux, ses robes, ses bibelots — tout avait été emporté par les gueux. Quelle triste époque ils vivaient là !

Parvenue devant la porte du salon où elle continuait à donner ses précieuses leçons aux héritières de Bretagne, elle s'arrêta quelques instants afin de se recomposer un visage. Des épreuves, elle en avait vécu tout au long de sa vie. Celle-ci en était simplement une de plus.

Hélas, les rires qu'elle reçut en entrant n'étaient guère faits pour la mettre en joie. La vue de l'ancienne concubine du duc, surtout, lui fit perdre tout sens de la retenue. Awena pliait des draps avec Marie. Dans la pièce se trouvait également ce nouveau page que Françoise avait ramené de son périple à Saint-Aubin. Le jeune homme, un freluquet toujours aux aguets — la Dinan connaissait bien cette espèce-là —, faisait des tours de magie devant Isabeau, qui s'enthousiasmait si facilement.

— Encore ! Encore ! s'écriait-elle joyeusement en battant des mains.

Françoise elle-même se tenait dans un coin, assise sur un tabouret, son nouveau-né braillard dans les bras, et elle lui donnait le sein ! Quelle indécence, quelle impudence, quel manque de tact ! C'en était trop. La Dinan éclata en reproches.

— Vous, ici, Awena ! Votre place est-elle raisonnablement encore dans la maison des jeunes duchesses ?

C'était une attaque directe, quoique feutrée, sur ses origines et sur les moyens peu recommandables par lesquels elle avait atterri dans la couche de feu le duc.

— Awena fait partie, en effet, de notre maison, la défendit Françoise.

Cette bâtarde montait toujours aussi facilement aux créneaux ! « Bien », se dit la gouvernante, car c'était de colère et de frustration qu'elle avait besoin pour alimenter sa mauvaise humeur.

— Vous êtes la risée de la cour ! reprit-elle en désignant à la fois Awena et Françoise. Une ancienne maîtresse qui s'accroche à son rang et une bâtarde qui nourrit son enfant au vu et au su de tous !

Vincent fit un pas en direction d'Awena, sans doute pour lui faire un rempart de son corps.

— Vous êtes toujours là, vous ! l'apostropha la Dinan. Non, mais quelle impudence ! Sortez, vous entendez !

Françoise se leva. Isabeau était sur le point d'éclater en sanglots. Elle n'aimait pas que des gens qu'elle aimait se fâchent ainsi. Elle chercha instinctivement sa mère du regard. Mais la bienveillante Marguerite de Foix, qui avait le don d'apaiser les humeurs, n'était plus, et Françoise, Isabeau le savait, était trop encline à l'affrontement.

La Dinan se tint devant Awena, qui pâlissait de honte.

— S'il ne tenait qu'à moi, siffla-t-elle, on vous aurait chassée. Votre vue m'insupporte. N'êtes-vous donc pas assez intelligente pour vous en rendre compte par vous-même !

Dehors, le ciel était de nacre. De fins nuages s'étiraient à l'infini. Le vent mettait du givre aux carreaux.

Françoise remit Arnaud dans les bras d'Odilon et vint prendre le bras d'Awena. Dans le silence qui avait suivi cette dernière tirade, on n'entendait plus que le craquement des bûches qui se consumaient dans l'âtre.

— Cela suffit, comtesse ! l'invectiva Françoise. (Et, plus bas, en la fixant dans les yeux.) Je sais qui vous êtes. Oui, je le sais…

Les deux femmes s'opposaient encore. Et, une fois encore, la Dinan mettait silencieusement Françoise au défi de prouver ses accusations.

Deux hommes entrèrent dans la pièce. C'étaient les deux François : d'Avaugour et Châteaubriant. Si le premier esquissa un geste pour aider Awena et sa sœur, l'autre le retint.

— Ce n'est pas un conseil que je te donne, ami, que de te mêler des colères de ma mère…

Châteaubriant savait en effet de quoi et de qui il parlait. Sa dragonne de mère avait toute une réputation. Ce fut une autre entrée, tout aussi remarquée que celle des jeunes hommes, qui mit cependant un terme à la dispute.

— Anne ! s'exclama Françoise.

— Anne ! lança également la Dinan.

Les deux femmes semblaient prendre la duchesse pour témoin de leur différend. Derrière la jeune fille venait le chancelier Montauban. Ce dernier semblait avoir préparé son affaire, car il tendit à la Dinan un rouleau de parchemin signé de la main d'Anne.

Sans l'ouvrir, la gouvernante continua sa diatribe sur les raisons pour lesquelles Awena devait être éloignée de la cour. Elle n'avait, disait-elle simplement, plus rien à y faire.

Françoise bouillait de rage. Elle ne pouvait lancer dans cette pièce, à la face de tous, qu'en réalité la Dinan cherchait surtout à écarter d'Anne tous ceux qui pouvaient combattre sa propre influence. Et tout le monde le savait, Awena, comme elle, d'ailleurs, était de ceux-là.

— Comtesse, déclara Philippe de Montauban, des choses autrement plus graves que le sort d'un membre de la maison ducale sont en jeu. De grâce ! De plus, Anne…

Il fit le geste qu'elle devait dérouler le parchemin et lire ce qui y était inscrit, ce que fit la comtesse, les traits tirés, les sourcils froncés, en tremblant de colère.

— Anne ! se récria-t-elle une fois de plus en posant une main sur sa gorge. Mais…

— Awena avait l'amour de notre père, déclara la jeune duchesse de sa voix si nette. Aujourd'hui, elle a notre confiance.

— Mais… la nommer votre dame d'honneur !

— Cela est dit, répéta Anne.

Elle leur prit les mains et ajouta :

— Et par Dieu, je vous prie de vous entendre. Pour l'amour de moi !

Elle fixa tour à tour Françoise et la comtesse au fond des yeux. Il y avait de la tristesse et de la détresse dans ce regard, mais aussi une farouche volonté d'être entendue et obéie.

Françoise hocha du chef. Si Anne l'exigeait, elle tairait ses griefs. Pour l'amour…, comme avait lancé la jeune fille. En même temps, elle échangea un rapide sourire avec Awena, qui venait de vivre des moments très difficiles. Une fois de plus, cependant, Françoise ressentit une pointe de remords à l'endroit de l'ancienne concubine dont elle devenait peu à peu l'amie. N'avait-elle pas perdu le pli amoureux que lui avait remis le vicomte Bernard de Tormont ?

Anne se tourna vers Montauban et ajouta :

— Il n'y aura pas de leçon, ce matin. Et cet après-midi, nous irons à la chasse. Si nous tenions maintenant conseil ?

Brusquée par la décision de sa pupille, la Dinan balbutia que les autres membres n'étaient, hélas, pas disponibles.

— Qu'à cela ne tienne, nous commencerons sans eux ! Veuillez les faire appeler, comtesse, nous vous en saurons gré, termina Philippe de Montauban.

Scandalisée, la Dinan sortit presque en courant.

« Le serpent, le serpent ! » le fustigea-t-elle en pensée. Elle croisa son cousin Raoul dans le corridor, lui agrippa le bras.

— Vous n'êtes vraiment pas doué pour tenir votre femme ! cracha-t-elle. Ils sont réunis en conseil. Il est temps. Prévenez les autres. Qu'on en finisse. Et, pour cet après-midi, vous savez ce que vous avez à faire…

* * *

Après la séance du conseil, à laquelle n'avaient finalement participé que Dunois et Comminges, Philippe de Montauban regagna son office. Le capitaine Le Guin lui avait octroyé plusieurs gardes, dont le soldat Benoît Vamier.

La pièce était petite et entièrement lambrissée. La teinture sombre n'était pas au goût du chancelier. Trop foncée, elle lui donnait l'impression que les murs s'avançaient pour l'emprisonner. Heureusement, il y avait une grande fenêtre à meneaux qui donnait sur les toits, et plus loin sur la mer.

Il rassembla ses papiers, fit appeler Louis de Graville, qui était un des secrétaires de la duchesse.

— Nous avons des missives à rédiger, dit-il.

Vincent leur apporta un cruchon de vin et du pain. En effet, le travail l'emportant sur les loisirs, Montauban avait décidé de prendre son repas devant son travail. C'était pourtant le même homme qui avait encouragé Anne à s'accorder quelques heures de liberté, ne serait-ce que pour se sortir la tête des ennuis qui leur tombaient dessus et prendre, surtout, un peu l'air.

Depuis la mort du duc, il avait la sensation qu'Anne et Isabeau n'étaient pas pour lui que de simples jeunes filles à guider et à conseiller. Il avait fait plusieurs rêves étranges dans lesquels il ne cessait de voir le duc François.

« Prenez grand soin d'elles, mon ami ! Je crains pour notre chère Bretagne. Veuillez bien, Philippe. Mes filles vous sont très attachées, vous le savez ! »

Depuis, peu à peu, il ressentait pour ses pupilles bien davantage que le simple respect dicté par son rang et son devoir. Il les regardait et voyait des enfants et des femmes en devenir. Des duchesses. Et parfois, entre ses larmes d'homme sur le point de devenir vieux, il les considérait avec plus de tendresse que l'on pouvait en escompter de lui. Isabeau chantait. Son cœur s'attendrissait. Anne lui souriait. Il croyait alors voir s'épanouir un arc-en-ciel.

Toutes ces choses le tenaient éveillé et farouchement décidé à veiller à leurs intérêts. Et c'est ce qu'il faisait alors même que tous les autres ripaillaient.

— Louis, lança-t-il au sieur de Graville, œuvrons!

À cet instant, on cogna à la porte. Un coup fort, péremptoire. Puis, sans qu'ils aient eu le temps de répondre, l'huis s'ouvrit tout grand. Entrèrent le maréchal de Rieux, d'Albret et la comtesse de Dinan…

Au même moment, Vincent gagnait les cuisines. Il entendit un grognement sourd derrière lui et fit aussitôt demi-tour. Son ami Benoît gisait, blessé au flanc par une lame.

— N'étais-tu pas en poste devant la porte du cabinet du chancelier? demanda-t-il, les yeux écarquillés.

Vincent voulut appeler, mais l'autre lui saisit le poignet.

— Non pas, haleta-t-il, cours plutôt prévenir…

Vincent descendit aux écuries. En passant, il cria au capitaine Le Guin que le chancelier avait besoin d'aide. Puis il enfourcha un cheval.

* * *

À quelques lieues des nouveaux remparts de la ville, Anne et sa petite troupe revenaient péniblement sur leurs pas. Le vent du large leur gelait les os, la marée montait.

— À mon avis, dit-elle, les chiens se sont égarés.

Raoul secoua la tête.

— C'est plutôt votre hermine, Votre Grâce, qui est plus rusée qu'un renard.

Cela faisait deux bonnes heures qu'ils bravaient le froid, entre landes et marais salants, pour retrouver ce bel animal.

— Elles étaient au moins trois, je les ai vues ! renchérit Anne.

Vêtue du nouvel habit de chasse reçu lors des obsèques de son père en septembre dernier, la jeune fille avait fière allure. Simon, mais aussi les frères de la duchesse, Antoine et d'Avaugour, l'accompagnaient. La ville semblait si loin !

Une langueur venait brusquement de saisir la jeune fille. Elle contempla les flèches des toits de Guérande. Elle avait encore dans la tête tout ce qui leur causait des problèmes : le continuel manque d'argent, le peuple accablé d'impôts, ce nouveau fouage qu'ils venaient de demander pour renflouer leurs coffres, les sempiternelles demandes de paiement des mercenaires étrangers, qui ne se gênaient pas pour menacer le conseil, s'ils ne recevaient pas leur solde, de se payer directement sur les terres et les paysans — spécialement les paysannes. Méthode que Philippe de Montauban avait dû éclaircir pour Anne, qui n'en connaissait pas encore le fond.

— Il faut prendre à gauche par le marais, proposa Raoul.

Simon n'était pas d'accord. À son avis, ils s'éloigneraient encore davantage.

— Les proies ne se prennent pas près des remparts et des hommes, le tança vertement le baron.

Anne serrait ses rênes. De sombres pensées la ramenaient toujours à observer la ville, comme si une chose terrible était en train de s'y produire en silence sans que personne puisse rien y faire.

Soudain, un bruit de galop leur parvint.

Anne reconnut Vincent Menez, le page. Aussi blanc qu'un morceau de neige, aussi raide qu'un bout de bois sur son cheval, il plissait les yeux jusqu'à les fermer tout à fait tant le vent lui griffait les joues.

— Madame, s'écria-t-il...

Et encore, sa voix n'était qu'un murmure. Il parla à l'oreille d'Anne, qui frémit.

— Que se passe-t-il ? brailla Raoul d'Espinay, qui était, somme toute, chargé de mener la chasse.

— Nous devons rentrer tout de suite, dit Anne.

— Mais votre hermine !

Raoul ne put en dire davantage. Il vit partir la duchesse, suivie par le laquais et quelques soldats, dont ses propres demi-frères. D'Espinay sourit dans sa moustache, flatta l'encolure de son cheval.

— Seigneur, que faisons-nous ? lui demanda un de ses hommes.

— Nous rentrons aussi. Que faire d'autre ?

Il savait néanmoins que la duchesse avait pris une route qui allait la rallonger, tandis que lui connaissait un chemin plus rapide. Finalement, leur plan se déroulait fort bien. Il avait entraîné Anne assez loin. Le maréchal et la comtesse seraient fiers de lui.

Chapitre 12

Le coup de force

Jean IV de Rieux entendit un bruit suspect derrière une tapisserie et s'y rua en criant à la trahison. Mais il n'y avait là ni alcôve secrète ni espion. La Dinan assena à son allié un regard sévère. Ce n'était ni le lieu ni l'endroit pour jouer au drôle, mais le moment qu'ils attendaient pour agir enfin.

La comtesse s'approcha de la table où travaillait le chancelier et déposa un document devant lui. Elle n'était pas fâchée de lui rendre la pareille après l'humiliation qu'il lui avait fait subir le matin même, devant Françoise et Awena. Comme Philippe de Montauban feignait de ne pas comprendre, Alain d'Albret et le maréchal vinrent l'encadrer, la main sur la garde de leur épée.

Tandis que le chancelier lisait le parchemin, les trois conspirateurs s'entre-regardaient, les traits tirés, le cœur battant. Des hommes à eux gardaient les issues et le corridor voisin.

— Mais c'est un faux ! se récria Montauban, outré.

— Il s'agit de sauver la Bretagne, rétorqua la comtesse. Nous vous demandons de le sceller.

N'ayant pu convaincre Anne d'épouser le Gascon par les méthodes habituelles, ils en étaient venus à produire une fausse procuration par laquelle Anne et le seigneur d'Albret demandaient conjointement au pape de leur accorder une dispense de mariage pour cause de consanguinité.

— Sauver la Bretagne ! s'offusqua le chancelier.

Rieux lui glissa une plume entre les doigts.

— Signez !

Montauban ne pouvait pas, en effet, apposer le sceau de feu le duc, car celui-ci n'était plus légal. Il ne pouvait pas, non plus, y mettre celui d'Anne, car celui-ci n'avait pas encore été fondu par l'atelier de la monnaie. Les secondes s'égrenaient dans un silence pesant troublé par le craquement des boiseries et par celui des bûches dans la cheminée.

Les conjurés transpiraient. Chacun d'eux songeait à ses propres raisons d'agir. Pour la comtesse, il s'agissait d'un pur calcul familial et financier. En effet, son fils avait épousé la fille du maréchal. Elle se devait donc à son clan. En plus, d'Albret mis au pouvoir, elle obtiendrait la garantie de conserver longtemps une confortable position à la cour. Pour Rieux, veuf depuis quelques années après un long mariage qui avait duré trente ans, il s'agissait aussi de faire un gros coup d'argent. Et puis, en mariant Anne avec d'Albret, il écartait de facto les autres prétendants, entre autres Maximilien d'Autriche, qu'il tenait pour un tyran potentiel, ainsi, surtout, que le fils du vicomte de Rohan, ce fourbe qui ne cessait de changer de camp et auquel il était donc impossible de se fier.

— Signez ! hurla brusquement d'Albret.

Le Gascon était las de demeurer fidèle à un parti qui ne tenait pas ses promesses. Combien de fois, déjà, et jusqu'à son lit de mort, le duc François ne lui avait-il pas promis la main d'Anne pour lui, et celle d'Isabeau pour son fils Gabriel ? D'Albret prétendait posséder un tiers de la Bretagne par sa femme. Il était temps qu'il rentre dans ses droits.

Voyant que Montauban hésitait toujours, Rieux perdit patience. Il dégaina son poignard et le planta dans le bois de la table, à quelques centimètres de la main du chancelier. Il allait sans doute commettre l'irréparable quand la Dinan saisit son poignet. Elle se pencha vers leur adversaire et murmura :

— Allons, soyez raisonnable. Vous savez que Rohan écume nos villes. Le roi saisira ce prétexte pour reprendre les armes. Nous sommes au bord du gouffre comme jamais auparavant. Alain est sur place alors que l'Autrichien est trop loin, et Rohan aux ordres de Charles. Mon demi-frère est le seul à posséder assez de force et de volonté pour unifier autour de lui les barons et nos alliés. Devant un tel bloc, le roi reculera. Le peuple aussi est à bout. Par cette signature, vous hâtez le retour de la paix.

Montauban se leva d'un bond.

— Madame, se récria-t-il, vous êtes aveuglée par votre soif de pouvoir !

Rieux le rassit de force. Le chancelier avait le cœur qui saignait. Il imaginait trop d'Albret, ce rustre poilu jusqu'aux yeux, vautré dans la couche d'Anne. Il était là, aussi, le drame. D'autant plus que la jeune duchesse refusait de toute son âme une aussi monstrueuse union. Ne le lui avait-elle pas répété le matin même !

— C'est un abus de pouvoir ! s'emporta encore le chancelier.

— Mordious ! C'en est trop ! fit d'Albret.

Il attrapa Montauban par le col et sortit sa lame. À cet instant leur parvinrent des bruits de lutte dans le corridor. Peu après, la porte fut fendue à la hache. Le Guin et ses soldats se battaient dos à dos contre les hommes de Rieux. Derrière eux se profilaient le seigneur de Comminges et le comte de Dunois, qui couraient sus aux conspirateurs.

— C'est un comble ! éructa Rieux.

Il approcha son visage de celui de Montauban et ajouta :

— Vous l'aurez voulu, espèce de vieux fou !

Puis il se tailla un chemin dans le couloir à la force de son bras en entraînant la comtesse dans son sillage. La Dinan lui hurlait de la lâcher, que tout pouvait encore s'arranger. Mais Rieux et d'Albret avaient pris leur décision. Ils avaient échoué ici ; il convenait donc d'agir ailleurs.

Le Guin s'égosillait :

— La duchesse a été prévenue ! Elle arrive !

* * *

Au même moment, Françoise, Awena, Odilon, Isabeau et le petit Arnaud se trouvaient aux jardins. Ils y prenaient un peu l'air. Mais à présent, le bébé avait les joues assez rouges, et il convenait de rentrer… lorsque Françoise s'immobilisa. Le visage tourné vers les fenêtres du deuxième étage, elle semblait absente.

— Mon amie ? s'enquit Awena.

— Mon mauvais rêve... Le morceau d'étoffe qui se déchire... répondit tout bas la jeune mère, les yeux dans le vague.

Elle haletait doucement. Des petits nuages de vapeur se formaient devant sa bouche. Soudain, un homme fut carrément défenestré. Elles se précipitèrent. Françoise craignait tant que ce ne fût le chancelier qu'elle en ressentit une vive douleur dans la poitrine. Mais il s'agissait d'un soldat à la solde du maréchal — mort sur le coup.

Peu après, des chariots arrivèrent devant la porte d'entrée. Des domestiques y chargèrent des malles et des meubles. Raoul surgit sur ces entrefaites.

— On se bat dans les couloirs. Femme, appela-t-il, nous partons !

Il se tourna vers Odilon :

— Servante, prépare les affaires de ta maîtresse.

Il voulut s'emparer d'Arnaud, qui babillait dans les bras d'Awena, mais Françoise bondit comme une lionne. Une dague dans la main, elle posa sa lame sur la carotide de son époux. Ils se mesurèrent du regard. Enfin, Raoul recula, non sans cracher au sol.

— Vous êtes toujours prête à vous battre ! Malgré notre entente.

— Elle ne vaut que par vos actes, rétorqua Françoise. Je reste, et mon fils aussi.

Rieux appelait son baron. Derrière les haies saupoudrées de givre, il se hissait sur sa monture et encourageait ses sbires à se dépêcher.

Raoul était au supplice. En dernier ressort, il fit son choix.

— Madame, dit-il à Françoise, la main sur la garde de son épée, veuillez ne pas oublier notre pacte. Et je vous prie de prendre bien soin de vous et de notre fils.

Et sur ce, il disparut en direction des écuries.

Anne rentra quelques minutes seulement après le départ précipité du maréchal, du seigneur gascon, de la comtesse de Dinan et de tous leurs gens.

Chapitre 13

La riposte

Anne avait à peine eu le temps de se faire ôter ses bottes de chasse qu'elle entrait en poulaines fourrées dans le vestibule. Des domestiques et des courtisans tendaient la tête alors que d'autres se tenaient au contraire frileusement les épaules rentrées dans le corps. Après le chahut et le fracas des malles traînées à l'extérieur, il régnait dans la grande demeure une sorte de vide glacial.

Vincent ouvrait la marche, suivi par Simon, qui tenait sa hallebarde levée. Ne sachant que penser, Antoine et d'Avaugour suivaient. À l'entrée du bureau du chancelier, ils virent Le Guin, qui se tenait accroupi auprès d'un soldat blessé. Vincent reconnut Benoît, mais il entra tout de même avec Anne, qui s'exclama, très pâle :

— Monsieur le chancelier !

La jeune duchesse trouva son homme de confiance haletant et le teint olivâtre. Philippe de Montauban se ressentait encore de ses blessures reçues lors de la bataille de Saint-Aubin-du-Cormier, et sans doute aussi de l'affront qu'il venait de vivre. Françoise et Isabeau se tenaient enlacées.

Anne avisa un parchemin posé sur le bureau. Imbibant le bas de la feuille, une large tache d'encre s'écoulait d'un flacon. Elle parcourut le document.

— Non ! s'exclama-t-elle, horrifiée.

Le Guin expliqua que les seigneurs de Rieux et d'Albret avaient voulu extorquer la signature du chancelier, mais que celui-ci avait bravement résisté.

— Sachant que vous arriviez, ajouta-t-il, ils se sont enfuis avec armes et bagages.

On donna du vin chaud à Montauban, qui se remit assez vite pour déclarer, non sans frissonner :

— Le pire est qu'ils vont tout de même s'essayer.

— Je ne puis le croire ! se récria Anne.

Elle inspira profondément. Son regard se rétrécit. Une fois, il y a deux ans, Rieux et la comtesse de Dinan avaient déjà plié bagage. Brusquement vidée de toutes ses forces, elle s'assit et soupira.

— Je suggère, Votre Grâce, fit Montauban, de dicter aussitôt un démenti formel et de le faire envoyer aux villes et aux abbayes.

Anne s'empara du document et le déchira avec rage. Comment Rieux et sa gouvernante avaient-ils pu concevoir une telle ignominie ? Faire croire au saint-père qu'elle et d'Albret… Elle fit mander Vincent et le récompensa en lui offrant une de ses bagues. Sans lui, en effet, comment aurait-elle su ?

Awena souriait, ce qui n'échappa ni au jeune page ni à Benoît Vamier, qui s'en tirait avec seulement quelques estafilades. Tandis qu'Anne, le comte de Dunois, d'Avaugour et Françoise se concertaient sur ce qu'il convenait de faire, Benoît glissa à son compagnon :

— Tu as donc fait ton choix!

L'autre ne répondit rien, car il était, comme Montauban lui-même, encore sous le coup des événements.

— À votre place, Votre Grâce, reprit le chancelier, je rédigerais une lettre accusant le maréchal de Rieux ainsi que d'Albret de faux. Nous devons les prendre de vitesse.

— Il faut les mettre hors d'état de nuire pour de bon, laissa tomber Françoise.

Montauban avoua alors que Rieux et d'autres barons de sa suite avaient déjà trahi à plusieurs reprises depuis 1484.

— Est-ce Dieu possible? s'exclama Anne.

— C'est hélas la triste vérité, affirma le chancelier. Je suis désolé, Votre Grâce, mais à l'époque, votre père vous le cachait pour ne pas trop vous alarmer. Vous étiez encore si jeune!

Dunois acquiesça. Il avait été témoin de ces événements. Anne secoua la tête. Ce qu'elle entendait était grave. Comment des hommes et des femmes choisies par son père pour veiller sur elle pouvaient-ils déjà la trahir?

— C'est par trop horrible! Avez-vous des preuves de ce que vous avancez, chancelier? demanda-t-elle.

D'Avaugour pâlissait de minute en minute. Louis de Graville, le fidèle secrétaire, battait nerveusement des paupières. Le poète officiel de la cour, Jean Meschinot, était tout ouïe...

Sans se démonter — Anne ne pouvait en effet condamner sans preuve —, Philippe de Montauban secoua la tête. Il savait que de nombreuses personnes, à la cour de Bretagne, étaient pensionnées par le roi. Hélas, il était au regret d'admettre qu'il ne possédait aucun document pour le prouver.

Tous demeuraient consternés quand Vincent Menez avança d'un pas :

— Veuillez me pardonner, mesdames et messires, dit-il, un demi-sourire peint sur son visage de damoiseau, mais je connais un moyen de nous en procurer…

* * *

Après plusieurs jours de chevauchée par des routes détournées, le capitaine Le Guin, Simon ainsi que le page lui-même parvinrent devant les murs de Paris. Entrer dans la ville après la fermeture des portes était sinon impossible, du moins un pari risqué et fort onéreux. Mais Vincent avait grandi dans la cité. Il connaissait les sergents ainsi que les bonnes pattes à graisser. De plus, il avait gardé les sauf-conduits que lui avait signés le vicomte Bernard de Tormont.

À Guérande, le page avait expliqué qu'il avait été en partie élevé par un oncle, un dénommé Olivier Barrault, clerc de son état, qui avait autrefois servi le roi Louis XI et qui était à présent aux ordres de ses enfants, Charles VIII et Anne de Beaujeu.

L'oncle fut tout étonné de voir réapparaître ce neveu tant aimé qu'il avait cru tombé lors de la bataille de Saint-Aubin-du-Cormier. Après les effusions d'usage, Barrault les fit entrer, car il craignait le passage des hommes du guet. Sa bougie éclaira un intérieur modeste, bien que meublé avec goût. Du haut des marches s'éleva une voix de femme qui n'était pas celle de la tante de Vincent, décédée quelques années plus tôt. Perplexe, Olivier les fit passer dans son office.

Vincent lui parla, mais l'oncle rechigna. Pour qui œuvraient-ils ? Cette information étant tenue secrète, Le Guin lui remit une bourse bien pleine. Le clerc était bien embêté. Alors, son neveu lui avoua que ceux qui l'envoyaient lui avaient en quelque sorte sauvé la vie. Vincent ne mentait guère.

Pour le motiver davantage, il avait de surcroît encore sur les lèvres le baiser passionné que lui avait accordé dame Awena avant de partir. Très idéaliste, il prenait cet élan de reconnaissance pour un gage de bonne fortune et entendait bien en profiter sitôt de retour à Guérande, ou du moins à Redon, où Anne devait se rendre à cause de l'épidémie de peste qui gagnait Nantes et ses environs.

Barrault ouvrit un coffre en bois. La serrure grinça tant que le clerc sursauta comme un voleur.

— Ces documents, annonça-t-il, sont des copies signées de ceux que j'ai rédigés pour Sa Majesté.

— Nous vous les payons grassement, déclara Le Guin. Rassurez-vous, ils ne seront pas utilisés contre votre souverain. Vous avez ma parole.

L'autre faisait encore mine d'hésiter. Mais le prix des denrées de base ne cessant d'augmenter durant l'hiver, le sac de pièces n'en était que plus tentant. L'affaire fut conclue, et l'ambassade extraordinaire repartit aussitôt par le même chemin. Au retour, leurs bagages pesaient moins, mais ils avaient accompli leur mission...

Chapitre 14

Un cadeau de roi

François d'Avaugour sortait de chez lui quand un domestique le héla sur un ton péremptoire :

— Seigneur, lança-t-il, votre sœur et le chancelier vous mandent d'urgence dans la salle du conseil.

Le fils bâtard du duc se raidit. La colère le disputait à l'indignation, d'autant plus qu'il connaissait l'impudent.

— Vous ! se récria-t-il en approchant sa main de la garde de son épée.

Vincent Menez n'était pas fâché d'avoir été envoyé à la rencontre du demi-frère de la duchesse. Il souriait finement : un peu trop, sans doute, pour la circonstance. Troublé, d'Avaugour, dont on ne savait jamais trop s'il vous regardait ou pas, fit mine d'ôter son feutre à plumes. Il s'interrompit soudain comme s'il se rendait compte de l'incongruité de sa réaction, fit claquer sa langue et répliqua sèchement qu'il venait.

— Va devant, laquais ! ajouta-t-il d'un ton rogue.

Dès que Menez eut disparu, d'Avaugour se renfrogna davantage. L'air du corridor lui sembla soudain glacial. Il releva le col en martre grise de son habit, frissonna malgré son pourpoint doublé d'agneau et sa cape de velours sombre.

« Ainsi, se dit-il, le temps est venu... »

Il salua plusieurs courtisans et donzelles, qui lui firent en retour les yeux doux. Mais au lieu de s'engager dans le couloir menant à la salle du conseil, il descendit le grand escalier. En chemin, il croisa dame Awena, qui revenait des étuves. Il n'y avait pas une once de malice chez la plantureuse jeune femme. Aussi baissa-t-elle la nuque sur son passage, et il la gratifia d'un « Bonjour, madame » très solennel.

Parvenu dehors, le vent d'hiver lui griffa les joues. D'Avaugour sentit également les larmes qui brûlaient ses yeux. Il inspira profondément. Des souvenirs lui revenaient. Son enfance passée au milieu de tous ces nobles qui ne voyaient en lui qu'un bâtard insignifiant, la suite des événements, ces occasions de gloire ou de pouvoir fugitif, ses propres choix...

Sur le chemin de l'écurie, il récupéra un paquetage qu'il avait confié quelque temps plus tôt à un ami courtisan. Celui-ci ne dit rien, mais lui serra simplement les mains. Un peu plus tard, le fils du duc passait la porte du château. Nul n'aurait pu le reconnaître, car il avait le visage recouvert d'une capuche et il portait un habit de palefrenier. Le vent était vif. Il bruinait doucement. D'Avaugour montait un destrier tout harnaché et il tirait derrière lui un palefroi chargé de ses maigres bagages.

Après avoir remis une pièce d'argent à la sentinelle de garde, il se mêla à la petite foule des Guérandais, puis il passa sans encombre la porte Saint-Michel.

* * *

La nouvelle de son départ précipité gagna les étages de la grande demeure comme une traînée de poudre. Anne et Philippe de Montauban, qui attendaient François avec humeur, en furent pour leurs frais. Le page Menez vint les avertir que le demi-frère de la petite duchesse avait disparu.

Françoise se tenait dans un angle de la pièce.

— Je vous l'avais bien dit ! annonça-t-elle en cessant, pour quelques instants, de se ronger les ongles.

C'était une autre de ses prédictions qui se réalisait. Pourtant, nul n'avait songé, comme elle l'avait suggéré, à envoyer quérir d'Avaugour non par le page, mais plutôt par le capitaine Le Guin.

Montauban tenait dans ses mains les documents rapportés de Paris.

— C'était à prévoir, Votre Grâce, lâcha-t-il en soupirant.

Il était gêné et presque aussi embêté que Françoise elle-même.

— Ainsi donc, s'emporta Anne, lui aussi !

Elle se tassa dans son fauteuil — petite forme frileuse vêtue d'une robe sombre, au visage pâle, aux cheveux relevés par un bandeau cousu de pierres précieuses posé sur son front haut et droit. Dessous, il n'y avait que ses yeux clairs et limpides. Immobiles. Un long moment, ses paupières se tinrent fermées, les coins de sa bouche bien dessinée se plissèrent dans un sanglot qui demeura rentré. Ce furent là ses seules réactions émotives à l'annonce de la trahison de celui qui était somme toute son demi-frère aîné, de même qu'un jeune homme qu'elle avait honoré de sa confiance et de son admiration.

La liste des traîtres et les sommes en livres tournois énoncés sur les documents étaient accablantes. Écrites de la main du clerc Olivier Barrault, elles révélaient brutalement l'ampleur des défections : les noms de ceux et de celles, à la cour de Bretagne, qui recevaient des pensions et des gratifications de l'ennemi depuis plusieurs années !

Montauban n'était guère étonné d'y voir figurer en bonne place ceux du maréchal de Rieux, de Jean et de Louis de Rohan, et de leurs barons inféodés tels Raoul d'Espinay, les seigneurs de Sourléac et de Villeblance — parmi plusieurs autres ! Anne avait tiqué quand on lui avait révélé que sa propre gouvernante, la très digne et honorable comtesse Françoise de Dinan-Laval, avait autrefois reçu du roi Louis XI une somme de quatre mille livres tournois « pour ses loyaux services » !

La voix du chancelier était cinglante, quoique teintée de pitié :

— Rieux, énonça-t-il en toussotant, a touché douze mille livres tournois dans le but précis de « rapporter au roi tout ce qui se passe au conseil de Bretagne ». Quant aux autres...

Chaque nom était pour Anne comme un nouveau coup de poignard. Charles du Pont, le vicomte de Quotinien, les seigneurs de Rostrenen et du Plessis étaient chacun inscrits pour une somme annuelle de mille livres. Les hommes de moindre importance en recevaient six cents, quatre cents et se vendaient même à l'ennemi pour seulement deux cents livres !

— Les seigneurs ne sont pas les seuls, rappela Montauban.

Il cita les nombreux ecclésiastiques impliqués. Anne pâlissait de seconde en seconde, car c'était tout son entourage ou presque qui figurait sur cette maudite liste.

— En tout, Votre Grâce… (la voix de Montauban se brisa carrément…), il est indiqué sur un autre document que le roi Charles octroie annuellement plus de vingt et un mille livres tournois « pour des dons et des subsides divers aux seigneurs, clercs et ecclésiastiques d'importance de Bretagne ». Le soin est laissé au sieur de Barrault d'y mettre les noms et d'octroyer lui-même les sommes.

— En clair, Anne, dit-il, Charles veut ignorer qui vous trahit. Il se contente de payer.

— La dame de Beaujeu, elle, est sûrement au courant ! argua Françoise.

— Et mon frère ? s'enquit brusquement la jeune duchesse en se levant.

Il sembla à Françoise que sa sœur avait quelque peine à s'arracher à son fauteuil.

— Mille deux cents livres annuelles, Votre Grâce, répondit Montauban.

— En plus de ce que nous lui donnons ?

— En plus.

— Comme pour tous les autres ?

Le chancelier inclina la tête.

Le comte de Dunois était également présent, mais son ami Comminges avait disparu. Le chancelier ainsi que Françoise craignaient de deviner ce qui se passait dans la tête et le cœur de la jeune duchesse. Au bout de quelques minutes de silence — seules les allées et venues des courtisans inquiets, dehors, indiquaient qu'il y avait encore de la vie dans la grande demeure —, Anne dicta ses volontés.

Elle devait réagir, et vite ! Ce qu'elle fit. Elle se tourna vers le secrétaire Louis de Graville et lui lista les noms de ceux qui seraient dorénavant bannis de sa cour. Cela faisait beaucoup de monde. Parmi eux, la plupart avaient déjà fui avec Rieux et la comtesse de Dinan. D'autres, Françoise en était sûre, terminaient dès à présent de réunir leurs effets en cachette.

Anne se tourna ensuite vers ceux qui lui restaient fidèles : le chancelier, bien sûr, mais aussi Dunois, le prince d'Orange, récemment libéré de prison et qui était son cousin en ligne directe par sa mère, le capitaine Le Guin, Simon le Gros, sa demi-sœur Françoise et Antoine, le Dolus — ce dernier étant en ce moment auprès d'Isabeau.

— Le plus triste dans l'affaire, regretta le chancelier, est que d'Albret était toujours demeuré fidèle... jusqu'à aujourd'hui !

À entendre Montauban, il n'y avait eu ou presque en Bretagne qu'un seul honnête homme, et c'était le Gascon ! Si seulement il avait été plus jeune et moins paillard... Mais là n'était plus la question. Après avoir dicté aux secrétaires les lettres les plus urgentes, Anne se retira.

Françoise la soutint. La jeune femme n'avait pas même le cœur de se réjouir de la déconfiture totale de la Dinan, forcée de fuir comme une malotrue. Elle avait pourtant le cœur qui saignait — presque autant qu'Anne, qui, elle le sentait, portait tout le poids de ces trahisons sur ses épaules. De temps en temps, elles échangeaient un regard, mais pas une seule parole. Françoise voulut raccompagner Anne chez elle, mais la jeune duchesse souhaitait se rendre à la chapelle. Fort heureusement, les ecclésiastiques coupables s'étaient d'eux-mêmes exilés.

Dieu, elle en était certaine, restait de son côté telle une lueur dans les ténèbres, le seul bras solide sur lequel s'appuyer. Ses intercesseurs étaient corrompus, mais la Source demeurait. Contrairement à Anne, Françoise n'était pas férue de religion. Cependant, l'habitude aidant, elle alla s'agenouiller devant la croix avec sa sœur. Anne priait beaucoup et pleurait un peu. Françoise songeait plus prosaïquement à leur triste situation.

Car la grande question de savoir ce qui allait maintenant survenir n'avait, dans l'angoisse, la tristesse et la colère, pas été posée…

* * *

Ce soir-là, Anne se retira tôt. Par solidarité, les membres de la cour, encore sous le choc, se firent plus discrets. Dans un couloir marchait cependant un jeune homme. Il portait la tenue des laquais de la maison des duchesses, mais il était à son avis bien plus que ça.

Au service de la jeune duchesse, Vincent Menez avait su gagner la confiance de tous. Son bon caractère, son côté enjoué, son sérieux et son application, mais aussi les tours de passe-passe qu'il avait un été appris en traînant avec des gitans de Paris l'avaient grandement aidé.

Depuis, il avait rongé son frein et attendu de voir. Pour cela, il avait laissé courir les événements et s'était contenté de se trouver là où il fallait au bon moment. Cette faculté, il en était certain, n'était pas donnée à tout le monde. C'était une grâce, une main invisible tendue au-dessus de sa tête. Lui et pas un autre, et cela dans un but précis. Lequel ? Il l'ignorait et ne cherchait pas coûte que coûte à comprendre. Dans sa jeunesse pétillante, il possédait aussi la sagesse de laisser venir.

À cet instant, un murmure lui parvint. Il se retourna, mais ne vit personne. Il tendit son bougeoir dans la pénombre. Une main blanche sortit soudain des plis d'une draperie. Des doigts portant trois bagues finement ouvragées en or et en argent s'agitèrent dans sa direction. D'abord, Vincent se méfia — il portait une courte dague dans sa poulaine droite. Mais un visage apparut à la suite de cette main, et son cœur imposa aussitôt silence à sa tête.

— Vincent… susurra la voix.

— Dame Awena ? s'étonna le laquais.

Mais il ne s'agissait en fait que d'une demi-surprise. Cette rencontre, il l'avait déjà vécue en rêve, le soir quand il se couchait, et même la nuit.

Awena balbutia des mots de remerciement tout en l'attirant dans l'alcôve. Ce qu'il avait fait, disait-elle, était louable et généreux. Malgré son jeune âge, Vincent connaissait ce genre de femmes, et il lui sourit. Les demoiselles parlaient, mais désiraient davantage. Quand venait la nuit — surtout certaines nuits de pleine lune —, l'angoisse de la solitude les tenaillait, et une ardente impatience, une chaleur venue des entrailles montaient en elles et luttaient pour s'exprimer.

Ils se prirent les mains, puis se retrouvèrent dans les bras l'un de l'autre. Vincent avait espéré ce moment, et voilà que le moment venait à lui. C'était à la fois magique et merveilleux. Comme si sa pensée avait été une sorte de fil invisible qui avait attiré la belle jusqu'à lui.

Il osa approcher son visage de celui de la jeune femme. Awena était si douce et chaude dans ses bras ! Elle s'y lovait si fort, y prenait naturellement sa place.

Le cœur du jeune homme sautait dans sa poitrine. Awena n'était pas une de ces donzelles qui se laissait facilement caresser dans les étuves de la ville. C'était à sa manière une princesse mystérieuse, une étoile, celle vers qui se tendait le désir enflammé de dizaines d'hommes plus riches, plus puissants et mieux placés que lui. Et c'est dans ses bras à lui qu'elle se trouvait ce soir !

Il y pensait encore qu'il sentit les lèvres d'Awena se poser sur les siennes, puis les prendre avec ardeur. Vincent avait tellement peur de ne pas savoir quoi faire qu'il en ressentait de l'effroi. Il avait conscience, cependant, que ses mains remontaient le long des cuisses satinées de la belle. Ses doigts effleuraient les jupons, passaient dessous. Ils allaient tout seuls, ils connaissaient le chemin.

Awena laissa échapper un soupir de volupté, car Vincent recueillait sur ses doigts la rosée chaude de son désir. Elle sourit dans le halo ocre du bougeoir posé sur une étagère. Le réduit était petit, mais meublé d'un de ces canapés sur lesquels on s'asseyait à deux pour mieux discuter. La nuit, on y parlait moins que le jour, et c'est ce qu'ils firent.

Après ce long baiser, Awena prit les devants. Elle posa d'abord la main sur la sienne. Cela faisait si longtemps ! Depuis la mort du duc, elle avait en effet courageusement résisté à nombre de propositions. Dans ses propres rêves, elle se tenait toujours dans les bras de celui qu'elle appelait secrètement « le jeune et fougueux prisonnier de Nantes ». Mais les rêves étaient une chose, et Awena préférait de temps à autre se nourrir de sensations plus vives, plus réelles.

Elle fit asseoir le laquais et s'installa sur lui. Il était prêt, maintenant, et bien vigoureux ! Tandis que Vincent enfouissait son visage dans son corsage, happant tour à tour ses seins avec autant de fièvre que de maladresse, Awena entamait une longue course à la fois délicieuse et endiablée. En imagination, elle battait campagne, montait à cru un fier palefroi. Son cœur se cabrait follement. L'ivresse la gagnait peu à peu, teintant sa peau de reflets rouge feu.

Vincent goûtait avec un bonheur infini et reconnaissant à ce cadeau octroyé pour ses bons et loyaux services, et offert par la reine de ses pensées.

Chapitre 15

La déchirure

Debout sur les remparts du château de Nantes, Jean IV de Rieux ne craignait ni le vent, ni le bruit, ni les gens — encore moins ce qu'il appelait « l'histoire en marche » ! Il était arrivé deux jours plus tôt avec sa troupe, fuyant Guérande à vive allure, comme si la jeune duchesse leur avait envoyé des hommes en armes pour les combattre, voire pour les ramener de force. Fort heureusement, rien de cela ne s'était produit. Quoi qu'en ait dit la comtesse de Dinan, Anne, bien qu'intelligente en diable et certes mature pour ses douze ans, n'avait rien fait pour les empêcher de quitter sa misérable cour après les avoir officiellement bannis en ce jour du 24 janvier !

Le maréchal contempla l'esplanade du château derrière lui, les hauts murs blancs du nouveau corps de logis érigé par le duc François II. Devant lui, au-delà des douves, se dressait la cité grouillante de ce petit peuple dont tous, Anne et Montauban les premiers, faisaient si grand cas.

Aux côtés du maréchal se tenait l'arrogant et talentueux François de Châteaubriant qui était son gendre. N'avait-il pas épousé sa fille ! Il observa quelques instants le jeune homme qui dirigeait les ouvriers recrutés aussitôt pour redresser, renforcer, corriger et retaper les murailles du château et celles de la ville.

Et il répéta comme pour lui-même :

— Rien.

— Monseigneur ? s'étonna Châteaubriant.

— Fils, lui répondit le maréchal, je me parlais à moi-même de ces gens, tout autour. Et je me disais qui si certains pensent qu'ils sont tout, en vérité, ils ne sont rien.

L'autre tiqua, car il ne savait trop comment réagir. Devait-il cligner d'un œil, en complice de son beau-père ? Ou bien froncer le sourcil ? Éclater de rire ! Prudent, il attendit la suite...

— Tu vois, poursuivit Rieux, hier, je suis descendu dans la cité et j'ai marché parmi eux. Eh bien, il ne s'est rien passé. Ils m'ont reconnu, beaucoup m'ont salué.

Il renifla et reprit, goguenard :

— Regarde le château, les ouvriers, les forgerons, les palefreniers, les gardes et même les blanchisseuses. Rien, pour eux, n'a changé. Je pense qu'au fond, ils se moquent éperdument de qui commande, du moment qu'on leur laisse assez d'espace pour, simplement, vivre leur petite vie, juste assez d'espace dans le lacet qui entoure leur cou. C'est tout. Pour continuer à exister. Voilà leur unique ambition. N'est-ce pas bien ainsi ?

» Je me demande parfois s'ils pensent par eux-mêmes, ou s'il faut toujours un être d'exception pour leur insinuer des pensées et les faire bouger.

Châteaubriant faisait mine de suivre ce monologue hautement politico-philosophique. Mais en fait, il ne savait trop sur quel pied danser.

— En clair, mon gendre, conclut le maréchal, que ce soit nous ou bien Montauban qui tenons la barre du pays, et même, à la limite, le roi, ces gens ne veulent que vivre tranquilles. Ils suivront celui qui leur donnera cette tranquillité. Les peuples sont tous faits de ce moule-là.

Une troisième silhouette, sur les remparts, attira leur attention. Heureux de faire diversion, Châteaubriant s'exclama :

— Mère !

La comtesse de Dinan était suivie par Alain d'Albret, qui n'avait cessé de maugréer et de se plaindre depuis leur départ — et c'est bien ce qu'il continuait de faire. La gouvernante rejoignit le maréchal et l'apostropha :

— Vous vous trompez, Jean !

Elle eut le front de poursuivre :

— Prenez garde. S'il est une chose qui surpasse pour eux la nécessité de vivre leur petite vie, comme vous dites, c'est la paix morale de servir ce qui est juste, droit et beau.

— Beau ?

— Oui. Et jeune.

— Plus que l'estomac ou la peur de Dieu, ce serait donc le beau et le juste, dites-vous, qui mènent ces foules ? Ridicule ! clama Rieux, et je m'y connais. J'ai guerroyé et…

— Anne et Isabeau sont belles et jeunes. Elles possèdent une aura. Prenez garde…

Elle planta ses yeux noirs dans les siens.

— … à ce que vous allez faire maintenant.

Rieux secoua ses hautes épaules. Toute sa vie, il avait foncé dans le tas, bousculé et renversé les obstacles. C'est ainsi que l'on faisait, dans sa famille.

— Cette fillette, car c'en est encore une, n'osera rien, assura-t-il. Comme ces gens. Devant les événements en marche, Anne se rangera auprès de nous. Quand ses alliés seront les nôtres, elle reviendra manger dans notre main comme son père avant elle. Vous verrez.

Autour d'eux, les bruits familiers du château et ceux de la cité semblaient les conforter dans cette voie toute tracée. La Dinan ne semblait pas convaincue.

— Soyez-le, ma chère, insista Rieux. C'est ainsi que nous forgeons la réalité de tous ces gens. Et il en sera toujours ainsi par les siècles.

Il exposa ensuite son plan d'action.

— Nous sommes le 24 janvier. En date d'aujourd'hui, nous créons un second gouvernement en Bretagne. Celui, légitime, des barons et des nobles soutenus par les alliés. Le roi traitera avec nous.

Il nomma ensuite son ami Gilles de La Rivière chancelier à la place de l'agaçant Philippe de Montauban. Puis, le froid venant, ils regagnèrent la demeure du duc et ouvrirent la première séance de leur conseil.

— Secrétaire ! s'écria Rieux. Que l'on prépare le document. Gilles ! (Il poussa son homme de confiance dans un fauteuil.) Gilles, vous voilà notre chancelier.

D'Albret les considérait, échevelé, l'œil morne.

Le maréchal fit dicter des lettres dans lesquelles il incriminait Philippe de Montauban ainsi que le comte de Dunois, qu'il qualifiait tous deux de traîtres à la Bretagne. Ils auraient comploté avec le jeune roi...

— Vous déraisonnez ! s'exclama la comtesse de Dinan.

— Ne soyez pas effrayée, belle amie. Le temps des intrigues est passé. Il nous faut agir.

Il se tourna vers d'Albret, qui n'était pas loin, non plus, de penser que le maréchal en faisait vraiment trop, cette fois.

— Mon cher, ne faites pas cette tête-là. Ne voulez-vous pas épouser la jeune Anne et devenir le nouveau duc ?

— Certes. Mais ces accusations…

— De la pure politique, d'Albret. Allons, ce salon aussi est un champ de bataille.

Comme empli d'une énergie nouvelle, le maréchal réclama encore plus de bûches pour l'âtre et de secrétaires pour ses missives.

* * *

Anne et sa cour s'étaient repliées sur Redon. L'épidémie de peste, disait-on, menaçait Nantes et ses environs, mais également Guérande. À moins que cela ne fût que des rumeurs. Montauban n'avait cependant voulu courir aucun risque, et tout le monde avait encore déménagé. Depuis, ils avaient appris, par des messagers que leur avait envoyés Rieux en personne, la scission du pays en deux gouvernements. Chose qui allait bien faire rire à la cour de France.

La veille, ils avaient fait une entrée remarquée dans Redon. Reçue par les officiels de la ville — les bourgeois et les habituelles délégations de marchands et d'artisans —, Anne s'était installée dans une grande demeure avec ses gens. Rieux étant parti avec ses serviteurs, les membres de la cour étaient moins nombreux et donc plus facilement logeables chez l'habitant.

Lors d'un repas, Anne se montra avec Isabeau. Vêtues de leurs plus beaux atours, entourées par Montauban, par le comte de Dunois et le prince d'Orange, suivies par leur suite et encadrées par les hommes du capitaine Le Guin, elles firent sensation. Comme le disait le chancelier, c'est toujours dans les moments de faiblesse qu'il fallait se montrer le plus à son avantage. « Les hommes sont impressionnables. Un rien les fragilise. Un sourire, une bonne parole, une promesse, voilà ce qu'il leur faut. Surtout quand cela vient d'un cœur aussi jeune, d'un aussi joli minois ! »

Anne n'était pas certaine d'aimer cette approche. Crénom ! La vérité et le bon droit ne suffisaient-ils pas ?

À table, elle eut avec sa jeune sœur une conversation des plus surprenantes. Isabeau avait en effet déclaré qu'elle se sentait prête à servir la cause et à se fiancer, elle aussi ! Elle voulait de surcroît être admise au conseil et y siéger. Sur le coup, Anne en avait été ravie. Elle ne serait plus seule, mais appuyée, soutenue. Elle pourrait aussi se confier. Sa sœur sortait enfin des vapeurs de l'enfance et de ses jeux puérils avec Antoine, qui n'était plus un garçon, mais un homme fait. Certes encore sensible, toujours la larme à l'œil et aussi drôle qu'avant. Sauf qu'il avait intégré la garde, ce qui était une bonne chose.

Ensuite, cependant, seule dans son lit, Anne s'était avoué en elle-même qu'avec Isabeau auprès d'elle, elle aurait peut-être aussi à partager son pouvoir. La jeune fille n'avait-elle pas affirmé qu'elle aimerait avoir un droit de regard sur ses fiancés potentiels ?

« Un droit de regard… »

Anne serra les dents. L'avait-elle eu, elle ! Fiancée tant de fois à des hommes, des princes et des seigneurs différents ! Seuls les petits princes anglais, assassinés depuis, l'avaient fait rêver. Et peut-être le duc Louis d'Orléans, qui s'était si courageusement battu pour elle. Elle se rappelait le serment qu'il lui avait fait, à genoux, de la protéger. Il avait tenu parole et se morfondait à présent quelque part en prison à cause de cela.

Cette nuit-là, Anne eut du mal à trouver le sommeil. À un moment donné, elle entendit se lever Françoise et pleurer le petit Arnaud. Alors, elle cessa de renifler comme la fillette qu'elle était encore derrière son masque de cire, de jour comme de nuit, et se força pour recouvrer une ombre de courage.

Le lendemain, Philippe de Montauban réunit ce qui restait du conseil. Anne permit à Isabeau et à Françoise d'y assister. Il convenait en effet de faire le point sur la situation. Ce que Philippe entama en des termes clairs et concis.

La Bretagne, quoi qu'en dise le roi, était toujours en guerre. Rohan se battait officiellement pour sa propre cause, mais il était mené par la France. La désobéissance d'Anne, qui signait toutes ses dépêches du titre de « Duchesse de Bretagne » énervait souverainement leur puissant voisin. Mais ce n'était, tous le savaient, qu'un nouveau prétexte.

— La Trémouille continue de nous prendre des villes et des places fortes, annonça le chancelier. Autant le dire franchement, il tient les deux tiers du territoire. À cette situation déjà périlleuse s'ajoutent notre pénurie d'argent, nos mercenaires en colère qui se paient sur le peuple, nos notables qui se plaignent des emprunts forcés, et le maréchal de Rieux qui tient Nantes et se targue d'être celui qui parle pour la Bretagne.

Le maréchal se fondait sur le testament même du duc François, qui le nommait tuteur et président du conseil de tutelle d'Anne.

— Il nous faut montrer, poursuivit le chancelier, que c'est vous, Anne, qui incarnez cette souveraineté, et non pas le conseil.

La jeune duchesse voyait où Montauban voulait en venir. Mais comment parvenir à cette reconnaissance, à cette union sacrée avec son peuple ?

Dunois et le chancelier établirent ensuite un plan d'action. Hélas, les deux hommes étaient d'un avis contraire. Devant la double menace de la guerre avec la France et de la scission de Rieux, le comte proposait de rallier l'Espagne, l'Autriche et l'Angleterre, puis de courir sus aux Français. À son avis, les alliés ne traiteraient pas avec des barons en rébellion, mais plutôt avec la fille du défunt duc, surtout si, en gagnant les mains d'Anne et d'Isabeau, ils pouvaient espérer mettre un pied solide en Bretagne.

Avant de guerroyer contre les Français, Montauban était au contraire solidaire d'une maison unie.

— On ne pourra bien combattre, dit-il, que si la Bretagne se tient debout derrière un seul chef.

— Et comment comptez-vous vous y prendre, chancelier ? fit Dunois. Le maréchal vient de vous faire destituer.

Anne se leva. Françoise eut à cet instant la révélation de ce que sa jeune sœur allait déclarer…

— Une maison unie, répéta Anne en hochant du chef. Aussi, je ne puis laisser Nantes entre leurs mains.

Dunois soupira et grogna tout à la fois. Rieux n'était pas homme à lâcher le morceau.

— Il est féroce et tout en dents ! prévint-il. Ils tiennent aussi d'Albret, qui rêve toujours de devenir duc.

Ils se concertèrent du regard. Une lourde chape de silence et de tristesse tomba du plafond. Mais Anne ne changea pas d'avis et répéta :

— Je ne les laisserai pas habiter notre beau château blanc !

Tous eurent alors la même pensée, le même souvenir : un prince qui venait vers eux juste après l'orage et les menaces pour leur prêter secours.

— Si seulement Louis était parmi nous ! se désola Dunois.

Françoise ne songeait pas tant au duc d'Orléans qu'à Pierre, dont elle était séparée depuis de trop longs mois. Ses pensées l'entraînaient dans d'obscurs cachots où se lamentaient sans doute les deux prisonniers. Elle avait certes Arnaud, et elle était débarrassée pour un temps de Raoul ! Elle ne reverrait pas, non plus, la terre du Palet, où elle avait été très malheureuse. Et...

Anne brisa net le fil de ses rêveries :

— Nous devons marcher sur Nantes, déclara-t-elle tout net.

Isabeau aussi voulait revoir leur château sur la Loire.

Montauban décida donc qu'il était temps de reprendre leur correspondance avec Maximilien d'Autriche, le roi des Romains. Car l'homme était, selon lui et du vœu même du défunt duc François, le plus apte à les tirer de la ruine.

Chapitre 16

Désespoir

Un tintement métallique et irrégulier battait à ses tempes comme un deuxième cœur. Ce bruit empêchait Louis de se concentrer sur l'autre battement, le vrai, l'essentiel. Mais vivait-il encore, ou bien était-il déjà mort ? La notion du temps l'avait quitté. Les nuits et les jours passaient sans lui. Parfois, il avait l'impression de n'être plus qu'un point dans un nuage ou alors une brume légère qui flottait au gré d'un vent qu'il ne commandait pas, détail plus agaçant encore que de ne pas connaître le nom de l'endroit où il avait une fois de plus été transporté et enfermé. Alors, il se réfugiait dans cet étrange sentiment de légèreté qui s'apparentait si bien à la mort.

Pour l'heure, et c'était pour lui une souffrance de plus, il revisitait son passé et assistait de nouveau à son mariage avec Jeanne la boiteuse. La fillette, car elle n'avait alors que douze ans, avait beau porter une robe de drap d'or, ce riche parement ne cachait rien de ses difformités.

« C'était au château de Montrichard, se rappelait Louis. La reine Charlotte était présente, mais pas le roi, car il était soi-disant parti en pèlerinage. En fait, il ne voulait pas être là. Tout comme moi ! C'était en 1476, le 8 septembre. Tout le monde se pressait d'assister à mon humiliation. Ma mère pleurait. Elle pleurait, mais elle n'avait en fait rien tenté, vraiment, pour m'éviter cette torture. »

Le chancelier Doriole lui répétait les paroles qu'il avait déjà prononcées, à savoir que ces épousailles étaient le souhait du roi. Puis on le conduisit à l'écart pour lui laisser soi-disant un temps de réflexion. Mais avait-il vraiment le choix ? Tous ceux qui assistaient à la cérémonie savaient bien que non. François de Brilhac, l'évêque d'Orléans, était aussi bien en peine. Cependant, comme tout le monde, il devait obéir aux ordres.

Devant témoins — tout devait être officiel —, l'ecclésiastique lui demanda :

— Acceptes-tu, Louis, de prendre Jeanne pour épouse ?

Le jeune prince de quatorze ans était à la fois rouge de rage et bleu de peur. Il donnait là, il s'en rendait compte, un spectacle tout aussi drôle et éloquent que Jeanne elle-même, qui souriait aux anges — ce qui ne relevait en rien sa laideur habituelle.

— Que ne le savez-vous, répondit le garçon d'une voix étranglée, il m'y est fait violence et il n'y a nul remède. Vous savez assez à qui j'ai affaire.

Louis avait pitié de ce double de lui-même si jeune, si vulnérable. Doriole somma le futur époux de se taire. L'assistance cachait son atterrement. Les murs séculaires s'écroulaient sur le jeune duc, car l'évêque se contentait docilement de cette réponse. La conscience de Louis adulte voulait s'arracher à cette pesante chape de malheur et de tristesse qui s'abattait sur la maison des D'Orléans.

Il voyait ensuite sa mère, Marie de Clèves, lui dire qu'avec l'argent de la dot, ils allaient enfin pouvoir rembourser leurs dettes et tenir de nouveau leur rang. Qu'avait-il donc à se plaindre ?

Elle lui prit les mains dans les siennes, cherchait malgré tout à le rassurer. Il les lui retira d'un geste vif. Quelque chose, entre eux, venait de se briser à jamais. Était-elle à ce point aveuglée pour ne pas s'en rendre compte ?

Louis flotta peu après dans un endroit encore plus sombre et plus silencieux, un bureau ou bien une officine poussiéreuse où le soleil, en pénétrant chichement par une fenêtre à meneaux, faisait étinceler un rai de poussière. Deux hommes se tenaient en tête à tête. Louis reconnut immédiatement le profil d'insecte du premier, voûté et drapé dans un manteau de drap noir. Sur sa tête se trouvait enfoncé un feutre orné de pièces d'or. Le prisonnier eut un haut-le-cœur en entendant le roi Louis XI ricaner et dire à l'autre, de sa voix à peine murmurée, que les enfants que le jeune duc aura avec sa fille Jeanne seront si fins qu'ils ne leur coûteront sans doute point grand argent à nourrir.

Le duc eut l'impression qu'une dague lui transperçait le cœur. Ainsi donc, le roi entendait exterminer sa lignée. L'ignominie était de taille. La douleur aussi. Et pourtant, le nuage sur lequel il flottait toujours poursuivait son errance dans les tragiques tableaux et péripéties de sa vie.

Louis se retrouva à Tours, dans la grande salle de l'archevêché. Il y reconnut aussitôt l'effervescence des états généraux de 1484. Il planait au-dessus des têtes agitées, entendait les débats et s'écoutait lui-même parler.

Il se trouva bien piètre orateur ! Cette révélation était d'autant plus frustrante qu'il assistait aux discours mieux inspirés des gens placés là par Anne et Pierre de Beaujeu, qui demeuraient, eux, sagement en retrait. À qui devaient échoir les rênes du pouvoir ? Au premier prince du sang si futile, si enflammé, bravache et inexpérimenté ? Ou bien à l'homme de confiance du feu roi et à sa fille, qui prenait déjà soin de son jeune frère, Charles, le nouveau souverain ?

Les députés tranchèrent en n'octroyant le titre de régent à personne et en confiant le gouvernement à la garde de ceux qui veillaient sur le petit roi. Autant dire une claque en plein visage pour le duc !

Louis ressentit douloureusement ce coup bas. Car c'en était encore un ! Il comprit alors qu'il s'était trop mal préparé, qu'il avait fait preuve de faiblesse, d'orgueil, de maladresse. Anne de Beaujeu avait été la plus forte, et son intelligence dépassait de loin la sienne.

— Une femme ! s'écria-t-il avec dépit dans le néant.

À nouveau, le tintement irrégulier et exaspérant du glas lui répondit.

Au même moment, le roi Louis XI foulait à ses pieds l'emblème de la maison des D'Orléans. C'était la pire des insultes. Cette dernière image, si précise et si réelle que le duc aurait pu, s'il avait eu un corps et des mains, se jeter sur le monarque défunt pour l'étrangler, se dissipa comme les autres.

Le prisonnier retomba lourdement de son nuage sur sa couche de grains durs, dans sa cellule obscure, et le froid glacial de la nuit fondit sur ses épaules et dans ses os.

La lueur d'une torche se balança soudain au niveau de ses yeux, l'aveuglant et le faisant grogner de douleur. Une silhouette s'accroupit devant le soupirail. C'était un homme doté d'un visage carré et sombre, de traits grossiers mangés par une vilaine barbe semée de poils noirs.

— Je te l'avais bien dit de n'attendre aucun traitement de faveur de ma part…

Son geôlier rigola, fit mine de s'éloigner, revint sur ses pas. Rainier de Bourg se permit une confidence à mi-voix. Il parla de Chauny, où Marie de Clèves, la mère de Louis, avait vécu ses dernières années.

— Tu ne t'en souviens pas, bien sûr, tu ne venais jamais la voir. Ta mère, je veux dire. Tu la détestais autant que ça ? Ou bien n'aimais-tu pas son nouveau mari ?

Il se rapprocha davantage de l'oreille du prisonnier et susurra un nom :

— Rabodanges…

Louis tiqua, car cet homme-là était le maître d'hôtel. Et c'était lui qui avait sauté dans le lit de sa mère, veuve du duc Charles d'Orléans ! Le prisonnier ne savait que penser. En quoi son geôlier pouvait-il avoir affaire avec cet être sans scrupule qui avait épousé sa mère peu avant qu'elle ne meure ?

Mais de Bourg s'éloignait et le laissait seul dans les ténèbres et ce désespoir qui le tenaient dans ses serres tel un aigle invisible, qui pouvait à chaque instant lui manger le foie et la rate, et lui arracher les yeux.

Il avait faim — il rêvait des bons plats et des pâtisseries qu'il adorait naguère et dont il n'aurait jamais cru que l'on puisse un jour le priver. Et, en même temps, il mourait de soif.

Il comprit enfin que le tintement obstiné était sans doute le bruit que faisait un gobelet en terre cuite contre un barreau de métal, et il écouta avec plus d'attention. Ses amis Amboise, Dunois et Comminges venaient-ils le sauver ? Une voix ténue lui parvint.

— Votre Grâce…

Un seul homme en ce lieu de noirceur pouvait encore lui donner ce titre. Louis éructa un rire étranglé et répondit :

— Pierre ?

Le jeune palefrenier qu'il avait adoubé chevalier lui répondit. Une bouffée d'espoir revint au duc. Il n'était pas seul. Les ténèbres ne le dévoreraient pas. Il eut le réflexe de chercher un gobelet, tâtonna, le trouva près d'un cruchon. Au prix d'un effort immense, il s'adossa au mur de son cachot. Depuis combien de jours délirait-il ? Où se trouvaient-ils ?

Il avait chaud et froid en même temps. Mille aiguilles transperçaient sa chair.

« C'est la fièvre », songea-t-il.

Il but une gorgée d'eau, mais la recracha aussitôt. Elle avait un goût de fange, de mort, de cadavre pourri. Croyant qu'on voulait l'empoisonner, il essaya de la vomir tandis que Pierre l'appelait, encore et encore ! Mais sa voix se perdait dans un dédale sans repère, sans loi, sans fin.

Chapitre 17

Un ange en enfer

La vision était trop agréable pour que Louis veuille ne serait-ce que battre des paupières. Cela pouvait briser l'image, chasser la douce illusion, faire revenir les ténèbres. Alors, il cessa de respirer et se contenta de contempler la belle jeune femme qui lui lavait le visage et le cou avec un linge humide. Était-ce trop beau pour convenir à la réalité ? Louis le pensait. Aussi préféra-t-il continuer à croire qu'il rêvait.

Dans son rêve, une femme était venue dans sa cellule pour le baigner. Il y avait un baquet d'eau duquel s'élevaient des vapeurs parfumées. Des voix murmuraient au-dessus de lui. Il se laissait dévêtir et soulever avec ménagement. Puis une chaleur envahissait les moindres recoins de son corps, dénouait ses tensions, dissipait la douleur.

Une boisson était versée entre ses lèvres. Était-ce du vin ? Non, de l'eau, mais une eau fraîche légèrement sucrée. Dans son délire, Louis décida qu'il était au paradis. Était-il mort pour autant ? De faim, de froid et de désespoir, abandonné dans sa cellule aux vents d'hiver ? Il était d'autant plus facile de le croire que la jeune femme était belle, pulpeuse et blonde. Ses longs cheveux dorés rappelaient ceux de dame Awena. Ses joues étaient rondes, ses lèvres, quoique fines, aussi rouges que du jus de myrtille. Et sa peau! Louis n'y tenait plus. Même si cela signifiait la fin du beau songe, il voulait ouvrir les yeux et tout voir.

Ce qu'il fit... ébahi, stupéfait, attendri.

— Vous êtes... un ange, déclara-t-il, la bouche encore pâteuse.

La jeune femme rit tout en poursuivant son ouvrage. Penchée sur le prisonnier, elle lavait maintenant ses épaules, ses bras, sa poitrine, son ventre.

— Pour le reste, dit-elle en rougissant, c'est à vous de le faire. Je constate d'ailleurs que vous êtes assez ragaillardi pour ça!

Louis n'en revenait pas. Les anfractuosités autour de l'unique fenêtre avaient été comblées. Sa couche de grain avait été changée. Plusieurs couvertures étaient posées dessus. Et il se trouvait vraiment nu, dans un grand baquet d'eau chaude, et une femme l'avait lavé, frotté, décrassé, massé et rafraîchi d'une eau parfumée.

Elle attendait devant lui, la nuque penchée. La porte de sa cellule était poussée, mais non fermée.

— Qui êtes-vous? s'enquit Louis avec plus d'aplomb.

Il fut soudain victime d'un étourdissement. La femme lui prit la main. Ce contact, le premier depuis des mois, lui procura une onde de plaisir si vive qu'il en fut bouleversé.

— Vous avez été malade, répondit-elle. La fièvre. Mais vous allez mieux, à présent.

Il voulut la retenir, mais la belle s'esquiva. Des pas résonnaient dans le corridor. On venait. Louis entendit le tintement clair du gobelet contre le barreau en fer.

— Pierre ! s'exclama-t-il.

Le jeune chevalier répondit.

— Ainsi donc, admit Louis, je ne rêvais pas. L'enfer s'est-il transformé en paradis ?

La femme éclata de rire. Un rire adorable de gorge, grave et sensuel à la fois, qui rappela au duc ces plaisirs futiles qu'il avait considérés comme faisant partie intégrante de sa réalité. Jusqu'à cette date fatidique de la bataille et le sang, la rage, l'épuisement, la honte, la défaite, les fers.

— Me direz-vous votre nom, belle dame ? insista Louis.

Mais, déjà, la porte était tirée, et une silhouette difforme se dessinait dans la pénombre dorée par la lueur de plusieurs chandeliers. Deux hommes entrèrent en premier. Une voix frêle leur demanda gentiment de déposer le brasero près de la couche, pour qu'elle soit bien réchauffée.

— Et, s'il vous plaît, ajouta-t-elle, laissez-nous seuls quelques instants…

Louis se raidit. L'eau chaude n'y changeait rien. C'était toujours la même réaction d'impatience et de rage mêlées, cette crispation de tout son être. Et devant lui, cette femme et cette voix, ce ton gentillet, doucereux, mièvre, poli à outrance.

— Jeanne…

La princesse de France eut un hoquet de bonheur. Louis avait prononcé son prénom. Elle se jeta à genoux sur les dalles froides devant le baquet, les mains jointes comme pour une prière.

— Mon aimé !

Louis se laissa couler au fond du baquet. De l'eau jusqu'au menton, il grogna :

— Par Dieu, Jeanne, je ne le suis point ! Je ne l'ai jamais été !

La princesse bossue et boiteuse ravala sa peine, mais répéta sans cesser un seul instant de s'illusionner :

— Louis ! Je vous retrouve enfin.

Le duc gardait les yeux clos. De sa propre volonté, encore, mais sans plus de plaisir ni de joie. Il s'adressa plutôt à Pierre, qui attendait de l'autre côté de la paroi, dans sa propre cellule.

— Que diantre s'est-il passé ?

— Vous avez été malade, monseigneur. On dit que la peste est dans la région.

— Mais quelle région ?

— Poitiers.

— Mais comment ?

Il voulait dire « comment tout cela », et non pas « pourquoi Poitiers et pas ailleurs », ce que Pierre saisit tout de suite, car il expliqua que Rainier de Bourg, leur geôlier, était au lit, en fièvres et en lutte contre la maladie. Ce que profitant, la duchesse d'Orléans était venue avec des vivres, des couvertures, des soins. Enfin, il voyait sûrement…

Oui, Louis voyait, en effet, et il n'était pas loin de ne plus savoir s'il en était heureux ou pas.

Jeanne devait encore se trouver près de lui. Et il fallait qu'il soit nu, propre et dans un baquet !

— Tournez-vous, demanda-t-il à son épouse sur un ton rude.

Il répéta plus doucement et entendit que Jeanne se relevait. Il se détendit à son tour, se sécha, se vêtit. Jeanne avait apporté ses habits. Chemise propre, pourpoint, manteau, cape, gants. Elle n'avait reculé devant aucune dépense, jusqu'à lui apporter aussi les bijoux qu'il affectionnait et même ses bagues et ses parfums !

— Mon bon sire, le roi, commença-t-elle, a... Mais venez plutôt faire quelques pas dans le jardin.

Un jardin. En plein hiver. Sous le vent glacé. Cette idée folle était bien d'elle ! Mais Jeanne avait raison. Elle le connaissait si bien. Louis avait effectivement besoin d'exercice.

Ils marchèrent côte à côte dans un jardin tout blanc semé de givre et de neige. Ce n'était pourtant pas grand-chose. Quelques arbres rabougris et surtout une cour emprisonnée par des bâtiments austères. Des meurtrières, des créneaux, des corniches, des tourelles, quelques drapeaux qui claquaient au vent. Et sur un chemin de ronde, des sentinelles. L'idée même de ce que l'on se faisait d'une place forte. Et à Poitiers !

Louis ne voulait entendre aucune galanterie. Alors, il demanda des nouvelles de la politique. La pauvre Jeanne ne devait certes pas siéger au conseil royal. On lui cachait donc l'essentiel.

— Parle tout de même...

Elle révéla le peu qu'elle savait. Au moins, pendant ce temps, pouvait-elle être auprès de Louis ! « Au moins, ai-je la sensation de l'aider, de lui réchauffer un peu l'âme, sinon le corps », songea-t-elle en rougissant. Elle faisait son devoir d'épouse ou le peu qu'on lui permettait en la circonstance.

— La guerre a repris en Bretagne, dis-tu ?

— Oui. Et le duc François est mort en septembre dernier.

— Sa fille...

Louis revit le joli visage d'Anne.

— La petite duchesse est bien seule, dit-on. Il s'est produit quelque chose, je ne sais trop. Plusieurs membres de son conseil sont partis et ont formé un second gouvernement.

— Oh ! Voilà qui doit réjouir ta sœur et ton frère !

— Louis, je t'en prie, ne parle pas ainsi.

Sacrée Jeanne ! Elle était décidément incapable d'imaginer le mal chez l'homme. Incapable, aussi, d'admettre que les gens pouvaient être simplement mauvais, envieux, jaloux, enragés. Égarés, certes, futiles aussi, oublieux de Dieu. Dieu. Jeanne n'avait que ce mot-là à la bouche. Avec la Vierge Marie, qui était selon elle sa gardienne et même sa confidente !

— Oh, Louis, le plaignit-elle, comme tu as dû souffrir !

Elle pesa sur son bras. Le jeune duc se retint d'un mouvement d'humeur trop vif. Il voulait marcher plus vite, se dérouiller les jambes. Hélas, Jeanne boitait furieusement. À chaque pas, elle se déhanchait. Ce faisant, les bosses qui déformaient son dos et sa poitrine ne s'en voyaient que davantage.

Longtemps, il avait refusé de la regarder. Son visage lui rappelait par trop celui du roi Louis XI ! Alors, une fois, elle avait pris son visage dans ses mains et l'avait forcé à la regarder dans les yeux. Car c'était là, vraiment, que résidait sa seule beauté. Des yeux tendres, aux reflets d'émeraude, avec une belle lumière qui scintillait sous cette eau si claire ! Mais Louis avait toujours refusé de pactiser avec cette lumière-là. De recevoir l'amour de ces yeux-là.

— Rentrons, décida-t-il, le vent souffle, et j'ai mal.

Il ressentait une douleur au cœur. Ce n'était pas tant l'organe physique qui souffrait, même si sa maladie l'avait épuisé, qu'une douleur morale ou pour mieux dire venue directement des sentiments. L'horreur qu'il ressentait par rapport à Jeanne, sa colère d'avoir été trahi et berné. L'obligation qu'il avait eue de l'épouser. Toutes choses qu'il refusait de pardonner et même d'accepter. Il le sentait dans sa mâchoire toujours crispée quand Jeanne était près de lui. C'était instinctif, impossible à réprimer.

Ils rentrèrent.

— Il y a une chambre derrière cette porte, dit-elle.

Louis se raidit de répulsion. Il se rappelait trop qu'à Linière, où résidait Jeanne, il avait parfois été jeté de force dans le lit de sa femme dans l'espoir qu'on les voie accomplir enfin quelque chose d'honnête et de naturel. Mais Louis, au grand dam de la jeune fille, s'en était toujours et quoi qu'on en dise défendu.

Jeanne rougit, car elle venait de suivre le fil de sa pensée.

— Pour vous reposer seulement ! objecta-t-elle. Ne m'avez-vous pas dit que vous étiez fatigué !

Il y avait fatigué et fatigué. Qu'on lui octroie la belle jeune femme blonde de tout à l'heure, et il aurait souri à l'idée de cette chambre close où il pouvait aller se *reposer*.

— Notre geôlier... voulut savoir Louis.

— Il lutte pour sa vie, le pauvre.

Le pauvre ? Louis n'aurait pas eu la même pitié. Jeanne avoua ensuite qu'elle profitait de la faiblesse de cet homme que l'on disait dur, et d'une permission spéciale accordée par son frère, le roi.

— ... pour venir auprès de vous.

Ils remontaient vers les cellules. Louis devinait à présent trop bien ce moment où il se retrouverait à nouveau seul. Soudain, il ne fut plus aussi empressé de voir s'éloigner Jeanne. Il était cependant hors de question de le lui avouer.

En passant devant la cellule de Pierre, il adressa tout de même une requête à sa femme :

— Je vous en prie, si vous avez quelque autorité, faites pour Pierre ce que vous avez fait pour moi. Et, aussi, procurez-lui des couvertures. Les nuits sont glaciales.

Les yeux de Jeanne s'embuèrent aussitôt. Louis pensait à un autre qu'à lui-même. Cela arrivait si rarement ! Elle sourit sans que cela apporte, hélas, de beauté à son visage si ingrat. Néanmoins, la lumière derrière ses yeux s'irisa. Mais Louis, comme beaucoup d'autres en ce monde tissé par les ténèbres qui venaient de l'intérieur même des gens, ne le vit pas.

Elle hocha la tête. La porte se referma sur le duc. Fort heureusement, il restait à Louis la chaleur du brasero, quelques couvertures et surtout le souvenir d'un ange blond aux lèvres rouges descendu du ciel pour venir lui rendre visite dans sa prison.

Cet ange revint quelque temps plus tard alors que le quotidien des prisonniers s'était de beaucoup amélioré. L'eau et la nourriture étaient de meilleure qualité. Et le brasero, surtout, produisait quelque chaleur entre ces murs de pierre qui suintaient de crasse et d'humidité.

Alors que Louis demeurait assis sur sa couche, immobile, à essayer d'imaginer comment il aurait pu s'éviter la honte d'être pris à la bataille de Saint-Aubin-du-Cormier, il eut soudain l'impression de rêver à nouveau. L'ange blond était de retour.

Il battit des paupières, s'attendit à la voir disparaître. Mais la vision persista. Il faisait nuit, le vent soufflait ses rafales venimeuses. Seuls les flammes du brasero et le halo doré de la chandelle que tenait la jeune femme apportaient un peu de lumière.

— Vous, ici? s'étonna le duc.

La jeune femme s'assit près de lui.

— J'ai trompé les gardiens, avoua-t-elle.

Elle se releva avant que Louis n'ait osé esquisser un geste. Marchant en rond dans la cellule, elle déclara être intriguée.

— Savez-vous que cent archers vous gardent, dehors, messire!

— Parlez-moi de vous, répondit-il doucement.

Elle rit.

— Je suis une simple blanchisseuse engagée pour m'occuper de vous. La dame me l'a demandé.

Voyant que Louis cherchait de qui il pouvait bien s'agir, elle ajouta :

— La dame boiteuse.

Saisi d'une impulsion folle et subite, Louis avoua alors un pieux mensonge :

— C'est ma cousine.

Ce qui était somme toute *aussi* la réalité!

— Elle est bonne, riche et influente, dit la jeune femme.

Louis tendit sa main; elle lui bailla la sienne. Ils ne furent pas longs à se prendre dans leurs bras. Ce jeune homme qui avait tant souffert et que l'on entourait de tant d'égards la fascinait.

— Je choisis ceux à qui je me donne, susurra-t-elle contre sa joue.

Il prit ses lèvres avec tendresse, comme si elles eussent été celles d'une princesse. Ce qu'elle était pour lui, ce soir, alors que revigoré, lavé et réchauffé, il sentait lui revenir toutes ses forces. La jeune femme le sentit également et s'en émut.

— Vous rougissez, la taquina-t-il.

En cet instant, Louis oublia Pierre, les gardes, la pesanteur de cette forteresse, Rainier de Bourg qui se tordait toujours de douleur sur sa paillasse et même Jeanne, son épouse. Il serra le corps jeune et voluptueux de la blanchisseuse, lui murmura les mots doux de son répertoire qui avaient, en leur temps, fait tomber toutes les filles dans son lit.

Il la dévêtit de ce qu'il fallait, la laissa en faire autant pour lui et se félicita de la trouver si habile. Elle lui rappelait un peu une maîtresse bien délurée, surnommée « Marie-Fleur », qu'il avait eue un temps. Une fille que tous voulaient séduire et qui était experte dans l'art de l'amour. Cette femme-ci en avait toutes les audaces, avec, en plus, les finesses d'un ange.

Il la roula sous lui et la trouva aussi chaude et douce que plus tôt l'eau du baquet. Ce fut tout un voyage qu'ils firent ensemble, sans s'occuper du reste du monde, riant à la face des vents et se moquant aussi de la bêtise et de la cruauté des hommes.

— Qui es-tu ? haleta-t-elle dans son cou.

— Et toi, belle inconnue ?

Cela faisait longtemps que Louis ne s'était pas senti aussi fort, qu'il n'était pas venu avec à la fois autant de puissance et de douleur. Le visage enfoui entre les seins de la belle, il reprenait son souffle et ses esprits tandis qu'elle lui caressait les cheveux. Il n'était plus un prince prisonnier ; elle n'était plus blanchisseuse. Ils n'étaient que deux êtres humains loin de tout, libres de tout. Pour quelques minutes encore ou pour une éternité.

L'envie, un moment assouvie, revint au duc. Sa compagne rit et entama avec lui une nouvelle danse. Jusqu'au petit matin, nul ne les dérangea, miracle de la vie et de la passion sinon de l'amour.

Un déclic vint tout de même rompre la longue trêve des amoureux. Louis s'étonna.

— J'ai un frère qui est gardien, répondit la belle.

Elle s'échappa de ses bras. Avant que la porte de la cellule ne se referme, elle lui envoya un baiser et dit :

— Je m'appelle Marie. Marie Bucy.

Louis demeura des heures dans un état second. Ainsi donc, le paradis pouvait réellement exister en enfer !

Chapitre 18

Quelques leçons

Le duc d'Orléans leva la tête et montra à son compagnon les sentinelles chargées de les surveiller. Puis il plaisanta :

— Si je tenais dans mes mains une véritable épée, je pourrais presque croire que je commande ce fort. Ces gardes-là seraient des hommes à moi, et nous tirerions des plans pour fortifier ces murs, organiser le ravitaillement, transmettre des messages.

Louis rêvait tout haut, et cela lui faisait du bien. Pierre se rappelait en effet le siège de Nantes, survenu deux années plus tôt. À cette occasion, le duc avait fait merveille et s'était, en quelque sorte, révélé à ses propres yeux.

Hélas, s'ils pouvaient sortir de leurs cellules respectives et faire quelques pas dans le jardin, si la nourriture était meilleure et les couvertures, plus nombreuses, et s'ils s'exerçaient tous deux en ce moment au maniement de l'épée, leurs armes étaient en bois, et les gardes veillaient tout autant à l'intérieur de la cour qu'au-delà des créneaux.

Responsable du fort en l'absence du commandant Rainier de Bourg, toujours malade, le capitaine Albert Letellier fit mine de leur adresser un geste d'encouragement.

— Allez, Pierre, reprit le duc, montrons-leur quels bretteurs nous sommes !

Ils se remirent face à face et tendirent leurs lames. Pendant quinze minutes, même s'ils se sentaient un peu rouillés, ils amusèrent les sentinelles du spectacle. Louis complimenta même Pierre sur l'usage que le jeune homme faisait de l'espace. L'ancien palefrenier évoqua les leçons particulières reçues du capitaine Le Guin, qui avait été un proche ami de son père, lui-même un bretteur de grand talent.

L'air était vif, la terre, dure et crevassée par le gel. Autour d'eux, sous la promenade de pierre allaient et venaient soldats, clercs et domestiques. À un moment donné, Pierre crut apercevoir une silhouette qui lui était vaguement familière. Louis la vit aussi, et tous deux échangèrent un regard rapide accompagné d'un sourire fugace. Le garde posté près d'eux s'en rendit compte, mais ne fit aucun commentaire.

Plus l'échange d'armes se poursuivait, plus Pierre perdait pied. Non qu'il était si mauvais !

— Mon ami, l'apostropha gentiment le duc, tu es ailleurs. Il y a une femme là-dessous, et il se trouve que je sais de qui il s'agit.

— Monseigneur !

— Si, si...

Louis éclata de rire en voyant la déconfiture de son compagnon, mais s'interrompit brusquement. Ce rire était le premier depuis son emprisonnement — cette violente et cruelle rupture survenue dans sa vie. Ce qu'il appelait aussi le « basculement ».

Letellier les observait. C'était un brave homme. Il avait la figure ronde et blanche, l'œil rond et clair. Mais c'était aussi un anxieux. L'heure étant écoulée, il leur demanda de regagner leurs cellules. S'ensuivraient de longues heures mornes toutes emplies de silence. Louis suivrait un temps la course du soleil dans le ciel. Il avait demandé de quoi lire. Qu'importe le manuscrit ! Le capitaine avait eu la main généreuse, car il avait déniché dans une librairie de la ville le livre de Boèce, *Consolation philosophique*, un ouvrage qui avait, heureuse ironie du sort, été traduit par le propre père du jeune duc !

Seul dans sa cellule, Louis rongeait son frein. Même si leur traitement s'était radouci depuis la visite de Jeanne, il manquait d'activité physique et frisait parfois la dépression. Il ne vivait plus que par l'amitié discrète de Pierre, les livres qu'il arrivait à lire et les visites toujours aussi ardentes et passionnées de Marie.

Mais ces derniers temps, il lui semblait que la jeune femme se faisait de plus en plus rare. On parlait en effet du retour prochain de Rainier de Bourg. À son seul nom, Pierre et Louis sentaient se raidir les hommes de la garde.

Le soir, quelquefois, on les amenait dans la grande salle commune du fort, un endroit où se reposaient les hommes. Le lieu avait l'avantage d'être vaste, propre et chauffé. Ils y trouvaient aussi un peu de nourriture en plus : un quartier de viande, une ration de bouillie d'avoine supplémentaire que leur octroyait le capitaine.

Lors d'une de ces soirées passées non loin du feu, où les deux prisonniers côtoyaient leurs gardiens, Louis s'interrogea sur la présence de Pierre à ses côtés.

Le jeune homme haussa les épaules. Il n'en savait rien.

— Si l'on tient pour acquis que rien n'arrive pour rien en ce bas monde, et je ne parle pas là des voies impénétrables de Dieu… À mon avis, dit Louis, tu as dû faire, dire ou entendre des choses qui ont gêné de grands personnages.

N'avait-il pas surpris des confidences ? Été le témoin indiscret de scènes intimes que certains voudraient cacher ? Dans un cachot ou une geôle comme la leur, l'endroit était idéal pour y enterrer un secret.

Un brin d'herbe entre les dents, Louis avait les bras croisés sur sa poitrine.

— Si je compte sur mon cousin le roi pour sortir d'ici, ajouta-t-il, j'en ai pour des années. Alors, toi…

Pierre n'était pas resté sans réfléchir à la question. Cela faisait des mois qu'ils étaient trimbalés d'un endroit à un autre. En repassant le fil de son histoire personnelle, le jeune homme voyait trop bien à qui il avait pu déplaire, à Nantes, dans le château des ducs…

— Il y a bien un secret, avoua-t-il.

Cette conversation était la bienvenue. Louis était tout ouïe. Ils avaient si peu l'occasion de parler aussi librement ! Pierre parla de la comtesse de Dinan et de ses magouilles d'espionne.

— Ainsi, elle est au service de la cour de France, fit Louis. Cela ne m'étonne guère. Elle ne doit pas être la seule.

Que le baron Raoul d'Espinay soit un assassin empoisonneur en plus d'être devenu le mari de Françoise de Maignelais était également bon à savoir, et même croustillant. Louis vit bien le tourment dans lequel se débattait son compagnon. Il lui tapota gentiment l'épaule et dit :

— Les grands aussi se marient mal, tu sais. Homme d'importance ou bien simple manant, l'amour véritable n'est permis qu'à un très petit nombre. Même les rois partagent souvent cette déconvenue du sort.

Il ne l'avoua pas clairement, mais il se désignait dans le lot. N'était-il pas l'époux d'une femme boiteuse, laide et déformée ! Et n'était-il pas obligé, pour quêter quelques miettes de bonheur, de saisir toutes les occasions d'aimer et d'être aimé !

Il regarda Pierre droit dans les yeux et déclama cette prédiction surprenante, qui n'était sans doute ni réfléchie ni tout à fait consciente :

— Tu sais, l'espoir existe tout de même. Pour tout le monde. Pour toi et moi. J'y crois. Un jour…

Louis rêvait-il tout haut ? Et à quoi ? Les puissants, Pierre le savait, pouvaient se payer les services de professeurs ou autres nécromanciens et astrologues qui leur prédisaient l'avenir.

— En attendant, nous sommes au trou ! grommela Pierre.

— Garde la tête haute, l'encouragea le duc.

Ce faisant, il se remontait lui-même le moral.

— Allez, ami, Françoise a bien commencé ton éducation, à Nantes. Laisse-moi la poursuivre. Veux-tu ?

Louis ouvrit son livre, approcha une feuille de manuscrit, une plume, de l'encre et le bougeoir, et traça des lettres. Pierre voulait désespérément se cultiver, apprendre. Entre autres choses, lire, écrire et calculer. Louis devait bien s'avouer que cet exercice lui faisait autant de bien qu'à son élève.

— Et si je m'essayais à la poésie comme mon père ! déclara soudain le duc en souriant à demi.

Pierre était par ailleurs intelligent et lucide. Il apprenait vite, ce qui était une autre raison pour laquelle, même dans leurs cellules respectives, Louis lui faisait réciter l'alphabet. Il lui lançait des mots que le jeune homme écrivait ensuite sur les murs de son cachot avec un vieux clou trouvé dans la cour. Une façon comme une autre de poursuivre la leçon.

Un soir qu'ils avaient passé le temps de la meilleure façon qui soit, il se produisit un grand bruit. Les gardes sautèrent sur leurs pieds. Le capitaine Albert Letellier tira son épée et alla vers la porte. Celle-ci s'ouvrit avec fracas ; deux soldats s'avancèrent. Ils encadraient un troisième personnage qui se traînait sur des béquilles.

Tout d'abord, personne ne reconnut ce boiteux. L'inconnu se mit à invectiver le capitaine. Tous se rappelèrent alors le terrible commandant Rainier de Bourg. L'officier était hors de lui. Revenant de convalescence, il avait appris le grave laisser-aller de la discipline, et il avait accouru aussi vite que le lui permettaient ses forces encore chancelantes.

— De la bonne chère, des balades dans le jardin, des soirées de divertissement ! gronda-t-il, l'œil torve.

Il avait bien maigri : ses joues s'étaient creusées, ses cheveux avaient blanchi et ses mains laissaient voir de grosses veines bleues. Mais l'homme gardait entières sa hargne et son étrange et mystérieuse rancœur vis-à-vis du duc.

Il avança vers la table, fit voler livres et feuillets.

— Trahison ! cracha-t-il. Capitaine !

Letellier tremblait de tous ses membres. De Bourg lui assena un violent coup de poing au visage. L'autre s'écrasa au sol tandis que l'infirme, que ce coup avait fini d'épuiser, raffermissait tant bien que mal la stabilité de ses béquilles. Il ordonna tout de même :

— Enfermez les prisonniers dans leurs cellules et qu'ils n'en sortent plus !

— Commandant, brailla le capitaine, les ordres de la princesse..., sœur de notre bon sire, le roi, étaient de...

— Stupide crétin ! Imbécile ! aboya de Bourg. Je vois bien que nous n'obéissons pas aux ordres de la même princesse !

* * *

Une nuit, Louis reconnut enfin le pas léger de celle dont il se languissait depuis des semaines. Le soupirail s'ouvrit. Le jeune duc se mit à plat ventre et tendit sa main. Marie la saisit avec ferveur.

— Je n'ai que quelques minutes, hélas, mon aimé !

Louis sentit qu'elle lui baisait les doigts. Cet élan de passion lui réchauffa le cœur. Étant donné le retour inopiné du commandant, il n'osait espérer que le frère de Marie ouvre cette fois encore la porte de la cellule.

— Vous allez être de nouveau transférés, souffla-t-elle.

Louis accusa le coup.

— Où ?

— Je l'ignore, mais je...

Elle reprit son souffle.

Louis souffrait de ne pouvoir la voir, et plus encore la serrer dans ses bras. Il lui semblait tout à coup que Marie était, avec le capitaine Letellier, une sorte de messager envoyé sur terre pour adoucir son sort.

— Ne perdez pas espoir, l'encouragea Marie, je vais tenter de vous suivre…

Puis ils furent obligés de se séparer. Louis demeura longtemps songeur. « De vous suivre… » Marie escomptait-elle *vraiment* ne pas le quitter ? L'émotion qui l'étreignait était étrange, agréable, inattendue, surprenante. Au cours de leurs ébats, Marie n'avait plus tenté de deviner qui il était. Sauf que ce n'était pas dur à deviner !

Quelques jours passèrent. La nuit était tombée. Il pleuvait. De Bourg attendit que la lune disparaisse derrière les nuages, puis il les tira brusquement de leurs cellules. On les poussa dans les couloirs jusqu'en bas, où les attendait une charrette bardée de fer.

— Nous repartons en voyage ! plaisanta le commandant.

Depuis l'incident de l'autre soir, ils n'avaient plus revu le capitaine. Si Pierre craignait de s'enquérir sur son sort, Louis en avait eu le front et s'était fait brutalement remettre à sa place.

Dans le chariot, le duc saisit les mains de Pierre. Ils ne savaient vers où on les emmenait. À quoi allait ressembler la suite de leur détention ? Et pendant combien de temps celle-ci durerait-elle encore ? Charles était si jeune et si étourdi, et Anne de Beaujeu, si puissante !

— Pierre, souffla le duc en le regardant droit dans les yeux, prêtons serment, ici et pour la suite de nos vies, de nous soutenir mutuellement avec amitié et honneur, et de toujours tout nous dire franchement et sans détour. Le veux-tu ?

Le duc tenait très fort le poignet de Pierre. Le jeune homme sentait toute sa détresse, sa peur et sa bravoure mêlées. Soulevé par un sentiment d'amitié pur et de reconnaissance à la vie de lui avoir donné pour compagnon de misère un si grand personnage, Pierre hocha la tête et promit.

— Répétons-nous ce serment, Pierre, insista le duc.

Les chevaux et la troupe s'ébranlaient. Ils sortaient de la forteresse dans la nuit et les bourrasques de pluie. Louis ne vit pas, adossée à une colonne, Marie, qui les regardait s'en aller. La jeune blanchisseuse de Poitiers avait les larmes aux yeux, mais aussi un air déterminé sur le visage. Elle n'avait pas clairement expliqué à Louis pourquoi elle tenait tant à les suivre. L'attachement ? La passion aveugle ? L'amour ?

Cela faisait un mois qu'ils ne s'étaient ni vus ni touchés. Aussi, Louis n'avait-il pas vu combien elle avait pris du poids. Le ventre de la jeune femme s'arrondissait en fait de ses œuvres. Marie caressait ce ventre dans lequel grandissait un héritier pour le beau, fier et vigoureux jeune duc d'Orléans…

Chapitre 19

L'affront

La Paquelaie, 4 février 1489

Le petit convoi s'arrêta à la lisière du bois, sur le bas-côté du chemin, à l'entrée d'un hameau silencieux et blafard. L'aube glacée se levait à peine. Il avait neigé une partie de la nuit, ce qui avait rendu leur déplacement d'autant plus ardu. À présent, les flocons se changeaient en une pluie fine qui tombait sur les chapeaux et les manteaux. Finalement, il avait été décidé de quitter Redon pour se rendre à Nantes afin de forcer les trois fugitifs à se soumettre.

Enfouie sous ses coussins dans la litière, Anne tremblait de froid. Il lui semblait que son manteau de zibeline fourré ne pesait pas lourd. En face d'elle se tenait sa sœur Isabeau. La jeune fille ne faisait qu'un avec ses propres coussins et couvertures. Les deux sœurs se regardaient sans parler dans la pénombre des draperies. Les cahots les avaient tenues éveillées de longues heures. De temps en temps, Anne battait des paupières. Entre ses mains, elle tenait un objet qui devait lui être précieux, car elle ne cessait de le contempler.

C'était son sceau. Un sceau provisoire exécuté en métal simple par un ouvrier de Guérande et qui servait à parapher les documents officiels, car elle ne pouvait légalement plus utiliser celui de son père. L'officiel avait été commandé à Nantes aux ateliers des frères Hacquinet, orfèvres de leur état. Mais la ville étant sous le pouvoir du maréchal, Dieu seul savait s'il allait lui être livré ou non!

Anne avait elle-même choisi la légende qui figurerait également sur le sceau officiel : *Anna Dei gratia Britanie Ducissa.* Elle sourit sans qu'Isabeau ait la force ou le courage de s'étonner. Soudain, la cadette entendit son aînée murmurer ces quelques mots en soupirant :

— Anne, par la grâce de Dieu, duchesse de Bretagne...

Elle revint de ses rêveries pour s'étonner; cela faisait une bonne demi-heure qu'elles attendaient ainsi! De temps en temps, Isabeau soulevait la draperie. Dehors se tenaient quelques gardes et, parmi eux, le bedonnant et sympathique Simon, qui ne se trouvait jamais loin d'elles. Isabeau aperçut également, à demi couché sur son cheval, son demi-frère Antoine. Les bêtes renâclaient. Elles aussi en avaient assez d'attendre.

— Cela fait longtemps, il me semble... hasarda Isabeau, qui commençait de surcroît à avoir faim.

Françoise se pencha à l'intérieur de la litière. Leur demi-sœur aînée portait un pourpoint et un manteau d'homme. Ses cheveux étaient dissimulés sous un foulard, et un casque de soldat était posé sur sa tête. Durant un quart de seconde, les deux jeunes duchesses retinrent leur souffle. Françoisine avait parfois de ces idées! Isabeau trouvait sa grande sœur fantasque et pleine d'imagination. Mais en la circonstance, son accoutrement d'homme paraissait vraiment déplacé.

— Alors ? lui demanda simplement Anne, les paupières mi-closes.

Françoise hocha du chef.

— Ils sont de retour, répondit-elle, et ils ramènent avec eux deux notables de Nantes.

Anne fronça les sourcils. C'était une bonne nouvelle, et pourtant, Françoisine ne semblait pas satisfaite, mais, pis encore, inquiète !

— Ils parlent à Montauban, ajouta la jeune femme.

Anne fit mine de vouloir se lever. Cette longue inaction doublée de leurs angoisses lui causait des douleurs aux membres. Il fallait qu'elle se dégourdisse.

— Attends ici, dit-elle à sa cadette.

Isabeau n'avait de son côté aucune envie de mettre le nez dehors.

Anne et Françoise gagnèrent la tête du convoi constitué de deux litières et d'une vingtaine de cavaliers commandés par le capitaine Le Guin.

— Eh bien ? s'enquit la jeune duchesse en avisant le chancelier.

L'ami de son père semblait vieilli. Sans doute chevaucher de nuit dans les bois et le froid n'était-il plus de son âge !

— Ils refusent, c'est cela ? anticipa-t-elle.

Philippe de Montauban lui tendit le rouleau de parchemin, soit la réponse des trois rebelles à sa demande de reddition sans condition. Anne parcourut le document et frémit de rage.

— Comment ? Mais c'est inadmissible ! C'est une nouvelle trahison !

Rieux n'acceptait pas, bien sûr, de se rendre ou encore d'accueillir Anne comme sa duchesse en la faisant entrer par la porte haute, devant le peuple et avec les honneurs. Encore moins de lui rendre le château de son père ! Au lieu de cela, il *acceptait* qu'elle pénètre dans la ville, mais en se faufilant comme une voleuse par une poterne, sans témoins et seulement accompagnée par une dizaine de ses gens.

— Il déraisonne, je sais, admit Montauban.

Anne le fixa droit dans les yeux. Elle n'aurait certes pas utilisé ce terme-là !

— Il veut discuter de vos griefs de vive voix, face à face, reprit le comte de Dunois, qui ne paraissait pas pouvoir se réchauffer, ce qui semblait lui causer bien du tourment.

Le noble français n'arrêtait pas de se frotter les mains et de tressaillir. Anne sentit une présence dans son dos.

— Surtout, Anne, lui souffla Françoise en surgissant, n'accepte pas sa proposition. Si tu y vas, Rieux et la comtesse te marieront de force avec d'Albret.

Les deux notables se tenaient benoîtement en retrait. Anne comptait pourtant sur eux pour qu'ils ameutent les Nantais. Elle leva les yeux pour rencontrer les leurs et déclara de sa voix ferme et nette :

— Entendez bien, messieurs, que je préfère me faire religieuse pour la vie plutôt que d'épouser Alain d'Albret. Je vous demande de retourner dans les murs de notre ville et de parler aux gens. Qu'ils exigent du maréchal que je sois accueillie parmi vous comme la duchesse de Bretagne que je suis.

Les deux hommes étaient à la fois embêtés et impressionnés. Anne paraissait posséder en cet instant plus de force et d'autorité que son jeune âge et sa pauvre escorte ne lui en prêtaient. Par ailleurs, se dresser contre le maréchal était pure folie. Ils promirent cependant de faire tout en leur pouvoir pour satisfaire la duchesse. Mais lorsqu'ils partirent, Anne secoua tristement la tête.

— Je doute qu'ils puissent...

Elle n'en dit pas davantage. La pluie redoublait d'intensité, les chevaux tiraient sur leurs longes, les hommes étaient nerveux. Ils entendirent Le Guin donner l'ordre de former un cercle autour de la litière de la duchesse et de relever les éclaireurs postés plus loin. Il ne fallait surtout pas se laisser surprendre !

— Regagnez votre litière, Votre Grâce, la supplia Montauban. Vous risquez de prendre froid inutilement.

Un peu plus tard, Françoise apporta à ses sœurs du lait tiède et des biscuits. Si Isabeau applaudit, Anne demeura de glace.

— Je crois que tu as raison, Françoise, dit finalement la duchesse. C'est un piège. Pourtant, il est hors de question de faire demi-tour.

Anne gardait la mâchoire serrée. Sa sœur aînée remarqua que, pour la première fois, elle l'appelait par son véritable prénom, et non plus par le tendre sobriquet qui était le sien, preuve tangible que les derniers jours, avec leur cortège de cruelles décisions à prendre, avaient encore un peu plus fait grandir et mûrir la jeune duchesse.

L'attente se poursuivit durant toute la matinée. Les notables ne revenaient pas...

— Ils sont rentrés chez eux, prophétisa Françoise. Ils ont eu trop peur d'affronter Rieux. Les Nantais ne bougeront pas. Nous ne sommes plus en 1484.

Montauban ne fit aucun commentaire.

Une heure plus tard, ils entendirent un galop isolé. Un garde revenait à bride abattue. Il sauta à bas de son destrier et haleta :

— Des hommes en armes viennent de sortir de la porte haute. Ils arrivent sur nous.

— Le maréchal a dû se raviser, dit Montauban.

Dunois ne bronchait pas alors que son expression laissait au contraire paraître qu'à son avis, Rieux avait plutôt décidé de forcer les événements.

Anne tendit le cou hors de sa litière. Pour elle, il n'y avait qu'une chose à faire : entrer tout de même en force dans Nantes et quérir le peuple.

— Ils ne se défileront pas à mon appel. Je ne puis laisser sans rien faire la cité entre les mains du maréchal !

C'était son idée fixe, et Montauban le savait : elle possédait assez de hargne pour chercher encore à l'imposer. Cependant, c'était faire fi de l'expérience de ses lieutenants. Dunois et le chancelier étaient tombés d'accord : mieux valait déguerpir au plus vite.

Anne se sentait pour l'heure trop humiliée et trahie pour songer à être lucide. Alors, Françoise lui prédit :

— Ils viennent pour t'attraper. Il faut fuir.

Déjà, des escarmouches éclataient dans le hameau entre les hommes de Rieux et ceux de Le Guin. Le capitaine lui-même revint vers eux à bride abattue. Sa lame était rouge de sang. Il confirma leurs pires craintes :

— Rieux veut s'emparer de vous, duchesse ! Partez !

Montauban saisit Anne par la taille et l'assit en croupe derrière lui. Antoine fit de même avec Isabeau. Françoise sauta sur le destrier d'un éclaireur tombé dans une embuscade.

— Mais où aller ? bredouilla Anne, les lèvres blanches.

Dunois et le prince d'Orange placèrent leurs chevaux entre Anne et le hameau. Le comte leva son épée.

— Regroupons-nous et faisons front au maréchal.

Montauban vint à sa hauteur, lui prit les mains et dit :

— Nous retournons à Redon.

— Allez sans crainte. Nous vous couvrons.

Le Guin se pencha sur l'encolure de son destrier et murmura à l'oreille de Simon :

— Toi, prends un cheval et accompagne les duchesses.

Le gros garçon approuva. Il n'avait pas espéré plus noble mission.

— Hue ! s'écria le chancelier.

* * *

Les bras noués autour de la taille de Philippe de Montauban, Anne fermait les yeux de fureur. Elle était obligée de fuir devant des hommes qui étaient censés lui obéir et la soutenir ! De fuir devant sa ville et son peuple !

Les fracas du galop se répercutaient dans son corps comme autant de coups de bâton. Il ne pleuvait presque plus. Derrière eux, ils entendaient, étouffés par les branchages, les cris des soldats et le ferraillement des lames. Anne imaginait les hommes de sa garde en train de se battre, et pour certains d'entre eux de mourir pour lui permettre de fuir…

Le fil de sa jeune vie se déroulait dans sa tête. La gentillesse de sa mère, Marguerite, et son sourire engageant. Son père, ce grand homme de Bretagne, lettré, artiste, hédoniste, philosophe, poussé par les événements à une existence vouée aux combats et aux intrigues — pour que survive une Bretagne libre et fière ! Et, au milieu de tout cela, elle et sa sœur Isabeau, utilisées telles des promesses vivantes, de vulgaires monnaies d'échange. Une autre qu'elle aurait pu en venir à détester ce rôle qu'on l'obligeait à jouer. Mais Anne se sentait au contraire investie d'une sorte de mission sacrée. Chacun trouve sa propre voie pour survivre aux méandres et aux épreuves de la vie. Inconsciemment ou non, Anne empruntait une route qu'elle savait tracée pour elle par d'autres. Sachant que tout individu se trouvait par Dieu placé là où il se devait, et qu'il existait à cela des raisons impérieuses connues seulement du Seigneur, elle avait résolu de s'investir dans ce rôle, autant pour les peuples et pour Dieu que pour son propre salut.

La pluie avait repris. L'eau dégouttait sur sa coiffe, dans son cou, sur son visage. À un moment donné, comme ils coupaient dans un bois touffu, elle demanda à descendre.

— Surtout, recommanda-t-elle, ne me suivez pas !

L'endroit n'était peuplé que d'arbres dénudés. Le terrain était plat. Cependant, les ombres du jour glissaient bas dans le ciel et des poches de brouillard voletaient de-ci de-là. Montauban hocha du menton, mais recommanda à Françoise de ne pas quitter la jeune duchesse des yeux. Un instant d'inattention, et des doigts glacés et fantomatiques pourraient, il le craignait, lui ravir la duchesse !

Anne marchait au hasard. Si elle voulait soulager sa vessie, elle aurait pu ne pas s'enfoncer aussi loin, songeait Françoise.

Elle-même luttait pour demeurer concentrée alors que son cœur cognait dans sa poitrine, que son esprit poussait des cris inaudibles de détresse. Dernièrement, elle avait encore une fois rêvé que Pierre était emporté plus loin d'elle vers une destination inconnue : une grotte, un trou dans le sol, une oubliette. Elle l'appelait. Le jeune chevalier lui répondait de ne pas s'inquiéter. Peu importe le lieu de sa détention, il penserait toujours à elle.

Dans ces moments-là, Françoise tenait Arnaud dans ses bras et s'écriait : « Regarde ! C'est notre fils ! Vis, Pierre ! Vis pour toi, pour moi, pour nous, pour lui ! »

Elle battit des paupières. Où diable Anne était-elle passée ?

Le sol gelé était aussi fragile que du verre. Anne marchait, tout entière concentrée sur ce bruit délicat de la glace fine et dentelée qui craquait sous ses semelles.

« Comme si j'avançais sur un immense miroir qui se brise à chacun de mes pas… »

Le miroir lui renvoyait les images de sa vie tout aussi blessée, tout aussi fragile. Dans ses multiples reflets, elle voyait les faces lugubres de ses ennemis : Rieux, d'Albret, les barons, ainsi que le regard à la fois amusé et rusé de la comtesse de Dinan-Laval, la femme en qui elle avait eu, jusqu'à présent, une confiance absolue.

Cette pensée plus qu'aucune autre était douloureuse et aussi tranchante que la lame d'un poignard.

Elle tomba à genoux. La pellicule de glace se rompit sous ses mains gantées. Autour d'elle, le silence. Où étaient passés les hommes de son escorte ? Elle entendit un bruit. Se retourna. La biche et ses petits s'immobilisèrent également. L'animal était malingre. Il était là, cependant, immobile et irréel, en équilibre sur ses petits sabots. La femelle avait le cou tendu, l'âme fière. Ses petits fixaient Anne avec curiosité.

Cet instant d'éternité se figea, s'étira. Anne était pareille à cette biche esseulée, aux abois, en quête de sa propre survie. Ou bien était-elle plutôt semblable à un de ses faons ? Elle et Isabeau, perdues dans l'immensité du monde en mouvement.

Cet instant passa…

Françoise l'appela. Anne battit des paupières. La biche et ses petits avaient disparu.

— Tu nous as fait peur ! murmura Françoise en posant une couverture sur les épaules de sa demi-sœur. Allez, viens, ajouta-t-elle, il faut repartir. Montauban veut rentrer à Redon. Là-bas, nous serons en sécurité.

Anne se laissa emmener. Le chancelier lui tendit la main. En repartant, la jeune fille chercha désespérément, dans la forêt et ses troncs uniformément tendus vers le ciel, les silhouettes graciles des petits messagers que lui avait, comme un signe d'encouragement en réponse à ses nombreuses prières, envoyés le Seigneur…

Chapitre 20

Une heureuse proposition

— Votre Grâce, dit le chancelier, je suis si désolé…

Philippe de Montauban était las. Anne ne l'était pas moins. Cependant, elle eut ce geste qui le toucha sans doute davantage que le courage de cent chevaliers : elle posa sa main sur son épaule comme pour lui dire : « Ce n'est pas grave. » Aucune parole n'était plus nécessaire. Ils demeurèrent immobiles, à plat ventre sur le rocher en face des murailles de la petite cité de Redon, dans le soir qui tombait et cette humidité glacée qui ne les avait pas quittés de toute la journée.

Depuis leur départ du hameau de La Paquelaie situé à environ trois lieues de Nantes, ils avaient chevauché sans haltes ou presque. Ce n'est que tard dans l'après-midi, après avoir laissé Isabeau aux bons soins d'une famille de paysans qui vivait dans le bois, qu'ils avaient gagné Redon.

Le chancelier secoua la tête avant même qu'Anne ne lui pose sa question :

— Hélas, non, dit-il, nous ne passerons pas.

Car la terrible réalité était là, étalée sous leurs yeux : la cité dans laquelle se trouvait provisoirement établi le gouvernement officiel de Bretagne était la proie d'attaques menées par des troupes ennemies. Montauban avisa un cavalier et son écu rouge de gueules à sept macles d'or.

— Ce ne sont pas les hommes du général de La Trémouille, mais plutôt Rohan et ses affidés... Voyez, le vicomte est présent en personne !

Ainsi donc, ce n'étaient même pas les Français qui tournaient autour des murailles comme des guêpes autour d'un gâteau, mais des Bretons. L'épée brandie, Rohan, qui brûlait de s'intituler lui-même duc de Bretagne, haranguait les notables de Redon pour qu'ils lui ouvrent leurs portes.

Anne avait du mal à entendre ses paroles. Mais elle comprenait le fond, et cela lui suffisait. Montauban sentit combien la jeune fille était à la fois à bout de nerfs, de fatigue et de rage. Elle devait vivre là une des pires journées de sa vie. Traquée, démunie de tout, avec seulement quelques hommes d'escorte et incapable, même, de rentrer dans une de ses villes — celle, précisément, où se trouvait sa cour, ses meubles et ses biens ! Les coudes et le torse endoloris par la dureté du roc, elle connaissait autant le froid et la faim que le plus humble de ses sujets. Jamais duc ou duchesse de Bretagne ne devait s'être un jour trouvé dans pareil état de dénuement.

Ils virent soudain apparaître au sommet des créneaux une belle tête blonde qui se tenait forte et droite. Elle jeta quelques paroles en réponse aux « propositions » du vicomte de Rohan.

— Qu'a-t-elle dit ? s'enquit Anne, perplexe.

Montauban n'était pas certain. La réaction de Rohan, qui s'agitait sur son cheval, était cependant sans ambiguïté. Il lui lança en retour une bordée d'insanités aussitôt reprise par ses soldats.

Anne était proprement interloquée. Montauban acquiesça :

— Il s'agit bien de dame Awena, Votre Grâce. Et je crois qu'elle vient, en votre nom, d'envoyer paître le vicomte de Rohan.

Anne soupira d'aise. Durant un bref instant, un pâle sourire doublé d'un air de défi illumina son visage aux traits tirés.

— Je vous en prie, nous ne pouvons rien faire de plus ce soir, plaida Montauban. Rentrons plutôt.

Rentrer, cela signifiait regagner la masure de cette famille de paysans où les attendaient Antoine, Isabeau et les quelques hommes qui leur restaient. Ils redescendirent de leur perchoir. En contrebas, au couvert des frondaisons, les attendait Simon, qui tenait la longe des chevaux.

Ils retrouvèrent les bois avec un certain soulagement. Toute la journée, ils avaient craint soit de croiser les Français, qui se croyaient déjà les maîtres du pays, soit des bandes de pillards et de brigands. Lesquels étaient les pires ? Anne aurait sans doute répliqué qu'elle préférait encore des brigands bretons aux Français. Mais il était inutile de creuser la question. La pluie recommençait à tomber et, finalement, un abri était un abri. Et puis, la famille de paysans, quoique pauvre et pas très bavarde, leur avait ouvert grande leur porte.

L'or du chancelier avait sans doute joué un rôle essentiel, car il s'avérait que ces gens ne s'exprimaient qu'en breton, une langue qu'Anne elle-même comprenait assez mal.

Heureusement, Françoise en avait appris les rudiments grâce à Pierre. Et puis, Simon se rappelait également quelques mots et expressions.

La paysanne leur servit une soupe chaude qui fut plus que la bienvenue. Dans ce décor de paille et de bois ronflait un petit feu qui coupait un peu dans l'humidité. Pour manger, Anne se serra contre Isabeau. Elle n'était pas certaine que l'homme, la femme et leurs trois enfants aient vraiment compris qui ils étaient. Et c'était pitié de penser que la duchesse pouvait, pour ces gens, avoir l'air de tomber en quelque sorte tout droit du ciel.

La nuit descendait. À l'extérieur, Simon montait la garde. Les trois autres soldats patrouillaient aux alentours.

— S'il reste encore quelque nourriture, souffla Anne au chancelier, pouvez-vous demander à ces braves gens d'en porter à Simon, qui pourra en distribuer à son tour à nos hommes ?

Montauban hocha du chef et sortit trois autres pièces de son escarcelle. Françoise alla traduire, puis ils se retirèrent dans un coin pendant que la paysanne couchait ses enfants : deux garçons d'environ cinq et sept ans, et une fillette de deux ans, autant dire encore un bébé, qui, à cette heure, braillait tout ce qu'elle avait dans le ventre.

Isabeau faisait triste mine. Alors, Françoise la prit dans ses bras et lui murmura à l'oreille :

— Ce n'est rien. Moi aussi, à Saint-Aubin-du-Cormier, j'ai été recueillie. Cette journée sera notre secret, et plus tard, nous pourrons en rire toutes ensemble.

Isabeau lui sourit. Françoisine avait le tour pour lui remonter le moral.

— En plus, regarde…

Elles aperçurent une petite boule de poils blottie dans une boîte en bois.

— Vous avez un minou ! s'exclama joyeusement Isabeau.

Elle avança sa main blanche et reçut le chat dans ses bras. La jeune fille avait un don avec les petits animaux. Peu après, un ronronnement s'éleva, qui accompagna avec entrain le ronflement du feu de cheminée. Isabeau songeait à Grisot, qui devait l'attendre à Redon…

Françoise discutait de nouveau avec le couple de paysans. Elle revint peu après s'asseoir près d'Anne et du chancelier. Antoine rentra se réchauffer quelques instants.

— La brume sort de terre, déclara-t-il en se frottant vigoureusement les mains.

Il avait le bout du nez tout rouge.

— La brume ! s'étonna Montauban. Il a pourtant fait froid tout le jour !

Il n'était cependant guère étonné. Après tout, comme plus rien ne tournait rond depuis des années, il était normal que la température aussi fasse des siennes. C'était un autre moyen pour Dieu de leur signifier que ses peuples et ses terres vivaient de grandes souffrances.

Un galop retentit. Son épée à la main, Antoine se présenta devant l'unique fenêtre.

— C'est Le Guin ! lança-t-il, soulagé.

Peu après, le couple de paysans fut tout étonné de voir entrer plusieurs hommes dans leur très humble demeure. La femme fit une distribution d'eau : un seul pichet en bois pour tous, de l'eau tirée au petit ruisseau qui coulait derrière la maison.

Le Guin, mais aussi le prince d'Orange, le comte de Dunois, quelques soldats ainsi qu'un inconnu accompagné par deux serviteurs s'en accommodèrent.

— Nous avons brisé leur assaut, fanfaronna le prince en parlant des troupes que le maréchal de Rieux avait envoyées pour faire enlever Anne et Isabeau.

Dunois était légèrement blessé. Françoise lui fit un bandage. Les rumeurs d'enlèvement des jeunes duchesses avaient en effet été un des motifs qui les avait poussés à quitter Redon pour Nantes.

Quand Anne et Montauban étaient revenus de leur petite escapade à Redon, Françoise leur avait demandé des nouvelles. Elle avait tant espéré serrer son petit Arnaud dans ses bras dès ce soir ! Hélas, la cité semblait tenue sous la menace d'un siège.

— J'en doute un peu, fit Montauban après réflexion. Le vicomte ne disposait pas d'assez de troupes pour un siège. Il est venu répandre des insanités, voir si les notables pouvaient basculer dans son camp.

— Mais y aurait-il tout de même moyen de leur envoyer un messager ? demanda Anne.

Tous se retournèrent. Alors qu'Isabeau tombait de sommeil, la jeune duchesse tenait encore le coup.

— Hélas ! Votre Grâce, répondit le chancelier en lui présentant un homme bien bâti vêtu d'un élégant pourpoint et d'un manteau de velours noir doublé d'hermine. Mais voici Lord Watters, l'ambassadeur du roi Henri.

Anne rassembla toutes ses forces et son courage, et se leva. L'autre vint lui baiser la main.

— L'Angleterre, enfin ! soupira la jeune fille.

L'ambassadeur tira un document scellé de son manteau. Montauban vérifia que le sceau n'était pas brisé.

— Simple formalité, mon cher lord ! plaisanta-t-il.

L'autre avait l'air très mal à l'aise. Il se rendait à la cour de la duchesse de Bretagne en mission secrète, et il s'était fait ramasser dans le bois voisin de Redon à la nuit tombée par des soldats comme un vulgaire paquet... pour être ensuite conduit dans une masure de paysans !

Le couple, d'ailleurs, n'en menait pas large. Comprenait-il seulement ce qui se passait ? Les paysans avaient touché une poignée de pièces d'argent et s'en contentaient peut-être. Leurs enfants, par contre, avaient du mal à s'endormir. On l'aurait eu pour moins que ça !

Lord Watters expliqua que son maître, Henri VII, était tout disposé à venir en aide à Anne, sous certaines conditions, bien sûr, en cas de conflit ouvert avec la France.

— De conflit ouvert ! s'écria la jeune duchesse, hors d'elle.

Elle écarta les bras.

— Vous me trouvez ici, monsieur, dans le pire dénuement, à quelques pas d'une de mes villes sans pouvoir, hélas, y entrer !

L'autre hocha la tête. Apparemment, il était au courant de la situation. Il évoqua Rieux, qui se targuait d'être le tuteur légal d'Anne pour instaurer un gouvernement parallèle.

— Mais rassurez-vous, Votre Grâce, le roi préfère traiter avec vous plutôt qu'avec lui.

« À la bonne heure ! » semblaient dire Anne et le chancelier.

— Mais quelles sont ces conditions dont vous parlez, *my lord* ? s'enquit Montauban.

Dans la liste présentée, Anne ne vit que celle qui la concernait directement. Mais quelle était donc cette manie qu'avaient les rois de chercher toujours à lui interdire de se marier sans leur consentement!

Montauban allait déclarer qu'il leur fallait un peu de temps pour examiner la proposition — ce qui était une réponse toute diplomatique —, quand le capitaine Le Guin introduisit de nouveaux personnages dans la masure.

Cette fois-ci, il leur sembla que l'espace allait vraiment manquer. Antoine le comprit, car il sortit de lui-même, suivi par Dunois, qui tira le prince d'Orange par une manche.

Françoise se méfiait de ce dernier. Cousin germain d'Anne, il se targuait lui aussi de figurer au nombre des héritiers du duc François II. Elle avait quelques raisons de le tenir également pour un affidé du roi de France. Libéré de prison, il revenait en Bretagne, et pour quoi? Il avait tenté de dissuader Anne d'épouser d'Albret. Mission d'autant plus aisée qu'Anne n'avait jamais voulu entendre parler du Gascon.

— Votre Grâce…

Montauban présenta à Anne trois notables venus de la ville de Rennes. Ils étaient eux aussi épuisés, effrayés, transis et tout dégoulinants. Mais ils arrivaient, murmura le chancelier, avec une proposition des plus heureuses en la circonstance.

Anne était recrue de fatigue. La paysanne avait couché Isabeau sur le plancher, à côté de l'endroit où dormaient ses fils. La jeune duchesse s'était allongée tout habillée et enroulée dans l'unique couverture qui restait au couple. Et elle tenait le chat dans ses bras, car, disait-elle, Grisot, son propre chaton, lui manquait trop.

Les Rennais venaient bel et bien en ambassade proposer à Anne de l'accueillir dans leur ville avec tous les honneurs dus à son rang.

— Nous sommes certes proches de Saint-Aubin-du-Cormier et de Fougères, qui sont aux mains du roi, madame, mais nos murailles sont solides, plaida l'un d'eux.

En juillet dernier et encore tout récemment, les Français avaient tenté d'obtenir leur reddition, en vain.

— Et Concarneau qui vient de tomber ! se lamenta un autre.

— De plus, Votre Grâce, ajouta le premier, après avoir toussoté, vous nous rendriez tous très fiers d'être Bretons si vous veniez en votre bonne ville vous faire sacrer duchesse de Bretagne...

Anne avait-elle bien entendu ?

Un sacre. Se faire couronner duchesse !

Montauban saisit toute la gravité et l'importance de la proposition. Ils se concertèrent du regard, hochèrent la tête.

— C'est l'évidence ! s'exclama-t-il, comme frappé par une intuition divine.

Un des trois hommes était un ecclésiastique envoyé par Michel Guilbé, l'archevêque de Rennes. Il répéta les paroles de son confrère, et ils tombèrent ensuite tous les trois à genoux devant Anne.

— Nous vous prions d'accepter notre main tendue, dirent-ils.

La jeune fille était à la fois confuse et bouleversée. Ces trois hommes, comme autrefois les rois mages venus assister à la naissance du Christ, étaient-ils envoyés en guise de réponse à ses prières ? Comme la biche et ses petits, dans le bois, ce matin ? Comme cette miraculeuse famille de paysans qui se montraient si généreux !

Des larmes lui vinrent aux yeux, qu'elle cacha en baissant la tête. Montauban répondit à sa place, car sa gorge était sèche et sa tête, pour l'heure, vide de paroles. Après la noirceur perçaient enfin quelques lueurs d'espoir. Car quoi de mieux qu'un sacre, lancé à la face de tous ceux qui doutaient de sa légitimité, pour montrer aux rois, aux princes et aux barons qu'elle était l'unique et digne héritière de son père ?

Chapitre 21

L'éblouissante vision

Bien que harcelée deux jours de suite par les troupes du vicomte de Rohan, Redon ne fut finalement pas mise en état de siège. En chemin pour Rennes, Anne put dépêcher Simon et son demi-frère Antoine pour aller prévenir les membres de la cour du grand événement qui se préparait en secret. Courtisans, nobles dames et domestiques plièrent bagage et prirent aussitôt la route.

Le 9 février 1489, les jeunes duchesses firent une entrée triomphale dans la cité par le faubourg de la Magdeleine. Trois ans plus tôt, c'est dans cette même ville qu'Anne avait été reconnue comme l'héritière de son père par une assemblée de notables. Aujourd'hui encore, elle y revenait en fanfare.

Depuis une cinquantaine d'années, la cité avait beaucoup changé. Deux autres enceintes avaient été érigées, entourant à la fois la nouvelle ville et la ville neuve. On disait que la dernière muraille avait été réalisée par des entrepreneurs peu scrupuleux et que des fissures étaient visibles dans les murs treize ans à peine après l'achèvement des travaux. Mais il faisait si beau en ce jour, et tant de monde se pressait le long du chemin à sa rencontre, qu'Anne ne voyait rien de tout cela. Elle le sentait, elle entrait non pas seulement dans une ville, mais également dans une sorte d'état de grâce.

À ses côtés, sur la litière, Isabeau s'extasiait :

— Regarde comme on nous aime !

Dans cette petite phrase de sa sœur était résumée toute la complexité de leur périlleuse situation. Un coup d'œil échangé avec Philippe de Montauban, qui était également le gouverneur de la cité, la rassura : les Rennais étaient de tout cœur avec leur duchesse. C'étaient des braves.

— De plus, lui avait glissé son chancelier quelques minutes plus tôt, voyez ces boulevards. Ils sont solides. Si la cité doit être assiégée, nous tiendrons !

Anne vit en effet ces bastions avancés, de forme ovale, appelés des « boulevards », placés devant les portes telles des sentinelles. Percés de canonnières, ils semblaient tout à fait capables de repousser les assauts des Français, des barons rebelles et même des bandes de routiers qui semaient la terreur dans les campagnes.

De chaque côté de la litière se pressait le peuple. Les hautes tours de la vieille enceinte semblaient avancer vers eux. À cheval, Le Guin, mais aussi Simon et ce nouveau garde, Benoît Vamier, leur faisaient également escorte.

Dans les clameurs de la foule enthousiaste, les hommages pleuvaient. Après les derniers jours passés à se terrer dans les bois et à dormir sur un plancher humide, les deux jeunes duchesses revenaient de loin !

Elles furent logées sur la rive droite de la Vilaine, hors des murs, dans un bâtiment annexe de l'abbaye de Saint-Melaine. Le soir les trouva recrues de fatigue, mais aussi les yeux brillants avec, sur le visage, la hâte de la journée du lendemain.

Anne et Isabeau ne souhaitaient rien de plus pressant, hormis un bon souper, qu'un bon bain chaud. À peine arrivée avec le reste des bagages et des membres de la maison des duchesses, Awena s'était occupée de tout.

Et pour l'heure, Anne et Isabeau s'ébattaient joyeusement dans un grand baquet d'eau. De temps en temps, au travers de leurs rires, on entendait le cri impatient ou enjôleur d'un bambin. C'était Arnaud, âgé de neuf mois, qui s'amusait avec ses tantes !

— Du moment qu'il ne nous fait pas dessus ! plaisanta Isabeau.

Françoise allait et venait, préparait les vêtements du lendemain, tandis qu'Awena faisait chauffer les draps du lit.

Les Rennais les recevaient avec faste. Le bâtiment épiscopal était pourtant sombre et assez fruste. Mais vu leurs récentes mésaventures, il était à leurs yeux paré de tous les charmes. Vers la dixième heure du soir, après qu'elles eurent communié et remercié Dieu, l'on vint chercher les duchesses. Après le bain, elles avaient dormi un peu. Mais à présent, il était nécessaire pour Anne de se préparer à un cérémonial important de même que hautement symbolique.

— Tu es prête ? lui demanda Françoise.

Anne redressa la tête malgré un frisson aussi passager que désagréable. Oui, elle l'était. Isabeau sommeillait encore. Il avait fallu s'y reprendre à plusieurs fois pour la tirer de son lit douillet.

— Pourquoi moi ? Après tout, ronchonna-t-elle, on ne me couronne pas demain !

Elle suivit pourtant ses sœurs en bougonnant.

Habillées de robes cousues de fil d'or, les cheveux relevés de coiffes savamment nouées, le front couvert par des mantilles en résine, elles allaient en poulaines fourrées et en long manteau doublé d'hermine.

Le convoi prit en silence le chemin de la porte Mordelaise. Pour traverser la Vilaine, il avait été prévu de faire passer Anne sur un pont de planches posé par des ouvriers sur des bateaux placés côte à côte.

L'air était vif. Contrairement au matin, la foule présente se tenait recueillie. Les officiels étaient regroupés au sommet des créneaux et sur le chemin de ronde. Depuis longtemps, les ducs de Bretagne prêtaient serment devant la herse baissée de la porte séculaire. Anne ne faisait pas exception à la règle.

Michel Guilbé, l'archevêque, lui demanda de promettre, en passant sous la porte, de toujours veiller au bien-être de ses peuples, de défendre les droits et les biens de l'Église, et ceux de la noblesse, de protéger ceux des corporations et de ne jamais tourner le dos à cette ville et à ces gens qui, en pleine tourmente, lui tendaient aussi généreusement la main.

Anne promit, et tous virent que ce n'étaient pas là des paroles d'enfant, mais un véritable serment d'adulte et de duchesse. Une fois encore, sa jeunesse et sa fragilité apparentes laissaient transparaître la souveraine qui grandissait en elle.

Comme l'exigeait le protocole, Anne devait ensuite passer la nuit précédant son couronnement entre les murs de l'église Saint-Pierre, érigée en cathédrale. Elle en gravit les marches à la seule lueur des flambeaux. Des milliers d'étoiles piquaient la toile sombre du ciel. On l'amena dans une petite pièce préparée pour l'occasion en chambre. Awena fit de son mieux pour lui donner bonne allure. Elle ne valait certes pas celle où s'était rendormie Isabeau, mais elle se trouvait « dans le sein de Dieu », comme avait dit l'archevêque.

La jeune duchesse s'en accommoderait d'autant mieux, avait-il assuré, que son père et les autres souverains de Bretagne avant elle avaient eux aussi dormi dans cette pièce, respiré et prié sous ce plafond fait de poutres silencieuses.

On lui laissa une chandelle et un pot de chambre. Awena dormirait sur le sol, derrière la porte. Il était convenu que Françoise viendrait tôt, le lendemain, pour l'aider à se préparer. Avant de la laisser seule, le chancelier prit les mains d'Anne dans les siennes.

— Il est l'heure, Votre Grâce…

Lui-même allait dormir chez Marguerite, sa fille. Anne savait que Philippe n'était guère proche des siens depuis quelques années. Depuis, en fait, qu'il avait hérité des rênes et des responsabilités du gouvernement. Sa fille devait un peu lui faire grief de s'occuper davantage des duchesses que des membres de sa propre famille !

Tout cela passait dans les yeux limpides et doux de Montauban. Anne lui sourit. Puis, pendant un instant, elle se blottit dans ses bras protecteurs.

— Merci, balbutia-t-elle, émue malgré elle. Merci.

Le chancelier était tout gêné. Il hocha la tête, rougit un peu et se retrancha derrière la politique.

— Demain, après le couronnement, dit-il, il faudra s'occuper de signer ce traité d'alliance avec l'Angleterre. Le roi Henri nous a promis six mille hommes. Ils seront les bienvenus.

Ce fut au tour d'Anne d'approuver. Elle était aussi très reconnaissante : ce soir, l'heure était au recueillement, au partage et à la tendresse qu'elle recevait de tout le monde, y compris du Seigneur.

Le dernier à quitter la pièce fut l'archevêque. La lourde porte refermée, Anne se sentit bien seule. Tout là-haut, l'air vif passait entre les cloches. De temps en temps, une vibration sourde faisait vibrer les murs. Elle se recroquevilla sous ses couvertures et écouta longtemps le silence peuplé de ses mille craquements mystérieux. L'édifice était vivant. Ou bien alors, la main de Dieu était réellement sur la ville et sur elle en ces heures belles, mais terribles où la Bretagne était blessée, déchirée, trahie et menacée de toutes parts et de tous côtés.

La jeune duchesse s'endormit sur la plus belle vision qui soit : Dieu bénissant la cathédrale, accompagné par tous les saints sculptés dans la nef en pierre et en marbre, et qui se tenaient telles des sentinelles devant chaque sortie du bâtiment et aux quatre points cardinaux afin de veiller ensemble sur son sommeil.

* * *

Depuis son réveil, Anne vivait dans un état second. Qu'on ne lui demande pas ce qu'elle avait mangé en se levant : elle n'aurait su le dire ! Encadrée par les officiers de sa maison, elle avançait en grand manteau d'apparat et remontait la nef jusqu'au chœur. Elle n'en doutait pas : chacun des saints qui la regardaient du haut de leur stèle était présent en esprit au-dessus de la foule. Ils planaient, eux-mêmes entourés par une armée d'angelots. Il y avait toujours cette lumière invisible qui nimbait les hauts plafonds et qu'elle était seule, assurément, à discerner.

Elle capta dans la foule le regard que lui adressaient ses proches. Antoine était paré tel un chevalier. Il se tenait entre les nobles fidèles à sa cause, mais paraissait mal à l'aise. Même si elle se sentait naturellement moins proche de lui qu'Isabeau, Anne devinait qu'il aurait préféré monter la garde en compagnie des autres soldats.

Néanmoins, Anne était heureuse de le savoir à quelques pas. D'Avaugour manquait hélas à l'appel. Aux dernières nouvelles, il avait retrouvé François de Châteaubriant et se terrait à Nantes auprès du maréchal. Françoisine, bien entendu, était présente au milieu des dames d'honneur. Montauban se tenait à sa droite. D'un geste, si le courage venait à lui manquer, Anne pourrait prendre son bras. Elle savait pourtant qu'elle ne faillirait pas. Cette journée, ce matin, ce moment si précieux et magnifique était le sien. Elle saurait en savourer chaque instant.

Françoise aussi fouillait la nef du regard. Elle tomba comme par hasard sur Awena, toujours merveilleusement belle dans une robe bleu azur et un manteau blanc au col de martre grise. Autour d'elle se pressaient plusieurs nobles ainsi qu'un page, que Françoise reconnut, car il s'agissait de nul autre que Vincent Menez ! Il se passait quelque chose de sombre et d'inquiétant entre Awena et Vincent — Françoise en aurait mis sa tête à couper. Mais quoi, au juste ?

Anne fut ensuite prise en charge par les prélats de Rennes. Devant elle se trouvait l'archevêque. Les ors, les soies et les pourpres se déployaient comme pour un bal, les enveloppaient, les accompagnaient. Le poids et la solennité des voûtes n'en paraissaient que plus impressionnants.

Derrière venait Philippe de Montauban ainsi que les autres membres de la maison ducale.

L'heure était enfin au sacre. Michel Guilbé ceignit Anne de cette couronne si chère au cœur des ducs de Montfort, et que son père avait dû à regret mettre en gage. Fort heureusement, elle avait pu être récupérée. Anne pressentait que cette largesse avait été obtenue à coups d'impôts nouveaux levés par l'archevêché.

La foule retint son souffle. Anne répétait les paroles de l'archevêque. Puis vint la bénédiction. Anne se déganta et toucha la pierre consacrée. En même temps qu'elle prononçait l'« amen » et qu'elle devenait devant Dieu et les hommes la nouvelle souveraine de Bretagne, elle ne manqua pas de sourire aux saints, aux anges et au Seigneur Jésus. Elle fixa le crucifix en or et se laissa envelopper par leur ferveur et leur amour. La foule le sentit également, car elle explosa en vivats et en clameurs.

Le chancelier avait les larmes aux yeux. Il souriait toutefois de sa propre sensiblerie, car il devait s'avouer qu'il était bien près de se prendre pour Jeanne d'Arc conduisant le roi Charles VII à Reims pour le faire sacrer. C'était en effet ainsi, et non sans bonnes raisons, qu'il se sentait vis-à-vis d'Anne. « François », songea-t-il dans le secret de son cœur en pensant à feu le duc, « comme tu serais fier de ta fille ! Elle est bien de ton sang et plus encore ! »

Une seule personne demeurait pensive, silencieuse, presque terrifiée. Françoise était sous le coup d'une nouvelle vision. Alors qu'Anne saluait et était soulevée par les membres de sa garde personnelle, la jeune femme contemplait, médusée, l'être désincarné qui planait au-dessus de la nef.

Son père, le duc François II, se tenait là, nimbé de lumière, vêtu d'une ample toge blanche luminescente. Une couronne de laurier était posée sur sa tête. Il brandissait une épée flamboyante. Françoise était certaine qu'il souriait. Pourtant, de sombres nuages s'amoncelaient autour de lui.

Tandis qu'Anne ressortait de la nef, le visage de leur père sembla se flétrir. Il ouvrit la bouche. Voulait-il parler ? Les prévenir de quelque malheur à venir ? Hélas, Françoise n'entendit ni son ni parole. Peu à peu, la vision s'estompa et la laissa dans un état proche de l'épuisement. Awena et Antoine la reçurent dans leurs bras.

— Les nuages, balbutia alors Françoise, les yeux révulsés et les joues mouillées de larmes, les nuages…

Chapitre 22

Mesures et ordonnances

Les femmes qui accompagnaient la dame de Beaujeu marchaient vite et n'avaient pas même le temps de s'extasier sur les premières fleurs du printemps. Une promenade matinale aux jardins du château d'Amboise n'était pas toujours de tout repos. D'abord, ils étaient situés à l'extérieur des enceintes. Ensuite, lorsqu'Anne de Beaujeu se levait si tôt et qu'elle demandait à ses dames de la suivre, c'est qu'elle était contrariée.

Ne critiquait-elle pas les jardiniers, l'agencement des bosquets, la couleur et la forme des fleurs ?

— Et puis, disait la sœur aînée du roi au chef des jardiniers, il faudrait que ces jardins soient placés plus près des regards. Vous comprenez ! Qu'on les voie de nos fenêtres en se levant. Qu'on puisse les fouler dès que l'on sort, au lieu d'être obligé de marcher autant et si loin ! Et aussi, qu'ils surplombent la Loire. N'y a-t-il pas assez de place pour cela ?

À la fois gênés et confus, les travailleurs lorgnaient piteusement la pointe de leurs sabots. Anne se pencha vers une jeune femme brune et lui glissa à l'oreille en grimaçant :

— Ces gens n'y entendent rien. Ils n'ont, à ce que l'on m'a dit, ni la finesse ni le goût des Italiens en matière d'esthétisme.

Louise de Savoie, sa nièce, acquiesça. Ce qui était certain ce matin, au milieu de ces bosquets tout de même bien entretenus, c'était que la dame était réellement contrariée. Et tous, à la cour, savaient bien pourquoi !

— Mesdames, décréta Anne de Beaujeu, il est temps. Rentrons !

De retour au château, elles traversèrent une longue galerie en voûtes remplie de courtisans. Aux yeux de la dame, tout était encore comme du temps de son père, c'est-à-dire trop sombre, trop rigide, trop froid et silencieux. Elle avait pourtant essayé d'égayer cette cour dont on disait encore, il y a six ans à peine, qu'elle était la plus lugubre d'Europe !

Elle s'arrêta soudain devant un courtisan.

— Qu'avez-vous dit ?

— Mais rien, madame…

Rien. Croyaient-ils vraiment qu'elle ne voyait pas ce qu'il se passait au château !

Elle rentra chez le roi et y trouva Pierre, son vieux et sage mari, Charles, bien sûr, ainsi que la plupart de leurs fidèles conseillers au nombre desquels se trouvaient Adam Fumée et Guillaume de Rochefort.

— Ainsi donc, fulmina la dame, *elle* l'a fait ! *Elle* a osé ! Cette… gamine ! Cette pauvresse de petite duchesse en sabots de bois !

Les autres déglutirent avec peine. Charles restait tassé sur son siège comme un enfant mis en punition. Lorsque sa sœur prenait ce ton et qu'elle tournait en rond, tête basse et les mains nouées dans le dos, mieux valait ne pas broncher.

— Elle s'est fait couronner! éructa encore la dame. Par un archevêque! Dans une cathédrale! Et portée en triomphe!

Nul plus que Pierre de Beaujeu ne pouvait comprendre combien sa femme devait être blessée dans son orgueil et sa fierté. Alors qu'en France, une vieille loi privée et presque domestique des rois mérovingiens, la loi salique, empêchait les femmes et les filles de succéder à leurs maris, frères et pères sur le trône de France, une fille de duc dont les droits étaient très controversés se faisait incontinent sacrer non pas reine, mais duchesse régnante par l'Église!

— Vous comprenez, j'espère, mon frère, poursuivit la dame en s'adressant à Charles, combien cela pourrait vous porter préjudice!

L'adolescent était tout ouïe. Pourtant, il n'était pas sûr de saisir.

En vérité, ce qui était intolérable aux yeux de la dame était qu'une gamine aussi effrontée qu'Anne de Bretagne puisse bénéficier, dans son duché, des honneurs qu'elle, qui était fille de roi et plus rompue que dix hommes à l'exercice du pouvoir, s'était vu refuser en France.

Que cette bravache était cependant intelligente! Cela, au moins, la dame était forcée de se l'avouer…

Pierre de Beaujeu plaça à ce moment un bon mot à la fois juste et apaisant :

— Elle a certes été sacrée duchesse, mais elle est seule, désargentée et sans pouvoir réel. Nous tenons plus de la moitié de la Bretagne. Le troisième quart est sous la coupe du maréchal de Rieux, et le reste est aux mains non de la jeune duchesse, mais des pirates, des brigands et des routiers. Elle n'a pour elle ou presque que la ville de Rennes.

La dame s'immobilisa. Si son époux intervenait en personne, c'est qu'elle se laissait emporter par son opiniâtreté, pire, par son émotivité. Néanmoins, il y a un point qu'il négligeait.

— Certes, mon époux, dit-elle. Cependant, ne sous-estimez pas l'influence que ce couronnement peut avoir sur les esprits faibles.

De plus, ils avaient appris que si Rieux avait échoué à s'attacher l'appui des rois d'Espagne et d'Angleterre, Anne y était parvenue. La preuve en était ce traité de Rennes qu'elle avait signé et qui lui garantissait des troupes neuves.

La dame se fit prêtresse de mauvais augure :

— N'en doutez pas, messires, cette guerre qui tournait en notre faveur va reprendre de plus belle, et la Bretagne nous filer peut-être encore entre les doigts.

Elle ajouta que le roi des Romains, qui était le propre père frustré de la toute jeune Marguerite d'Autriche — elle se tourna vers le jeune roi : « Votre blonde fiancée, mon frère ! » —, se montrait prêt à se remarier.

— Et l'on dit que la jeune duchesse n'est pas sans charme !

Charles et elle échangèrent une œillade rapide.

Bref. Ils avaient tout de même, à force de ruse et de ténacité, écarté la menace d'une union entre Anne de Bretagne et le duc Louis d'Orléans. La cruelle fatalité n'avait pas fait de la duchesse la reine d'Angleterre. Son union avec le vieux d'Albret leur avait également été épargnée.

— Mais n'en doutez point, martela Anne de Beaujeu, si cette gamine épouse Maximilien, nous nous retrouverons enfermés dans un étau.

Elle vint se placer devant Charles, qui déglutit avec peine :

— Si cela se fait, mon frère, ce sera toute l'œuvre de notre père qui s'effondrera.

L'adolescent se raidit. Il glissa subrepticement une main dans le revers de son pourpoint, serra dans son poing la piécette d'argent qui lui servait de fétiche.

— Alors, déclara soudain le sage Guillaume de Rochefort, il nous faut un homme en Bretagne.

Adam Fumée était d'accord.

— Un homme ? s'étonna la dame.

Pierre de Beaujeu hocha également du chef.

— Oui, dit-il, et je crois que nous tenons le candidat idéal. Il est jeune, beau, séduisant, noble et guerrier, mais également intelligent et fin séducteur. De plus, il est, je crois, impliqué de cœur en Bretagne…

Anne de Beaujeu était à son tour très intriguée.

— Il pourrait bien être notre ambassadeur de charme.

— Très bien, conclut-elle, je veux voir. Faites-le venir.

* * *

Le printemps venait aussi sur Rennes, ses tours, ses toits et sa triple enceinte de murailles. Dans la pièce du conseil, Philippe de Montauban faisait dicter les dernières missives du matin au sieur de Graville.

Les ordonnances, fort variées, touchaient surtout aux impôts nouveaux et aux efforts pour empêcher les militaires de prendre, sans la payer, de la nourriture aux paysans… « sous peine d'être déclarés rebelles et d'être comme tels punis ! »

Anne suivait le débat. Si elle voulait tout se faire expliquer en détail, elle soumettait aussi des idées. Parfois, Philippe de Montauban acquiesçait, parfois il grimaçait. Dans ce cas, il faisait toujours comprendre à Anne pourquoi son idée n'était pas la meilleure… en la circonstance.

Il vit qu'elle rêvassait et la rappela gentiment à l'ordre :

— Votre Grâce ! Ce n'est pas tout. Il nous faut battre une nouvelle monnaie, mais de faible aloi. Je suggère, comme vous me l'avez vous-même fait entendre l'autre jour, de fondre pour cela votre vaisselle et ce qui vous reste d'orfèvrerie. Car il faudra bien payer les soldats que nous envoie le roi Henri.

Anne était, chose étonnante, en train de bâiller. Elle tenait le chaton d'Isabeau sur ses genoux et mangeait des dragées aux amandes en cachette — toute chose que la comtesse de Dinan ne lui aurait pas permise quelques mois plus tôt.

Mais n'était-elle pas devenue duchesse ? Et puis Grisot ronronnait si fort qu'Isabeau ne pourrait plus dire qu'Anne n'avait pas aussi le tour avec les bêtes.

— Certes, certes, admit la jeune fille en grattant le cou du chaton, qui se détendit complètement et sourit comme s'il se trouvait au paradis des félins.

Revenant aux affaires, elle parla des bijoux hérités de sa mère et qu'elle avait confiés au comte de Dunois pour qu'il les vende au meilleur prix. Hélas, il semblait que ce n'était jamais assez. L'argent leur filait entre les doigts plus vite qu'ils ne pouvaient en tenir. Et cette malédiction semblait au cœur de tous leurs ennuis.

— Je sais, je sais, dit-elle encore, le mieux pour nous renflouer serait de me marier.

Son visage se contracta. Cela fait, elle aurait cependant encore moins de pouvoir, puisque son mari la tiendrait enchaînée. Le miracle consistait plutôt à résoudre cette délicate équation : comment recevoir de l'argent et des troupes tout en conservant une entière liberté d'action ?

Philippe de Montauban lorgnait en direction de chez Maximilien d'Autriche, et il avait sa petite idée…

* * *

Dans les corridors se pressaient les courtisans, les domestiques, les pages, les ouvriers et les vendeurs de gâteries, d'eau de rose et de vin. Parmi eux se trouvait également Françoise, qui venait justement trouver Anne, car c'était l'heure de la prière. Non que Françoise fût très religieuse, mais les apparences devaient être à toute force préservées.

Alors qu'elle atteignait l'angle de la pièce où se tenait le conseil, elle assista à un vif échange de paroles entre deux personnes de sa connaissance. La première était nulle autre qu'Awena. Et l'autre… un simple page !

Françoise reconnut Vincent Menez. Elle devina mieux qu'elle ne comprit le drame qui se jouait entre eux, et sourit malgré tout. Sacrée Awena, qui refusait les hommages de courtisans plus puissants et mieux placés, mais qui se donnait sans compter à un domestique.

Mais, après tout, elle-même ne rêvait-elle pas toujours de Pierre, qui avait été autrefois un palefrenier ! Awena avait comme elle le courage de choisir ses amants selon son goût. Elle jouait certes à un jeu dangereux. Au moins était-elle fidèle à son cœur, ce que plusieurs seigneurs lui reprochaient le poignard presque à la main.

Tout de même, songea Françoise, il était périlleux de s'afficher autant avec un jeune homme qui, contrairement à Pierre dans le cas de Françoise, semblait faire peu de cas de la réputation de sa belle.

Fâché, le page s'en fut dans les couloirs en bousculant les gens sans égard pour leur rang. Benoît lui-même, pourtant son ami, fut poussé sans ménagement. Le jeune garde s'était bien intégré dans la troupe. Il était de plus estimé par le capitaine Le Guin. À son regard sombre, il était évident qu'il considérait l'attitude de Vincent comme une menace directe à son bien-être personnel. N'étaient-ils pas arrivés en même temps au service de la duchesse ?

* * *

Le soir, Françoise sortait de chez ses jeunes sœurs pour regagner sa chambre quand elle tomba sur Odilon, qui venait de coucher Arnaud.

— Tu es bien rouge, ma bonne Odi ! fit-elle sur un ton enjoué.

La fille se prit le visage dans les mains et baissa aussitôt les yeux. Une silhouette s'éloignait d'un pas lourd et cadencé dans le couloir. Bien qu'elle ne vît que son dos large, Françoise reconnut Simon le Gros. L'amour était-il donc partout ? Le désir, autant dire le besoin d'aimer et d'être aimé, de serrer, d'embrasser et de caresser, était-il le plus souvent ce qui faisait agir les hommes et les femmes ?

Françoise n'était pas la dernière à le savoir — elle qui avait hâte, la nuit venue, de retrouver Pierre dans son lit ! Ou tout du moins dans son cas le souvenir de Pierre, qu'elle construisait en pensée jour après jour, plus fort et plus précisément chaque fois. Le résultat n'était-il pas sensiblement le même que si elle s'était donnée, comme Awena, au premier venu ?

Mais il s'avérait hélas que personne ne faisait vraiment d'avances à Françoise. Elle était certes moins éclatante, pulpeuse et rougissante que bien d'autres. « Et plus fade à leurs yeux, aussi, sans doute. » De plus, elle était toujours mariée à l'inquiétant baron Raoul d'Espinay-Laval. Si son époux avait pris le parti du maréchal de Rieux, il n'en demeurait pas moins son seigneur et maître.

« Sauf dans le secret de mon cœur et de mon âme. Et, aussi, de mon corps… »

Françoise sentit de nouveau monter en elle le désir de retrouver Pierre. Son ventre s'échauffait, son imagination s'envolait. Vivre l'amour et la passion dans sa tête était moins périlleux que de prendre un amant de fortune. Mais elle devait bien se l'avouer, un vrai corps, une vraie bouche, de vraies mains et un homme bien en chair lui manquaient souvent, surtout pendant les nuits froides et venteuses.

Raoul passait son temps à brigander avec le maréchal. Tous deux étaient tombés bien bas pour agresser les collecteurs d'impôts d'Anne ! Leur dernière ignominie avait été de priver le trésor de deux mille bons et précieux écus d'or !

En rentrant chez elle, Françoise était donc pressée de retrouver la chaleur de ses draps. Mais au lieu de Pierre, ce furent ses sombres prémonitions qui l'y attendaient. Lors du sacre, elle avait en effet eu la vision de son père. Le duc était-il venu l'épée à la main et la couronne de laurier au front leur annoncer des victoires, ou bien, au contraire, de nouvelles défaites ?

Chapitre 23

L'ambassadeur secret

Rennes, octobre 1489

Ce matin-là, dans la grosse demeure située rue des Dames et que l'on appelait un peu pompeusement « le château », régnait une activité bouillonnante. Dehors, les jardiniers étaient à l'œuvre depuis deux jours. Il avait fallu couper, nettoyer, décorer, et ils terminaient tout juste leur ouvrage. Dedans, on lavait les murs et l'on parfumait les planchers à la cire. Et pourquoi cela ? Selon le chancelier, tout était prêt, désormais : le visiteur attendu pouvait être amené.

Montauban alla le chercher en personne. Pour l'occasion, il n'avait pas revêtu son plus bel habit. Malgré ce grand ménage, le but n'était pas d'éblouir, mais d'attendrir. D'être digne tout en se montrant simple. Anne avait fait quelques difficultés. Cependant, le chancelier lui avait démontré qu'ils n'avaient, hélas, pas le choix. Qu'elle ne voie pas cette mise en scène comme une honte ou bien une ruse de bas étage, mais comme une cruelle nécessité dans des moments on ne peut plus difficiles. Il déploya toute sa verve, et elle accepta finalement de se plier à ce qu'elle ne pouvait toutefois s'empêcher d'appeler une « mascarade ».

L'homme que Montauban alla trouver était un militaire. Grand, carré, le regard perçant, il donnait l'impression d'avoir tant vécu de désillusions et de trahisons dans sa vie qu'il en tenait une perpétuelle méfiance aux gens. Aussi se demandait-il quels étaient les motifs et les mobiles de cette étrange convocation.

Le conseiller éluda la question et répondit simplement qu'ils étaient attendus. Ils remontaient une allée soigneusement taillée quand des rires éclatèrent dans les bosquets.

— Minou, minou !

Un chat se faufila entre leurs jambes et disparut peu après. Une jeune fille, puis une autre jaillirent à leur tour, essoufflées, les cheveux défaits, le visage aussi rouge qu'une pomme bien mûre. Les rires se poursuivirent tandis que les deux hommes reprenaient leur marche. Montauban marqua une hésitation, puis il admit que les jeunes duchesses s'amusaient.

L'autre fronça les sourcils.

— Elles n'en ont pas souvent le loisir, les pauvres, fit encore le chancelier. Le poids des affaires et les nombreuses difficultés auxquelles nous devons faire face les obligent, Anne surtout, à travailler beaucoup. Aussi, quand la chose est possible… Mais rassurez-vous, la duchesse tient à être présente pour notre entretien.

Montauban étudia les changements qui s'effectuaient sur le visage de Louis de Lornay. Le commandant de leurs mercenaires allemands, ancien officier du roi de son état, avait choisi une voie de traverse dangereuse et assez humiliante.

Devenu un renégat, il avait tout abandonné derrière lui : honneur, foi, patrie, famille…

Une crispation de l'œil gauche accompagnée d'un froissement de la mâchoire indiqua à Montauban que leur pari, quoique risqué, produisait un effet. Mais lequel ?

Lornay s'arrêta, car Isabeau revenait de leur côté. La jeune fille de onze ans tenait un chat dans ses bras.

— Vous l'avez enfin retrouvé, Votre Grâce, dit le chancelier. J'en suis bien aise.

Cet instant était le plus délicat. Lornay s'inclina. Isabeau joua son rôle à la perfection. Elle prit sa main avec chaleur et lui sourit. Lorsqu'elle se fut de nouveau éloignée, Lornay laissa tomber sourdement :

— J'ai eu moi aussi deux filles…

Montauban hocha du chef. Il savait combien Lornay avait été un père attentif et aimant. Mais l'époque était dure. Il ne connaissait aucune famille qui ne pleurait quelques disparus.

— Anne va vous recevoir, assura-t-il.

La jeune duchesse était assise bien droite sur une chaise à haut dossier de bois. Ses cheveux étaient toujours défaits, et elle haletait encore un peu. Le jeu avait assez duré. Il était temps à présent de revenir aux affaires. Au lieu de demeurer immobile et lointaine, elle choisit de se lever pour accueillir leur visiteur. Sachant Lornay à cheval sur certains principes, Montauban ne lui offrit aucun alcool.

Anne et lui se concertèrent du regard, puis la jeune fille se lança :

— C'est à propos de la solde de vos hommes, commandant…

Lornay leva un de ses sourcils, qu'il avait épais et touffus. Il avait par ailleurs un visage avenant et une allure agréable qu'une femme pouvait aisément chérir. Si la vie avait marqué sa chair, notamment sa bouche, qui pendait légèrement sur la droite à la suite d'un malheureux coup d'épée, son œil était vif, et il inspirait à la fois le respect et la droiture. En d'autres termes, malgré le fait qu'il était devenu un officier honni qui vendait ses services et se battait parfois, comme en ce moment, contre son propre roi, il avait encore de l'honneur. Et, Anne et Montauban l'espéraient ardemment, un cœur.

La jeune fille se tordit les mains. Elle résolut cependant d'en terminer avec la tension qui s'accumulait, invisible, autour d'eux.

— Je ne pourrai hélas pas les payer, déclara-t-elle tout de go.

Lornay n'était pas aveugle. En vérité, il s'y attendait. Anne s'approcha et lui prit à son tour les mains.

— Si vous voulez les régler vous-même, commandant, je…

Son joli visage se tordit, car la requête lui pesait. Elle lui expliqua qu'elle possédait une châtellenie, de Gâve, qu'elle était prête à lui consentir en contrepartie.

— Cela en attendant que je puisse tout vous rendre avec les intérêts. Comprenez que je ne fais pas cette démarche de gaîté de cœur…

Cela se voyait, et Lornay était encore assez père pour s'en rendre compte. Les mains d'Anne étaient aussi chaudes que celles, jadis, de ses propres filles. Le chancelier nomma plusieurs des membres de la cour ainsi que le prince d'Orange et le comte de Dunois, qui seraient les témoins de ce qu'il conviendrait d'appeler un « emprunt ».

— Ils signeront tous la garantie.

Lornay ne fit, à leur grand soulagement, pas trop de difficultés. Même si cette demande était quelque peu cavalière, l'engagement fut pris.

Lorsque le commandant sortit, Anne terminait encore de le remercier. Ils attendirent quelques secondes, puis se sourirent. Leur mise en scène avait payé. Anne, cependant, était un peu triste et pincée. Cette mascarade lui avait déplu. Jouer sur les sentiments d'un homme blessé par la vie n'était pas loyal.

— Mais vous présenter devant lui pour faire votre demande était courageux, Votre Grâce, et digne d'un grand souverain. C'est cela, j'en suis sûr, qui a vraiment touché le commandant.

— Pourvu, dit-elle en joignant ses mains, qu'il prenne bien soin du château et des terres en attendant que je puisse les récupérer !

Montauban se permit un verre de vin. En payant les mercenaires, ils conservaient ainsi leur force armée et un peu de leur prestige. Et surtout, ils gagnaient du temps. L'été avait été difficile. Rieux s'était démené comme un beau diable pour tenter de faire légitimer son gouvernement parallèle. Mais en s'abaissant à jouer les voleurs de grand chemin, il avait perdu le peu d'estime qu'il possédait auprès des cours étrangères. Voler une jeune fille courageuse qui luttait bec et ongles — sa propre pupille et la fille de son seigneur — n'était en effet guère honorable, peu importe ses motifs ou ses griefs !

— Nous avons bien agi, répéta Montauban, avant de laisser Anne toute seule.

* * *

Le soir même, dans la salle à manger, Anne se délassait en compagnie de ses sœurs. Elle écoutait des chants, des trilles, mais aussi des poèmes déclamés par nul autre que Jean Meschinot. Le poète était vieux, sa voix tremblait. Il était cependant un membre honorable et respecté de la cour. Autrefois, il avait fait les heures de gloire de Nantes et de Vannes. Anne aimait l'entendre déclamer des vers dans lesquels son père était dépeint sous les traits d'un héros.

Quand il leur parvint soudain des créneaux une nouvelle étonnante. Un homme à cheval se présentait seul à la porte Mordelaise.

— C'est un noble français, déclara le capitaine Le Guin.

Dunois et le prince d'Orange tendirent l'oreille.

— Il dit posséder une lettre de garantie.

Awena, mais aussi Françoise s'arrêtèrent de tisser.

— Un Français tout seul, et il nous vient du roi ! s'exclama Anne. En voilà une drôle d'idée !

Montauban demanda à ce qu'il leur soit présenté.

L'homme était jeune et de belle allure. Il s'excusa pour son apparence crottée, car les chemins étaient détrempés.

— Vous avez traversé les bois seul ! voulut savoir le comte de Dunois en s'approchant.

— À la vérité, mon escorte est restée en arrière.

Le prince d'Orange s'avança également dans la lumière des flambeaux. Ses traits s'animèrent :

— De Tormont, vous ?

— Moi.

— Vous vous connaissez donc ! reprit Anne.

Montauban lisait le document que lui avait remis Bernard de Tormont.

— Votre Grâce, dit le chancelier à la jeune duchesse, laissez-moi vous présenter le vicomte Bernard de Tormont, officier du roi, mais également le cousin du général de La Trémouille.

— Comment ? se récria Anne sèchement en se levant. Le cousin de celui qui ravage nos belles cités !

Françoise et Awena s'étaient également approchées. À cet instant, Bernard les vit et les salua comme s'ils se trouvaient en terrain neutre, ce qui n'était vraiment pas le cas.

— Vicomte, reprit Anne, vous ne manquez pas de toupet.

Elle se tourna vers Montauban et quêta son avis. Le chancelier secoua la tête.

— Vous m'intriguez, vicomte, poursuivit-elle, et la raison de votre venue plus encore.

— L'amour, Votre Grâce !

Son regard effleura Awena, qui rougit. Mais ne voulant pas la compromettre plus avant, il se jeta plutôt aux pieds d'Anne.

— À la vérité, j'ai été des vôtres, il y a deux ans, lors du siège de Nantes. Blessé, j'ai été recueilli et soigné à l'intérieur de vos murs. Là, j'ai rencontré cet amour que je viens retrouver ce soir au péril de ma vie.

Anne était à la fois stupéfaite, impressionnée, troublée, méfiante.

— Le billet de la chancellerie de France, vicomte, vous désigne bien comme un envoyé du roi Charles. Mais il ne mentionne aucun but précis.

— Je l'ai demandé ainsi, plaida Bernard.

Son allure, sa beauté, son charme se répandaient dans la pièce comme une lumière fine et pure que percevaient surtout les femmes de l'assistance, même Anne !

Elle avait cependant du mal à accepter que cet homme fût le cousin de La Trémouille.

— Et qui m'empêchera, vicomte, lança-t-elle, de vous faire jeter au cachot ?

L'idée, après la déclaration enflammée du jeune homme, avait de quoi saisir d'effroi les dames de la cour. Qu'un ennemi ose ainsi se livrer par amour était si rare et si chevaleresque !

Françoise sentit la main d'Awena sur son bras nu. Elle hocha la tête et s'approcha de sa sœur, à qui elle murmura quelques mots à l'oreille. Le visage d'Anne s'immobilisa. Elle cligna plusieurs fois des paupières.

Il se passait quelque chose, mais quoi ? Finalement, elle se détendit et sourit.

— Messire, dit-elle, j'apprends que non content d'être un peu fou, franc, volontaire et amoureux comme vous le dites, vous êtes aussi un chevalier dans l'âme.

Elle accepta de lui prendre la main.

— Vous avez fait preuve de générosité après la bataille de Saint-Aubin-du-Cormier en prenant soin de notre cousin, Louis d'Orléans (elle se tourna vers Françoise)… et de notre bon ami Pierre Éon Sauvaige.

Bernard était tout sourire.

— La générosité est une denrée rare qui vaut qu'on la récompense, ajouta Anne.

Elle rendit ensuite la parole à Jean Meschinot et aux musiciens. Les accents de harpe reprirent, l'animation revint, mais chacun se questionnait sur ce noble français qui, pour l'heure, se laissait prendre dans les bras de Dunois et du prince d'Orange. Les hommes n'oubliaient ni son audace ni sa prestance, que plusieurs trouvaient insultante. Les femmes étaient dévorées de curiosité sur l'identité de cette dame mystérieuse dont Tormont avait dit être follement tombé amoureux pendant sa convalescence nantaise…

* * *

Durant la nuit, un jeune homme sortit de la petite chambre qu'il partageait dans les combles avec ses compagnons et il se dirigea, une bougie à la main, vers les appartements où logeaient les membres de la cour. La chose étant habituelle, les dormeurs ne posèrent aucune question et se rendormirent presque aussitôt.

Qu'elle séjourne à Nantes, à Guérande, à Redon ou à Rennes, la cour étant ce qu'elle était, les couloirs étaient parcourus de jour comme de nuit. En ces heures noires, il n'était pas rare de voir passer un homme ou bien une femme légèrement vêtue en quête de plaisirs discrets autant qu'illégitimes.

C'est dans ce but qu'était sorti le jeune homme, et il avançait du pas sûr de celui qui connaît bien son chemin. Il allait frapper à la porte quand des murmures l'arrêtèrent. Un homme et une femme se parlaient à voix basse de l'autre côté du battant. Le jeune homme se raidit. Sa mâchoire se tendit. Ses yeux se rétrécirent. Il crispait sa main sur le manche de son poignard quand une main se posa sur sa nuque.

Surpris autant qu'effrayé, il se retourna vivement. Mais le garde qui venait de l'empoigner était fort et bien entraîné.

Vincent Menez était embêté. Pourtant, qui d'autre que son ami Benoît pouvait ainsi le surprendre en pleine nuit si près des appartements d'Anne et d'Isabeau… et d'Awena !

— Laisse-moi, geignit-il.

Le garde rétorqua sans lâcher sa prise :

— Tu allais faire une bêtise.

— Cela ne te regarde pas.

Benoît Vamier n'était pas d'accord. Si Vincent avait fait son chemin comme page, lui s'était bien intégré à la garnison. Et il n'entendait pas voir gâcher ses chances d'avancement par la faute d'un geste irréfléchi.

— Laisse-les tranquilles.

— Quoi ?

— Laisse-les, répéta Benoît.

Vincent se mordit les lèvres.

— Ces gens font partie d'un autre monde, insista le garde.

Vincent fit mine d'essayer de se libérer. Benoît resserra encore sa prise, jusqu'à l'étouffer à moitié.

— Laisse, je te dis.

Ils connaissaient tous deux la réputation du jeune et beau vicomte. Bernard était aussi grand séducteur que bretteur.

— Tu n'as aucune chance contre lui. De plus, il a été bon pour nous, fit Benoît. C'est à lui que nous devons cette seconde vie. Ne gâche pas tout pour une fille.

Vincent serrait ses poings de rage. Comment Benoît osait-il appeler Awena ?

— Tu veux me tuer aussi ? le défia le garde. Très bien.

Il le lâcha subitement.

— Vas-y !

Ils se mesurèrent du regard dans la pénombre et les murmures feutrés d'autres amoureux invisibles. Au bout de quelques secondes, Benoît avoua :

— J'ai été chargé de surveiller le vicomte. Je ne te laisserai pas faire. Retourne te coucher.

Vincent tenta le tout pour le tout et se rua vers la porte. Benoît l'immobilisa de nouveau et lui dit tout bas :

— Qu'espères-tu vraiment de cette femme ? Tu n'es rien. Cesse d'aimer trop haut pour ta condition et contente-toi de survivre.

— C'est ton dernier mot ?

— C'est mon conseil d'ami.

Vincent se libéra de force, mais Benoît confisqua son poignard.

Lorsqu'ils se séparèrent, chacun d'eux savait qu'il n'y avait de toute manière jamais vraiment eu d'amitié sincère entre eux…

Chapitre 24

Les feux de l'amour

Bernard et Awena se prirent les mains. Le geste n'avait été ni calculé ni vraiment esquissé. Il était simplement venu. Ils restèrent un long moment à se contempler. Le temps avait paru figé depuis leur séparation, et voilà qu'il s'effritait et se remettait en mouvement tel un barrage de glace qui se rompt au printemps. Ils le sentaient tous deux fragile et croyaient même entendre, derrière cette glace, gronder les eaux de la rivière qui étaient enfouies en chacun d'eux. Après une longue hésitation, Bernard parla le premier.

— Je t'ai quittée femme généreuse et mystérieuse de Nantes. Je te retrouve dame d'honneur et de compagnie de la jeune duchesse.

Awena sourit, car elle en avait autant à son service. Ne l'avait-elle pas cru simple officier en quête d'un mauvais coup à accomplir dans les murs de Nantes assiégée ! Une gêne passagère s'installa. Fort heureusement, ils se tenaient encore les mains, et cette glace rompue se changeait en eau, en source, en ruisseau de montagne. Bientôt, ils le sentaient, elle deviendrait torrent et rivière tumultueuse. L'amour peut se voir tel un fleuve en puissance, mais qui commence tout doucement et modestement.

Awena secoua la tête. Elle n'allait pas laisser ce que les autres appelaient « la réalité » lui gâcher les sentiments qui venaient dans son cœur et dans son corps. Si Bernard faisait preuve d'un peu plus de retenue, il était tout de même venu chez elle, de nuit, en silence, comme un maraudeur. Le sourire de la jeune femme s'épanouit, et elle se sentit rougir : sa pensée allait plus loin, et elle l'imaginait surtout venir à elle comme son amant.

Ainsi, le désir était tout proche. Elle posa les mains de Bernard sur sa taille. Le jeune vicomte comprit enfin que la belle ne s'occupait pas vraiment de politique. Avec l'hésitation de celui qui, malgré tout, se pose encore des questions, il approcha doucement ses lèvres des siennes. Il fallait qu'il sache. Puis il se traita d'imbécile. Si la chair d'Awena était si douce et si chaude, c'est qu'elle se languissait. Si ses yeux verts brillaient si fort et que son souffle était ample et profond, c'est qu'elle se présentait à lui sans arme ni accusation.

En entrant, Bernard n'avait rien vu de la modeste pièce, excepté Awena et cette belle lumière qui émanait de son être. C'était comme un soleil en soi. Dans le flamboiement à la fois diffus et sombre des bougies, c'était aussi une expérience rare, étonnante et presque effrayante.

Awena se doutait-elle combien il était effrayé ? Risquait-elle de prendre son hésitation pour de la froideur, du calcul, du mépris ? Ne pouvant supporter cette idée, Bernard fit taire en lui l'officier du roi et laissa remonter le jeune blessé de Nantes, celui qui avait tout vu et tout deviné d'Awena. Sa beauté, bien sûr, mais aussi la lumière de son âme.

Le souffle de la belle s'accélérait, signe certain qu'en cet instant, ce n'était pas à son âme qu'elle songeait le plus. Elle se rapprocha de lui. Il marcha vers elle. Ils perdirent tous deux l'équilibre. Impatiemment, elle dénoua sa ceinture, laissa tomber le fourreau et l'épée. En même temps, elle goûtait avidement à ce baiser brûlant qu'il lui proposait et dont elle rêvait depuis deux années.

Car elle se rappelait les lèvres de Bernard. Leur tendreté, leur chaleur ardente et parfois aussi leur dureté quand elles s'aventuraient au plus profond d'elle-même. Ce souvenir la fit chavirer, puis défaillir quand le jeune homme s'enhardit enfin à caresser le haut de ses cuisses et les méplats chauds et fermes de ses fesses. En même temps, il faisait descendre sa bouche le long de son cou.

Awena se rendit compte à l'instant qu'elle avait eu beau avoir des aventures et même, dernièrement, un amant en titre, elle attendait toujours un vrai homme. Celui qui était entré dans sa vie comme un voleur, un rebelle, un être blessé qu'elle avait su protéger, deviner, aider, aimer.

Bernard avait pour sa part l'impression de retomber sur ses pieds. Il redevenait le séducteur, le beau diable, l'amant attentif à la fois doux et brusque. L'homme de plaisir qui savait où aller et quoi faire dans l'instant où il devait précisément le faire. Cette fois, cependant, il savait qu'il abordait sur un rivage à la fois connu et merveilleux. Une plage dorée qu'il prenait plaisir à retrouver et une grève qu'il savait sienne et qu'il explorait de nouveau avec infiniment de reconnaissance et d'amour.

Ils s'aimèrent plusieurs fois et chaque fois de manière différente, en se tenant les mains, en s'abandonnant l'un à l'autre totalement et follement. Si les mots s'avéraient inutiles, ils étaient également sans danger. Combien de fois Bernard s'était-il forcé à ne rien dire, après, de peur de tout briser ?

Il y réfléchit un moment alors qu'ils haletaient tous deux au terme d'une longue joute sauvage, et murmura :

— Je n'ai pas peur. Je n'ai plus peur.

Il n'était pas sûr de ce qu'il voulait exprimer. Awena était certaine, elle, de le comprendre. Après être restée longtemps enlacée à écouter battre leurs cœurs, la jeune femme glissa sous lui pour aller le ranimer. Voulait-elle sa mort ?

Oui, avec elle, en elle, encore !

Quand le temps reprit finalement sa course et ses droits, et qu'il leur fallut se séparer enfin, Bernard ne savait plus trop où il était. La tête lui tournait. Ses jambes étaient aussi molles que des chiffons. Mais cela importait peu, car son cœur, gonflé de joie, le portait tout entier.

Awena et lui auraient tous deux souhaité terminer cette nuit parfaite dans les bras l'un de l'autre, voir ensemble se lever le jour, accueillir sans rougir un domestique chargé d'un petit déjeuner pour deux. Hélas, cette réalité qu'ils avaient repoussée revenait au grand galop, et il allait bien falloir composer avec elle !

En quittant la chambre de sa belle, Bernard ne vit pas, recroquevillé dans une alcôve, le page Vincent Menez, qui pleurait de rage, les poings serrés, la tête entre ses genoux.

* * *

Quelques jours plus tard, la séance du conseil tirait en longueur. De quoi une jeune fille de douze ans tenait-elle tant à se faire entretenir durant des heures? Agglutiné dans la vaste antichambre au milieu des courtisans, Bernard se le demandait.

Cela faisait une semaine qu'il était arrivé, et il n'était toujours pas redescendu de ce nuage où son élan pour Awena l'avait porté. Chaque nuit, ils se retrouvaient. Ils passaient ensemble des heures merveilleuses et secrètes, puis le vicomte regagnait sa propre chambre.

Il ne doutait pas d'être suivi et épié, même la nuit. Il avait appris qu'Awena, ancienne maîtresse de feu le duc, était à la fois une des dames les plus convoitées et méprisées de la cour. Cela, nombre d'hommes et de femmes le lui avaient fait savoir. Aussi priait-il chaque jour pour que ses ébats nocturnes avec Awena ne leur causent aucun ennui. Ce qui était comme d'espérer courir sous un orage tout en pensant rester au sec.

Alors, pourquoi n'avait-il pas déjà été arrêté, interrogé ou bien tout bonnement chassé? Il se posait la question pour la énième fois quand la porte du conseil s'ouvrit et que le brouhaha, jusqu'à présent assez bas et régulier, monta de plusieurs crans.

Dans la foule qui s'anima soudain, il eut l'impression d'être frôlé par plusieurs femmes. Il ne s'en émut point. Déjà, à la cour d'Amboise, il était une sorte de pôle d'attraction pour les dames qui se cherchaient quelques aventures galantes et secrètes.

Une présence plus insistante que les autres le fit néanmoins sortir de sa rêverie.

— Vous? s'étonna-t-il.

Françoise le tira à l'écart. La jeune femme avait pris de l'aplomb et de la maturité depuis le siège de Nantes. Il faut dire qu'il l'avait connue jouvencelle, déflorée à la soldate dans une étuve pendant que pleuvaient les boulets, et qu'il la retrouvait grande dame de Bretagne, comtesse de Clisson, baronne du Palet, épouse de Raoul d'Espinay et demi-sœur de la jeune duchesse !

Elle l'entraîna dans une alcôve. Si le geste passa inaperçu dans la cohue, Bernard se sentit encore plus nerveux.

L'un comme l'autre était essoufflé. Il n'y avait cependant aucune raison de se méprendre. Il s'agissait de la chaleur de tous ces gens énervés en habits, cette pression qui habitait tout lieu de pouvoir. Finalement, Bernard ne fut pas étonné d'entendre Françoise prononcer un prénom : « Pierre ».

Le vicomte sourit. Bien sûr ! À cet instant, ils se retrouvaient comme deux années auparavant : complices et amis. Bernard lui expliqua tout ce qu'il savait.

— Je me croyais nommé par le roi pour être leur gardien, dit-il. Hélas, la dame de Beaujeu était passée par là. À ma grande surprise, j'ai été remplacé. Depuis, j'ai perdu leur trace. Je sais seulement que Pierre et le duc Louis d'Orléans sont toujours emprisonnés ensemble. J'ignore où, par contre, ni quel est vraiment leur traitement.

Françoise demeura silencieuse quelques instants. Dans un geste de pure amitié, Bernard lui prit les mains.

— Vous l'aimez toujours, cela se voit et se comprend. Pierre est un brave. Je suis heureux que le duc et lui aient échappé au massacre de…

Il se tut. L'endroit n'était pas idéal pour évoquer les batailles et la politique. Il sentait pourtant que Françoise ne pouvait plus longtemps se conduire comme une amoureuse esseulée et effrayée. Il y avait le monde extérieur, la France et la Bretagne dressées l'une en face de l'autre.

L'image n'était ni bonne ni la bienvenue dans cette alcôve protégée par une simple étoffe de brocart. Bernard sentit que Françoise reprenait en quelque sorte son souffle.

— Ils sont vivants, dit-elle, je le sens.

Il voulut lui faire plaisir et assura que Pierre pensait sûrement à elle en ce moment. Françoise redressa fièrement la tête. Pour elle, la chose allait de soi. Elle éprouva ensuite un moment de faiblesse, et il la serra dans ses bras tel un frère sa sœur.

— Nous vivons une drôle d'époque, plaida-t-il. Plaise à Dieu qu'elle se termine bientôt. Je ne puis croire que le sort veuille encore longtemps faire de nous des adversaires.

— À ce propos, vicomte, reprit-elle avec quelque sécheresse dans la voix, si nous parlions franchement ?

Bernard se crispa : la donzelle de Nantes avait fait place à la demi-sœur de la duchesse.

— On raconte que le roi voudrait bien faire enlever mes jeunes sœurs…

— Je n'en ai jamais ouï-dire au conseil, sur mon honneur, je vous l'assure !

Elle lui tenait les mains. Il avait l'étrange impression qu'elle avait le pouvoir de lire en lui.

— J'ose croire, reprit-elle, que tel n'est pas non plus votre dessein.

Au moment de se séparer — Françoise devait retrouver Anne dans la salle d'étude —, elle lui dit encore à mi-voix :

— Redoublez de prudence, Bernard. Vous n'êtes pas le seul à aimer Awena.

Le vicomte demeura longtemps perplexe à se demander le sens exact de ses dernières paroles.

* * *

Un soir de la fin d'octobre, un jeune homme marchait sans but sur le chemin de ronde de la vieille ville. Il laissait derrière lui la tour Mordelaise, qui servait également de logis au gouverneur de la ville. Lorsqu'il croisait une sentinelle, il lui montrait son laissez-passer signé par le capitaine Le Guin. Il était venu, disait-il, pour inspecter l'état des murailles. Que la nuit fût déjà venue et qu'il fasse donc trop sombre pour voir quoi que ce soit, même à la lueur d'une torche, n'avait pas l'air de le déranger ; l'individu avait en effet les yeux perdus dans le vague, le teint brouillé, et il allait, le pas lent et incertain.

Vincent Menez ne vivait plus. Quelques jours après l'apparition du fringant vicomte de Tormont, il s'était fait porter malade. Depuis, il errait, veillait la nuit, buvait plus que de mesure et dormait tard dans la journée. Par égard pour les services rendus lors de la trahison du maréchal de Rieux et de la comtesse de Dinan-Laval, on le laissait tranquille. Seul le garde Benoît Vamier connaissait véritablement ses tourments. En homme sage, il avait convenu d'attendre et de voir venir.

Seulement, Vincent sombrait de jour en jour dans un chagrin plus profond. Chaque fois qu'il le voyait, Benoît le sentait sombre et déprimé. Ce qui n'augurait rien de bon.

Ce soir encore, Vincent avait bu. Et si les sentinelles le laissaient passer, elles ne le perdaient pas de vue. L'une d'elles se dressa soudain devant le jeune page. Vincent regarda l'homme de bas en haut, puis de haut en bas. L'autre ne pipait mot. Alors, le page ouvrit la bouche. Il allait se plaindre qu'on le frappa au front pour le fourrer ensuite dans un gros sac. Du sang coula sur son visage. Il sombra dans l'inconscience.

* * *

Au lieu de le tirer de sa torpeur, les cahots qui le secouaient enchaînaient Vincent à une sorte de transe glacée. Il se revoyait face à Awena et lui demandait des comptes. La jeune femme avait en effet tenu à aller le trouver pour lui « expliquer ». Mais qu'y avait-il à dire ? Devait-il accepter de s'effacer comme le serviteur qu'il était ? L'avait-elle regardé avec hauteur, avec dédain ?

— Je ne savais pas, avait-elle plaidé.

Savoir quoi ? Vincent n'en était pas sûr, et Awena elle-même s'était montrée vague, comme si elle cherchait de son côté à cerner cette émotion qui lui venait. Elle avait néanmoins terminé en lui demandant de l'excuser. C'était à la fois grotesque et irréel. Elle, la déesse, lui demandait pardon. Et lui, le domestique, se comportait comme un seigneur trompé.

— Je l'aime depuis longtemps, avait finalement avoué Awena en parlant du vicomte.

Le souvenir de cette rencontre à la sauvette entre elle et lui tournait dans la tête du page. Les cahots aidant, le visage d'Awena se déformait pour prendre des expressions tour à tour voluptueuses, puis moqueuses. « Tu aimes trop haut pour ta condition, lui avait dit Benoît. Redescends sur terre. »

Enfin revinrent le silence et l'immobilité. Les mains nouées dans le dos, le torse ficelé, Vincent portait en outre un sac de toile sur la figure.

On le lui arracha d'un geste brusque. Il vit d'abord trouble. Puis, peu à peu, il fit le point. Il se trouvait dans une charrette couverte d'une bâche. Aux odeurs de mousse, de feuilles et d'humus mêlés, il convint qu'il était en forêt. Probablement à l'extérieur des murs, quelque part dans les environs de Rennes.

Une silhouette bougea sur sa droite. La lueur d'une torche accrocha la chevelure rousse d'un homme.

— Seigneur ! s'écria Vincent.

Le baron Raoul d'Espinay alla prévenir son compagnon que le laquais était réveillé. La seconde personne monta dans la charrette et fit ployer l'attelage sous son poids. Une odeur de musc et d'ail entra en bouffée sous la bâche.

— Seigneur, répéta Vincent, un ton plus bas, en tremblant violemment.

— Tu peux frémir, ver de terre, gronda une voix caverneuse.

La lame d'un poignard se posa sur la carotide du page.

— Je pourrais appuyer là et te faire passer de vie à trépas, misérable.

Vincent crut sa dernière heure arrivée. Le maréchal de Rieux s'interrompit alors et sembla réfléchir.

— Mais je conviens qu'il faut du courage à un homme pour oser faire ce que tu as fait.

En une fraction de seconde, Vincent se revit dans la chambre d'Awena, la fois où il avait débarrassé la jeune femme d'un amoureux un peu trop encombrant…

— Du courage, répéta Rieux. Pour cela, je te laisserai vivre. En échange de quoi…

Il s'approcha du page et lui fit une proposition qu'il ne pouvait décemment plus refuser.

* * *

Au même moment, Françoise s'arrachait des griffes d'un nouveau cauchemar. Elle marchait dans une grande maison qui lui était inconnue. Une torche à la main, elle conduisait ses deux sœurs. Un vent glacial soufflait au-dehors. Les tuiles du toit gémissaient, les boiseries craquaient. Elles arrivaient dans un salon cossu dominé par une horloge en bois ouvragé avec art. Le profil de deux corbeaux sculptés au couteau ressortait de l'œuvre. La pendule indiquait précisément quinze heures.

Jusqu'ici, rien d'effrayant si ce n'était la demeure elle-même. Anne y était venue pour conclure une affaire.

Laquelle ?

Quand tout à coup les corbeaux de bois s'animèrent, prirent leur envol et cherchèrent à attaquer Anne et Isabeau. Françoise hurla, car après avoir fait plusieurs cercles au-dessus des jeunes filles, les volatiles fondaient sur Anne dans le but de lui arracher les yeux.

Chapitre 25

La coupe d'or

Joseph Febish était un marchand juif de la cité d'Angers. Venu en grand secret à Rennes dans l'espoir de conclure une bonne affaire, il s'était installé chez un de ses cousins, dans une maison de la vieille ville. Le salon était une pièce toute en lambris, mais meublée modestement. Un bon feu crépitait dans l'âtre. Pour mener sa négociation à terme, Joseph devait faire preuve à la fois de ruse et d'humilité. Aussi, toute trace ostensible de la religion de ses pères avait-elle été dissimulée. Le marchand avait même poussé l'intelligence jusqu'à faire accrocher un crucifix au mur, à côté de la grande horloge.

Ce jour-là, il tombait une petite neige. D'impertinents flocons blancs tourbillonnaient autour des enseignes. Heureusement, malgré l'air vif, on sentait que le soleil était à tout moment sur le point de percer. L'après-midi s'avançait mollement quand ses invités s'annoncèrent enfin.

Un homme grand et mince à la mine peu engageante demanda à visiter la demeure bourgeoise dont les murs, à pans de bois typiques de l'architecture bretonne, s'élevaient sur trois étages. Après avoir fait le tour des pièces — des femmes et leurs enfants se tenaient frileusement dans une des chambres —, Le Guin redescendit. Il hocha la tête et ressortit dans la rue.

Le capitaine passa la tête entre les lourdes draperies de la litière et fit son rapport.

Une femme, deux jeunes filles et quelques hommes entrèrent à leur tour chez le cousin du marchand. Simon déposa un coffret en bois précieusement ouvragé sur la table. Isabeau s'installa un peu en retrait avec Françoise — toutes deux frissonnaient sous leurs manteaux de laine. Anne s'assit en face de Joseph.

Ce dernier la salua bien bas. Cependant, la jeune duchesse n'était pas venue recevoir des hommages.

— Vous avez, dit-elle, une chose qui m'est chère et que je souhaite récupérer.

Joseph sourit finement. C'était un homme dans la cinquantaine. Son visage était avenant, ses yeux, aussi bleus ou presque que ceux de Pierre Éon Sauvaige, ses joues, assombries par une barbe soigneusement coupée. Fait étonnant pour un marchand, il avait des dents blanches et la gestuelle d'un vrai seigneur. Il frappa dans ses mains. Son cousin lui apporta l'objet en question.

Anne soupira d'aise. Ainsi, la merveilleuse coupe d'or et son couvercle, mis en gage sur ordre du chancelier pour payer une partie des coûts de l'enterrement du duc François, n'étaient pas encore perdus. Et le marchand qui en avait fait l'acquisition se montrait prêt à la restituer à sa légitime propriétaire… moyennant une juste et substantielle somme d'argent !

Seuls le tic tac de l'horloge et le brouhaha des allées et venues des badauds, dehors, ponctuaient le silence. Anne était venue en cachette de Montauban. Elle le savait secrètement ennuyé par cette mise en usure de la coupe, et elle souhaitait lui faire une surprise. Et puis, le chancelier vaquait en ce moment à d'importantes affaires. Outre qu'il entamait les premières démarches pour amener le maréchal de Rieux à se réconcilier avec eux, il avait obtenu qu'une clause importante fût ajoutée au traité de Francfort que Maximilien d'Autriche devait bientôt signer avec le roi de France. Entente il y aurait entre les deux souverains uniquement si Charles consentait à retirer ses troupes de Bretagne. Cette victoire diplomatique allait clairement démontrer au roi et à sa sœur qu'Anne n'était plus une enfant, mais qu'elle comptait désormais sur l'échiquier politique européen.

La jeune duchesse cligna des paupières pour chasser ses pensées et se concentrer uniquement sur la négociation en cours.

— J'ai ici, poursuivit-elle, un coffret rempli de pièces d'or et d'un certain nombre de joyaux. Faites-le examiner, je vous prie, et dites-moi…

Dans le petit salon se trouvaient également Vincent Menez et Benoît Vamier. Le premier veillait au confort de ses maîtresses, l'autre, à leur sécurité. Le Guin montait la garde dehors avec trois de ses hommes. Simon patrouillait dans les étages.

Isaac, le cousin de Joseph, entra et salua Anne et Isabeau. Pour lui et sa famille, c'était un honneur de les recevoir chez eux. Tandis qu'Isaac comptait les piécettes et évaluait les pierres, Françoise avait de plus en plus froid. Isabeau s'en aperçut et lui passa une main dans le dos, tant pour la réchauffer que pour la réconforter.

De quoi ? Elle l'ignorait. Même s'il sentait un peu le renfermé, cet intérieur était des plus agréables. Alors pour quelle raison Françoisine ne pouvait-elle détourner les yeux de l'imposante horloge et de ses motifs sculptés ? Sa respiration se changeait en un halètement pénible, poussif.

Anne patientait toujours. Au fur et à mesure des minutes qui s'écoulaient, son front se plissait de fines rides d'inquiétude. Elle avait réuni dans ce coffret tout ce qu'elle pouvait. Elle songeait aux sommes qu'elle avait pu faire rentrer dans les coffres du Trésor et combien, malgré sa prudente gestion, elles lui filaient aussi vite entre les doigts !

Joseph et Isaac échangeaient de brefs regards circonspects.

— Hélas, Votre Grâce, fit le marchand d'une voix réellement peinée, au plus près de nos calculs, nous devons décliner votre offre. Je suis sincèrement désolé…

Vincent et Benoît se crispèrent d'indignation : comment ? Ces Juifs entendaient profiter du malheur de la duchesse ! Anne baissait la tête. En vérité, elle s'attendait à cette réponse, car elle avait pris le soin, auparavant, de faire évaluer la coupe d'or. Et ce qu'il y avait dans ce coffret était en vérité en deçà de la somme nécessaire.

Oh ! Elle pouvait encore sacrifier quelques-unes de ses pierres personnelles et même plusieurs domaines, dont le petit château de Jugon, qu'elle affectionnait particulièrement. Mais remettre de l'argent à des Juifs était une chose, leur vendre une terre et un titre en était une autre.

Joseph secoua encore sa noble tête.

— Maintenant, peut-être pas, fit Anne, mais demain ?

Le marchand consentit à octroyer à Anne une sorte d'exclusivité d'achat, pour un temps. Car il devait bien vivre, lui aussi !

— Je comprends, soupira la jeune fille.

Elle était tout de même très déçue. La femme d'Isaac entra avec un plateau de biscuits et un pichet d'eau de rose.

Anne allait décliner l'offre — il était tard et on l'attendait — quand Vincent revint de la pièce voisine en toussant.

— Au feu ! s'écria-t-il, le visage défait.

Cette exclamation les saisit au ventre. Une forte odeur de fumée prenait en effet à la gorge. Bientôt, ils entendirent des craquements sinistres dans les murs. Benoît se précipita vers la porte d'entrée. Hélas, elle semblait bloquée de l'extérieur. Isabeau jeta un œil par la fenêtre et eut un haut-le-cœur.

— On se bat dans la rue, s'effraya-t-elle.

Vincent proposa aux jeunes duchesses de monter aux étages.

— Il y a une issue dans le grenier, approuva Joseph.

Son cousin et lui paraissaient stupéfaits. Un feu ! Chez eux !

Françoise semblait fascinée par la grande horloge. Elle répétait à mi-voix :

— Les corbeaux, les corbeaux…

Isabeau suivit son regard et contempla elle aussi les oiseaux sculptés sur le meuble.

— Vite ! Vite ! les pressa Benoît.

L'escalier retentit de leurs pas désordonnés. On montait en hâte, la main sur la poitrine, en tenant un mouchoir sur son nez. Anne demanda à ce que l'on remballe son précieux coffret. Isaac fit chorus en criant à Joseph de prendre également la coupe d'or. Un fracas de verre retentit. Poussée dans le dos par Vincent, Françoise devina que l'on brisait les vitres du rez-de-chaussée.

L'odeur de fumée était de plus en plus lourde et dense. D'autres voix s'élevaient. Des voisins apeurés, sans doute. Parvenus sous les combles, ils sentaient encore la chaleur de l'incendie sous leurs pieds.

Anne, Isabeau et Françoise attendaient, les traits tirés, que Benoît dégage la lucarne qui donnait sur les toits. Il y parvenait quand le page s'approcha soudain de lui parderrière et l'assomma avec la garde de son épée.

— Vincent ! s'écria Anne, effarée, mais vous êtes fou ?

Françoise se plaça entre le page et ses sœurs.

— La pendule doit maintenant indiquer très exactement quinze heures, déclara-t-elle.

Sur le coup, nul ne comprit ce qu'elle entendait par là, même pas Vincent, qui éclata de rire. Mais il s'étouffa à moitié quand la jeune femme tira une dague d'une sangle passée sur sa cuisse.

— Traître ! éructa Françoise.

L'incendie gagnait en puissance. Dans les escaliers se pressaient les marchands et leur famille, mais aussi le capitaine Le Guin, dont ils reconnaissaient la grosse voix.

— Ton compte est bon, manant ! lança Françoise. Révèle les noms de ceux qui te paient !

Vincent rit encore. Il avait le regard torve, les yeux exorbités. Il fit une esquive protégée avec son bras et glissa près de la porte, qu'il referma d'un coup de pied.

Il menaça ensuite Françoise de sa lame :

— Recule, péronnelle, tu ne m'intéresses pas.

Anne était mortifiée. Isabeau tremblait. La chaleur et la fumée gagnaient les combles. On entendait des coups frappés à la porte et les appels désespérés de ceux qui luttaient, derrière, pour échapper à l'incendie…

Chapitre 26

Le guet-apens

Armée de son seul poignard, Françoise n'était pas de taille. Vincent allait porter son coup lorsqu'il poussa un cri de douleur. Anne venait en effet de se mettre en travers d'eux et de lui écraser le pied avec son talon. Françoise en profita. Elle tendit le bras et enfonça sa lame dans le flanc du page.

Tout, ensuite, se précipita. Des hommes marchaient au-dessus de leur tête. Un visage inconnu se pencha à la lucarne. Vincent se tourna vers lui. Un rictus déformait sa figure. Appelait-il ses complices à l'aide ? Des bras se tendirent, mais ils cherchaient surtout à happer Anne. Françoise la tira vers elle.

D'autres bruits leur parvenaient. On se battait sur les toits. Un instant, Françoise crut même reconnaître la voix de Bernard de Tormont. La porte allait céder. Le Guin en jaillit quelques instants plus tard, toussant et crachant, le visage noir de suie. Les marchands juifs et leur famille venaient derrière lui.

— Il faut fuir par le toit, ordonna-t-il.

Un à un, ils se hissèrent par la lucarne. À l'extérieur, la neige blanchissait les tuiles. La fumée formait de sombres volutes au-dessus des maisons. Anne, puis Isabeau hurlèrent d'effroi à la vue de ces hommes dépenaillés qui ferraillaient contre Simon, mais aussi — Françoise n'avait pas rêvé — le vicomte de Tormont !

Avant de sortir à son tour, Le Guin jucha Benoît sur son épaule. Le jeune garde reprenait lentement ses esprits. Certains des assaillants tombaient sous les coups de Simon et du vicomte ; d'autres prenaient le risque de se rompre le cou et essayaient de passer de toit en toit. Une échelle était plaquée contre la façade. Anne vit également des cordes accrochées au pied de la cheminée. Simon la guida de la voix :

— Courage, Votre Grâce !

La jeune duchesse n'en manquait pas. C'était plutôt sa jeune sœur qui l'inquiétait. Isabeau ne cessait en effet de pleurnicher et de s'effrayer du vide.

— Où est Françoise ? s'inquiéta soudain la jeune duchesse.

Sur la pente du toit, des hommes s'empoignaient, des membres de la famille du marchand tentaient, à leur manière, de se mettre aussi à l'abri. En bas dans la rue, des passants tendaient des draps et les incitaient à sauter. D'autres, encore, se relayaient pour éteindre l'incendie. Hélas, le feu ronflait, les boiseries craquaient, des flammes jaillissaient hors de la demeure par les fenêtres.

Anne refusa de descendre avant que ne reparaisse Françoise.

— Aidez-la ! Aidez-la ! supplia-t-elle.

Le vicomte se libéra de son dernier adversaire, puis il vint au-devant de Françoise, qui tirait Vincent hors de la lucarne. Le page hurlait de douleur. Tormont découvrit peu après que les flammes léchaient les mollets du jeune homme. De loin en loin, le toit commençait à s'effondrer.

— Sautez ! l'encouragea Bernard. Je m'occupe de votre page.

Françoise toussait. La fumée lui troublait la vue. Elle aperçut cependant ses jeunes sœurs accrochées aux cordes, qui se laissaient glisser le long de la façade. En bas, des hommes tendaient leurs draperies. Mais le sol semblait si loin ! Le vicomte lui donna la poussée qui manquait à son courage. Elle perdit l'équilibre et hurla…

* * *

Quelques minutes plus tard, la demeure était perdue. Fort heureusement, les citadins faisaient front commun pour tenter coûte que coûte d'empêcher l'incendie de se propager aux maisons voisines. Le vent était tombé, la neige avait cessé. Le Guin fit replier tout son monde à quelques rues de là, tandis que les marchands contemplaient, consternés, l'ampleur des dégâts.

Vincent fut allongé sur le sol. Son flanc gauche imbibé de sang, il tremblait et geignait tout à la fois. Bernard se baissa vers Françoise et annonça que le page n'en avait plus pour longtemps. Réfugiée dans la litière, Isabeau assistait, épuisée et effrayée, au triste interrogatoire.

— Pourquoi ? demanda simplement Anne, accroupie près du blessé.

Vincent cligna des paupières, aperçut le vicomte, tendit sa main :

— C'est… lui, éructa-t-il d'une voix étranglée.

Le vicomte était sonné. Lui, quoi ? Anne le toisa. Mais Benoît intervint :

— Non pas, Votre Grâce, le vicomte n'y est pour rien.

— Mais de quoi parlez-vous à la fin ! s'emporta Bernard, qui n'avait rien vu de ce qui s'était passé dans les combles.

— Cesse de mentir, Vincent, supplia Benoît. N'alourdis pas davantage ton âme et dis-nous la vérité.

Françoise s'approcha à son tour. Elle était encore échevelée et sous l'émotion de son saut de l'ange dans les bras des citadins. Mais dans le même temps, des idées lui venaient, des bribes d'images…

— C'est Awena, n'est-ce pas ? murmura-t-elle.

La grimace du mourant le trahit. Lui aussi devait voir défiler le fil de sa vie devant ses yeux hagards. Son enfance misérable passée à courir et à voler dans les rues sales de Paris. Ces instants de bonheur vécus au sein d'une famille de gitans, près des quais et de Notre-Dame. Son enrôlement dans l'armée du roi, ses mois de service dans la troupe du vicomte de Tormont, la bataille de Saint-Aubin-du-Cormier et la bonne idée qu'il avait eue de se proposer, avec Benoît, comme volontaire pour escorter et protéger Françoise. Ce choix avait changé le cours de son existence. Il était venu à Nantes, puis à Guérande, à Redon, à Rennes. Il avait surtout connu l'amour. Son seul et unique amour avec…

— C'est elle, n'est-ce pas ? insista Françoise.

Le vicomte écarquillait les yeux. Derrière eux, Le Guin traînait un des misérables qui s'était tenu sur les toits en attendant que Vincent fasse sortir les jeunes duchesses.

Le capitaine avait l'air écœuré.

— Allons, parle, gredin!

Le prisonnier balbutia quelques paroles. Son accent breton trahit sa couardise.

Anne secoua tristement la tête. À quelques pas de là, les citadins poussaient des soupirs de soulagement. Apparemment, l'incendie avait pu être maîtrisé. Le quartier était sauvé. En plein hiver, cela aurait été une véritable catastrophe. Sans compter les nombreuses victimes et les sans-abri.

À Bernard, qui n'avait toujours pas compris, Françoise expliqua que Vincent Menez avait, par dépit amoureux, conçu le projet infâme d'enlever Anne et Isabeau.

— Pour le compte de qui agissais-tu? répéta la jeune femme à l'oreille du mourant.

Le regard de Vincent paraissait de glace. Son étincelle de vie se dissipait, s'étiolait. Plus aucune émotion ne semblait le torturer ou l'interpeller. À bien y regarder, d'ailleurs, il paraissait sourire.

— C'est la fin, annonça Le Guin, qui avait déjà à maintes reprises vu la mort de près.

Françoise accompagnait le page pendant son agonie. Ses mains glacées dans les siennes, elle faisait avec lui le dernier voyage.

Il avait aimé. N'était-ce pas, au final, ce qui comptait le plus? Vincent revivait intensément ces heures idylliques passées dans les bras d'Awena. Ces moments intenses de joie arrachés aux règles, aux lois, aux injustices. Heures secrètes dérobées aussi à tous ces seigneurs qui se languissaient des faveurs que lui accordait la belle. Sensations enivrantes que Vincent ne pouvait encore, même allongé dans la neige, regretter d'avoir vécues. C'était cette joie d'avoir eu le courage d'aimer Awena qui illuminait son visage. Comme une tâche périlleuse, mais bel et bien accomplie. Sa seule faiblesse avait été de croire que ce bonheur pouvait être le sien pour toujours.

Il mourait pour avoir voulu s'extraire du carcan de son état de miséreux. Cela, Françoise le comprenait aisément. D'ailleurs, tous deux échangeaient un dernier regard. La jeune femme lutta pour ne pas pleurer. Non pas qu'elle plaignait ce page qui avait failli enlever ses sœurs. Mais parce qu'en lieu et place de Vincent, c'est Pierre qu'elle voyait. Pierre qui devait se désespérer et souffrir dans sa cellule. Lui aussi se disait sans doute qu'il avait osé aimer. En cette époque de rigueur religieuse et d'intolérance, n'avait-il pas lui aussi, comme Vincent, bravé les institutions ?

Bernard insistait auprès du page : qui avait commandité son acte ? Car il allait de soi qu'un page ne pouvait, seul, songer à enlever les duchesses.

— Nous avons tué six renégats bretons, répéta Le Guin. Deux autres seulement ont pu s'enfuir sous le couvert des flammes. Les gredins sont repartis bredouilles.

Vincent mourut peu après en emportant son secret avec lui. Françoise avait bien sa petite idée sur le déroulement des événements. Mais sans preuve, elle ne pouvait décemment accuser ni le maréchal de Rieux, ni Raoul d'Espinay, ni la comtesse de Dinan, toujours réfugiés derrière les murs de Nantes.

Elle ferma les yeux du page, puis elle s'assura que ses sœurs allaient bien. Isabeau s'était assoupie sous les couvertures, mais Anne gardait le silence et les yeux grands ouverts.

La duchesse posa sa main gantée sur celle de Françoise et dit dans un souffle :

— Je t'en prie, va porter quelques pièces d'or à tous ceux qui nous ont aidés, ainsi qu'aux marchands et à leur famille. Pour leur maison. Sans notre visite, ils n'auraient pas tant à souffrir.

Françoise hocha du chef. Elle reconnaissait bien là sa chère sœur : lucide jusqu'à la limite de ses forces, mais aussi, malgré les circonstances, généreuse de son cœur et de sa bourse.

Chapitre 27

Deux visiteurs nocturnes

Bourges, fin mars 1490

Le grand incendie de 1487 avait détruit le tiers de la ville. Fort heureusement, la forteresse avait échappé aux flammes. Les deux visiteurs levèrent les yeux vers la tourelle. Un petit brasero y dessinait la silhouette d'un garde. Malgré l'obscurité, la sentinelle reconnut le blason des cavaliers. Le pont-levis se releva lentement en grinçant de toutes ses chaînes. Les visiteurs étaient harassés de fatigue. Ils passèrent sous la voûte de pierre et se retrouvèrent dans une petite cour. Un capitaine vint aussitôt à leur rencontre.

Il accueillit le noble chevalier en pourpoint et son compagnon en armure. Un soldat aida ce dernier à descendre de son destrier.

— La nuit est tombée depuis des heures, murmura le capitaine Letellier. Nous ne vous attendions plus.

Le chevalier soupira. Ils avaient bien failli, en effet, ne pas arriver.

— Conduisez-nous, je vous prie, dit-il.

Ils entrèrent dans la forteresse. Le capitaine les mena par de sombres corridors. On entendait le bruit un peu rauque de leurs respirations et les cliquetis du chevalier en armure. L'air était vif et coupant. Il semblait que les murs gardaient en eux une partie de l'humidité glaciale de l'hiver.

— C'est par ici… souffla le capitaine.

En chemin, ils passèrent devant une chambre d'où sourdaient les miasmes de la maladie, fièvres et pustules mêlées. Un homme gémissait sur sa couche.

— Notre commandant, expliqua Albert Letellier. Une rechute. L'alcool seul le soulage.

Depuis la correction publique qu'il avait subie, le capitaine avait pris du poil : il ne nourrissait plus ni peur ni sympathie pour son supérieur. Le cavalier en pourpoint jeta un regard sur l'officier malade et approuva : c'était excellent. Non pas tant le remède que la circonstance. Ils montèrent un escalier, traversèrent un petit jardin enclos derrière de hautes murailles. Faisant fuir les ombres et les ténèbres, la sentinelle qui les suivait tenait sa torche haute. À leur approche, les oiseaux et les insectes nocturnes se taisaient. La silhouette d'une tour apparut.

— C'est ici.

L'homme en pourpoint remit au capitaine deux bourses de même grosseur.

— La première est pour votre commandant, dit-il, l'autre, pour vous et vos hommes.

Les yeux de Letellier se rétrécirent. Les piécettes d'or tombèrent une à une dans sa main. Il les compta, puis sourit.

— Vous avez jusqu'au petit matin, fit-il en leur remettant une longue clé à moitié rouillée.

Lorsqu'il s'en fut allé avec la sentinelle, le chevalier en armure posa son gantelet sur l'avant-bras de son compagnon.

— Je vous l'avais bien dit, murmura l'autre. Allez-y, je vais de mon côté.

Les dalles retentirent encore des pas métalliques. Le chevalier montait les escaliers. Il atteignit le premier étage et se dirigea vers l'unique cellule. Parvenu devant le soupirail, il inspira profondément. Cette aventure était folle autant que dangereuse, mais elle touchait à son terme. Il introduisit la clé le plus doucement possible : il lui sembla que cette damnée serrure faisait tant de bruit que tous les habitants de Bourges devaient l'entendre. À moins que ce ne fussent simplement les battements sourds de son cœur !

La porte tourna enfin sur ses gonds. Quelque peu hésitant, il entra et promena sa torche devant son heaume. Sa respiration était sifflante. Les murs faits de grosses pierres suintantes d'humidité, les dalles glacées, l'unique couche de grain placée dans un angle, tout lui faisait horreur. Une silhouette recroquevillée clignait des yeux et tendait ses mains devant son visage pour se protéger de la morsure de la lueur fauve.

L'individu en armure fixa alors sa torche à un crochet, dégaina son épée et la brandit…

* * *

Pierre Éon Sauvaige avait passé une journée différente des autres. Louis d'Orléans et lui avaient pu, fait rarissime, se livrer à un peu d'exercice. On les avait en effet autorisés à manier l'épée. Des lames en bois, naturellement. Puis ils étaient restés à l'ombre d'un arbre, dans la cour, à lire et à discuter.

Louis avait senti très tôt que cette journée serait exceptionnelle. Le premier indice lui était venu de la qualité de leur repas. Du lapin figurait effectivement au menu ! Ensuite, Louis avait fait la lecture à voix haute, et Pierre avait écouté. Le duc lui donnait à répéter des mots compliqués et lui demandait aussi d'élaborer des phrases.

L'ancien palefrenier du château de Nantes avait autant de volonté que de talent. Cette interaction entre les deux hommes leur était mutuellement bénéfique et trompait leur solitude. Après sa première maladie, le duc d'Orléans avait beaucoup perdu de sa vigueur. Son teint n'était plus aussi frais qu'autrefois, et il sentait la fatigue lui venir au moindre effort ou presque. Il demeurait persuadé qu'Anne de Beaujeu avait cherché à le supprimer en usant de poison. Depuis la visite de Jeanne dans leur prison de Poitiers, ils avaient eu l'insigne honneur de revoir celle que Louis appelait toujours « la bossue » ou « la boiteuse ».

Pierre avait pitié de la duchesse d'Orléans. Elle venait et se montrait toujours attentive et discrète. Pendant et après ses visites — au moins durant une ou deux semaines —, la nourriture était plus abondante, et ils obtenaient des couvertures et des bains de temps en temps.

Mais Louis semblait ne rien voir de la bonté de sa femme. Il restait des heures, après son départ, tout seul dans sa cellule, et il attendait. Quoi, au juste ? Il n'en soufflait mot, car il gardait par-devers lui plusieurs secrets qu'il ne partageait pas avec Pierre. Son compagnon se rappelait quand même les visites nocturnes de la belle lingère de Poitiers. Était-il Dieu possible que le duc se languisse encore de cette femme ?

Louis avait cependant révélé que la lingère était grosse de lui et que, pour cela, elle lui avait fait la promesse de le suivre. Hélas, ils ne l'avaient plus revue. Son frère, un des hommes de la garde, manquait également à l'appel.

— Ce damné commandant ! s'écriait parfois Louis. Il m'en veut. Pour une raison que j'ignore, il me persécute.

Le commandant Rainier de Bourg était certes dur, songeait Pierre. Quant à imaginer, comme le faisait le duc d'Orléans, qu'il existait entre eux un lien ténu et mystérieux fait de jalousie ou bien de haine…

Quoi qu'il en soit, Louis avait souri en voyant arriver, tard dans l'après-midi, le capitaine Letellier… accompagné par deux jeunes lingères.

— Vous avez droit à un bain, avait déclaré l'officier.

Louis s'était avancé. Mais l'autre l'avait écarté non sans quelques égards, car hélas, le bain était non pour lui, mais cette fois pour son compagnon.

— Pierre ? s'était esclaffé le duc.

Et Pierre était parti, entouré par les jeunes femmes. Louis l'avait longtemps regardé, perplexe, jusqu'à ce qu'ils disparaissent sous les voûtes.

* * *

Le fil de cette journée pas comme les autres revenait à la mémoire de Pierre tandis qu'il se trouvait face au chevalier en armure. Celui-ci ficha son épée entre deux dalles. Puis il ôta un à un ses gantelets. Solerets, grèves, cuissards, épaulières, plastron, bavière : les différentes parties de l'armure tombèrent également au sol. Parfois, l'individu se contorsionnait un peu. Pierre demeurait coi.

Tout lui avait paru si étrange, aujourd'hui ! Les lingères, le bain, les nouveaux habits, sa cellule nettoyée de fond en comble, ses draps changés, sa nouvelle couverture… et puis cette visite pour le moins inattendue !

Ne restait désormais que le heaume… qui fut ôté en dernier. Pierre, alors, crut défaillir, car un flot de mèches blondes jaillissait du casque.

Le jeune homme battit des paupières. Avait-il l'âme si encrassée qu'il n'avait pu reconnaître plus tôt ce parfum unique, cette posture, ce visage étroit, ces yeux bruns chauds, ces traits un peu aigus mais charmants, et cette bouche invitante !

— Je rêve, balbutia-t-il, c'est un rêve…

La jeune femme dissimulée sous l'armure ne portait plus qu'une longue chemise blanche. Elle s'approcha. Pierre l'enlaça.

— C'est moi, murmura Françoise contre son cou, c'est vraiment moi.

Et elle l'embrassa.

Revenu de sa surprise, Pierre décida que ce rêve était sa réalité, ici, maintenant, malgré le décor sordide de sa cellule, malgré sa condition de prisonnier depuis…

L'instinct et le désir reprirent leurs droits. Les mains du jeune homme remontèrent sur les jambes nues de son amante. C'était bien le même grain de peau, la même douceur, la même fermeté. Il les caressa jusqu'en haut. Ses doigts s'introduisirent sous le tissu de la chemise entre les jambes.

Françoise poussa un petit cri.

Elle-même avait l'impression de vivre un rêve merveilleux. Cette longue chevauchée depuis Rennes, ces forêts traversées, ces barrages de soldats que le laissez-passer de Bernard leur avait permis de franchir : tout cela pour aboutir jusqu'à Pierre.

Françoise fondait sous les baisers du jeune homme. Elle avait tant imaginé ces instants de retrouvailles !

Aussi impatients l'un que l'autre, ils tombèrent sur la couche. À son tour, Françoise revisita le corps de Pierre. Elle était fébrile, mais se força pourtant à la lenteur. Elle voulait tout sentir, tout toucher, tout embrasser. La lueur de la torche ne faisait que les frôler. Pierre était aussi avide et aussi mesuré qu'elle. Nulle parole n'était nécessaire.

— Nous avons toute la nuit, lui répéta Françoise à plusieurs reprises.

Pierre la caressa longuement avant de venir sur elle. Ils se sentaient tous deux dans le même état d'esprit que plusieurs années plus tôt, dans les combles du château de Nantes, peu avant que Françoise ne quitte sa famille pour aller vivre sur les terres de Raoul d'Espinay.

Ils s'aimèrent longtemps, s'endormirent dans les bras l'un de l'autre pour se réveiller plus tard et recommencer, jusqu'à ce que l'aube les surprenne sous le même drap, les jambes nouées, la tête de Françoise reposant sur le torse de Pierre.

* * *

Un homme marchait en boitillant et en se tenant aux murs. Il s'était levé de peine et de misère dès qu'on l'avait prévenu. La tête lui tournait, une faiblesse allait et venait dans tout son corps. Cependant, il était si en colère qu'elle suffisait à le porter.

— Mon épée ! brailla-t-il.

Son serviteur fouilla dans la pièce, mais vint tout de même la lui porter.

— Eh bien, galopin ! s'écria le commandant, tu y as mis du temps !

L'autre n'osa avouer à son maître que l'arme, de même que son pourpoint, avait été soigneusement cachée.

— Vain Dieu ! s'exclama Rainier de Bourg. Qu'est-ce que cela ?

Il avisait, dans la cour, deux destriers qui attendaient. Son œil alla du chemin de ronde à la tour où logeaient les prisonniers. Autour de lui se tenaient plusieurs de ses hommes.

— Pourquoi donc fixez-vous aussi bêtement vos bottes, soldats ! les morigéna-t-il.

Il n'attendit pas leur réponse et se dirigea aussi vite qu'il le pouvait vers le petit jardin. Emporté par sa mauvaise humeur, il décapitait les buissons et les taillis avec sa lame, et répétait que s'il avait été trahi…

Son capitaine vint à sa rencontre. De Bourg le menaça de son épée.

— Letellier ! Arrière, traître !

— Mon commandant, balbutia l'autre en tentant de le retenir.

Rainier monta sans attendre au dernier étage. Tout essoufflé, victime d'un fâcheux étourdissement, il se retint au mur. Un homme se tenait près de la porte fermée.

— Vain Dieu ! répéta le commandant. Qui êtes-vous donc pour oser investir ma forteresse ?

— Mesurez vos paroles. Je suis Bernard, vicomte et seigneur de Tormont.

De Bourg cracha au sol.

— Votre titre ne vous autorise pas à pénétrer dans ces murs.

— Je suis cousin du général de La Trémouille et je…

— Et moi, je suis sous les ordres du roi et de sa sœur, et ces prisonniers sont sous ma garde.

Le capitaine Letellier osa s'avancer et glisser quelques mots à l'oreille du terrible geôlier :

— Le duc n'est pas sorti de sa cellule de toute la nuit, murmura-t-il d'une voix étranglée.

— Idiot ! rétorqua l'autre en lui assenant une gifle.

Un autre homme lui lança de loin une bourse de cuir. De Bourg la soupesa dans sa grosse main. Certes, il était couvert de dettes, sa médication lui coûtait cher et les subsides qu'il touchait du roi accusaient plusieurs mois de retard… Il détailla un à un les visages de ses hommes, qui avaient aussi chacun une famille à nourrir et plus un sou en poche.

Finalement, il lâcha un râle de dépit, fit volte-face et descendit à l'étage en dessous. La porte de la cellule était ouverte. À l'intérieur se tenait le prisonnier, assis au bord de sa couche, nu sous ses couvertures, et un homme en armure attendait debout près de lui. Une longue épée plantée entre deux dalles complétait cet étrange tableau.

De Bourg lâcha une autre bordée de jurons, puis il disparut. Arrivèrent le vicomte de Tormont et le capitaine, qui tenait sa joue meurtrie.

— Il n'a rien vu, assura Letellier, et nous non plus.

— Bien, fit Bernard.

Avant de vider les lieux, il lui remit une troisième bourse, cette fois-ci destinée aux lingères et aux autres personnes impliquées dans leur petite affaire…

* * *

Deux heures plus tard, Françoise et Bernard chevauchaient côte à côte. La jeune femme était recrue de fatigue, mais aussi repue d'amour, de caresses et de tendresse. Elle n'avait pu délivrer l'homme qu'elle aimait, mais au moins l'avait-elle réconforté de son mieux !

— Monsieur, dit-elle à Bernard, vous avez fait la preuve de votre générosité et de votre grand courage.

Le vicomte éclata de rire.

— Ne suis-je pas votre ami, à Pierre et à vous ?

Françoise avait abandonné son armure et portait à présent un habit de chasse, des bottes et un chapeau à large bord.

Il lui prit la main :

— Je n'ai pas oublié les étuves de Nantes ni votre propre générosité et votre courage d'alors !

Ils rirent ensuite tous deux à ce souvenir et à cet événement aussi heureux, gaillard que périlleux sur lequel se fondait leur complicité.

— Et ne suis-je pas moi-même un homme comblé en amour ? ajouta Bernard en songeant combien Awena lui avait manqué, cette nuit.

Un silence gêné s'installa. Bernard pensait-il qu'en aidant Françoise, il trahissait la confiance du roi ?

Ils traversèrent un petit bourg. Après s'être restaurés, ils reprirent le chemin. Cette escapade était secrète. Seul

Montauban en avait été averti. Des messages avaient été adressés à Louis — ce qui aggravait peut-être le malaise du jeune vicomte. Le duc les avait lus, puis aussitôt brûlés. De son côté, pour passer le temps, Bernard avait également parlé au premier prince du sang. Dans le feu de leur conversation, à travers la porte close, ils avaient échangé leurs idées sur bien des sujets. Louis avait voulu avoir des nouvelles de ses amis, le comte de Dunois, Comminges, le prince d'Orange, mais aussi de son grand complice Georges d'Amboise.

À ce souvenir, Bernard se racla la gorge :

— À propos, dit-il en serrant ses rênes, avez-vous parlé de l'enfant à Pierre ?

Françoise se raidit.

— Les yeux ne trompent pas, ajouta le vicomte.

Après un nouveau silence intentionnel, la jeune femme soupira et répondit à côté :

— C'est tout de même pitié de les garder tous deux dans des lieux aussi désolés et infâmes !

Bernard n'insista pas, mais rétorqua :

— Nous les savons au moins en vie et en santé.

« Et vigoureux », aurait pu ajouter Françoise, qui rougit brièvement en pensant à la nuit éreintante qu'elle venait de passer. C'est simple, elle avait mal partout. Ses seins, ses fesses et son entrejambe étaient comme à vif. Ce dont elle ne se plaignait certes pas !

Ils galopaient à longues enjambées sur le chemin. Ils allaient faire encore bien des détours, mais ils finiraient par atteindre Rennes. Maintenant qu'elle avait revu Pierre, Françoise avait hâte de serrer son fils dans ses bras.

— Arnaud, dit-elle en poursuivant la conversation de tout à l'heure, est le fils de Raoul. Le baron et moi avons… un pacte ensemble. Une entente.

Bernard ne fit aucun commentaire. Il se contenta de hocher la tête.

— Ne désespérez pas de revoir Pierre, laissa-t-il tomber. Vous savez, le roi ne hait point son cousin.

Chapitre 28

Au marché

Sons de flûtes, tambours et pipeaux, la ville de Rennes était ce matin d'aussi bonne humeur qu'Anne. Après maints essais infructueux, les deux jeunes duchesses avaient enfin obtenu de Montauban l'autorisation de descendre dans la vieille cité pour se mêler à la foule. Anne voulait voir de ses yeux le marché. Cet endroit d'où leur venaient la nourriture qu'elles mangeaient et les objets qu'elles utilisaient — ou dont leurs gens et domestiques se servaient quotidiennement. On racontait qu'il y avait au marché des étoffes que même les marchands de la cour ne possédaient pas dans leur réserve. Anne et Isabeau étaient bien curieuses et décidées à vérifier elles-mêmes ces hypothèses.

Elles étaient sorties en litière. Chapeautées par leur aînée et escortées par plusieurs soldats, elles allaient par les rues animées. Anne avait été catégorique : elle ne prendrait aucun de ses attelages, dont les draperies, frappées de ses couleurs, étaient par trop reconnaissables, mais plutôt une litière de bourgeois.

Dominée par ses remparts, ses créneaux et ses portes massives, la vieille ville grouillait, bruissait, retentissait de mille bruits et d'odeurs. Isabeau fronçait surtout le nez. Les deux jeunes filles éclatèrent de rire.

— Vraiment, leur dit Françoise, aller au marché aujourd'hui alors qu'il bat son plein, avec tout ce monde...

— Exactement ! fit Isabeau en gloussant.

Elle serrait contre elle Grisot, dont elle ne voulait guère se séparer ces temps-ci. La petite boule de poils était blottie dans ses bras et gardait frileusement ses oreilles plaquées sur sa tête.

— Il doit être effrayé. Si tu ne veux pas le perdre, ajouta Françoise, surtout, fais-y attention. Quelle idée, non mais quelle idée de l'avoir emmené !

Ils atteignirent la rue des Tanneurs — là où commençait proprement le marché. Chaque rue possédait ses tréteaux, ses étals, ses spectacles. Les marchands ordinaires sortaient les produits de leurs échoppes, les itinérants montaient les leurs.

Anne se boucha les oreilles.

— Que c'est bruyant ! On me l'avait dit. Mais à ce point !

Isabeau et elle étaient toutes énervées. Pour l'occasion, elles avaient revêtu des robes coupées dans de simples draps. Et quiconque ne les connaissait pas personnellement les aurait sans doute prises pour des filles de bourgeois. Simon et Benoît marchaient de chaque côté de la litière. Eux aussi portaient des vêtements ordinaires. Et s'ils cachaient leur épée à la ceinture, elle ne se voyait pas ou presque. Montauban avait insisté pour que les gardes soient munis, par contre, de solides cottes de mailles.

— Mais alors, sous le surcot ! s'était récriée Anne, qui ne voulait surtout pas attirer l'attention.

De bonnes odeurs de pâtisseries leur venaient maintenant aux narines, ce qui était tout de même plus agréable que le fumet de purin et d'urine respiré tout à l'heure. Une bande d'artistes et de conteurs ambulants fit son entrée en musique. Parvenue sous une enseigne à laquelle se balançait une paire de ciseaux en bois, Anne donna l'ordre de s'arrêter.

— Je veux aller à pied.

— Mais, et Grisot ? s'inquiéta Isabeau.

Anne comme Françoise désapprouvaient leur cadette. Heureusement, Françoisine trouva la solution.

— Il n'a qu'à demeurer dans la litière avec Odilon et Arnaud !

Son fils, en effet, les accompagnait. C'était sa première fois ; il n'avait pas encore tout à fait deux ans. Anne faisait grise mine. Françoise sentait que sous son excitation, sa sœur était contrariée, pis encore ! qu'elle lui tenait rigueur de sa petite escapade en France avec Bernard de Tormont.

« Nous t'avons rapporté des nouvelles de Louis ! s'était défendue Françoise. Et puis, Montauban était au courant… »

Justement. Lui et pas elle ! Anne ne lui avait pas mâché ses mots. Selon la jeune duchesse, cette fugue avait été irréfléchie et surtout, devinait Françoise, entreprise sans son accord… À treize ans, Anne exigeait en effet d'être tenue au courant de tout, spécialement d'une intrusion en territoire ennemi ! Et pour quoi, réellement ? Un homme…

« Ne m'as-tu pas avoué un jour que de tous tes prétendants, Louis était le seul que tu aurais accepté sans trop de regrets ? » s'était récriée Françoise.

Mais Anne n'en démordait pas. Aussi entendait-elle aujourd'hui être suivie dans ses avis et, pour dire les choses plus simplement, obéie.

Grisot miaula de frayeur. Tous ces bruits, ces odeurs et ces mouvements l'épouvantaient. La duchesse intima à sa jeune sœur la consigne de ne pas s'éloigner de la litière. Elle avait voulu son chat : qu'elle en prenne donc la responsabilité ! Isabeau fit la moue. De caractère aussi peu docile que sa sœur, elle détestait être forcée dans ses décisions.

Puis Anne se mêla à la foule.

Le capitaine Le Guin avait affecté une dizaine de soldats à sa sécurité. Les hommes devaient hélas, selon le vœu de la duchesse, se vêtir en paysans et en marchands, ce qui compliquerait d'autant leur tâche. Françoise s'occupait passionnément de son fils, à qui elle faisait découvrir la vieille ville.

Même si la chose allait être rapportée et commentée au château par les courtisans, Bernard de Tormont prit d'autorité Anne par le bras. Le vicomte avait fait la preuve de sa fidélité. La jeune duchesse savait à qui elle devait cette ferveur... D'ailleurs, Awena n'était pas loin, et les deux tourtereaux échangeaient moult regards énamourés. Cette attention mutuelle, soutenue et presque constante, troublait Anne au plus profond de son cœur.

Ainsi, c'était cela, l'amour ! S'effleurer à la moindre occasion, se contempler comme le plus précieux des trésors, rechercher la compagnie, la voix, le rire de l'autre. Et aussi, sans doute, le plaisir de se retrouver seuls, le soir, dans la chambre ou dans l'alcôve. Cette dernière pensée amena du feu aux joues de la jeune fille.

Après tout, elle avait été à maintes reprises fiancée, mais sans avoir jamais ou presque pu jeter un regard sur son promis — hors les fils de Jean II de Rohan, Alain d'Albret et, oui, le duc Louis d'Orléans.

Tormont lui parlait, mais Anne ne l'écoutait plus. D'abord, elle avait essayé. Mais puisque le vicomte n'en avait que pour sa belle, Anne s'était retirée en elle-même — chose qu'elle faisait avec bonheur et facilité — et s'ouvrait plutôt sur la rue si animée et colorée.

Que d'étals de marchands et d'artisans ! On vendait de tout. Des ustensiles de cuisine aux produits de maroquinerie, en plus des vêtements, bien sûr ! Draperies et étoffes de soie, brocart, velours simples ou bien travaillés, des gants, des voilettes, mais aussi des chaussures — les cordonniers étaient très présents, et ils ne hurlaient pas moins que les autres les mérites de leur marchandise.

Au milieu de cette cohue allaient et venaient les citadins, clients ou badauds, vendeurs de friandises, de vin, d'eau, ainsi qu'une myriade d'enfants dépenaillés poursuivis parfois par les gens du guet chargés de maintenir l'ordre.

Isabeau aussi avait décidé de descendre à pied, et elle tenait son chaton serré contre son corsage. Anne convenait que sa cadette était aussi frondeuse et obstinée qu'elle — ou presque. Cela la fâchait parfois. Mais aujourd'hui, Anne était tout ouïe. Elle gardait aussi les yeux grands ouverts.

Le vicomte la cherchait parfois du regard :

— Restez près de moi, Votre Grâ...

— Chut ! lui intimait Anne. Et mon incognito !

Sa voilette lui cachait en partie le visage. Était-elle convaincue, malgré tout, de ne pouvoir être reconnue ? Un mouvement de foule secoua la rue. Des manants la remontaient, des bijoux plein les mains. On criait, on pestait. Les sergents intervinrent sans attendre, mais renversèrent au passage Isabeau, qui poussa un cri terrible. Grisot s'échappa de ses bras. Simon se rua aussitôt à ses trousses.

Anne n'eut pour sa sœur qu'un regard glacé qui signifiait en quelque sorte « Bien fait, je t'avais prévenue ! » Françoise lâchait enfin son petit Arnaud pour s'occuper d'elles. En tant que première dame d'honneur, ne devait-elle pas les suivre pas à pas au lieu de bichonner son petit garçon ! Arnaud était un vrai petit ange curieux de tout et pétillant de santé. Il semait la joie où il passait. Mais il y avait des limites.

Anne était si absorbée par ses pensées qu'elle s'éloigna sans s'en rendre compte. Les cris l'avaient écartée de la rue ; elle était passée sous une voûte pour échapper aux sergents, qui couraient en sens inverse. Au final, elle était parvenue au terme de ses rêveries quand elle battit rapidement des paupières : immobile au milieu de la foule anonyme, elle entendait battre son cœur — elle ne reconnaissait plus rien ni personne !

Tout son être se recroquevilla. Et puis, les secondes passant, elle sourit. N'était-ce pas ce qu'elle avait secrètement souhaité ? Se retrouver seule pour la première fois de sa vie. Elle imagina la tête que ferait le chancelier et rit sans plus de retenue.

Le soleil commençait à s'extraire des nuages. À la bonne heure ! Près d'un étal de paysans, un homme la bouscula. Anne alla percuter une pile de cageots dans lesquels caquetaient des poules effrayées. L'affolement des volatiles raviva ses craintes. On la fixa du regard comme si elle était coupable. Les yeux agrandis de frayeur, Anne déglutit. Et puis, on cessa de lui prêter attention, et elle put poursuivre ce qu'elle appelait son « incartade » : sa propre intrusion en territoire ennemi ou inconnu…

Sous une tente, la conversation entre deux marchands retint son attention. Elle fut soulagée de comprendre ce qu'ils se disaient — ils parlaient le français —, alors qu'autour d'elle, la foule anonyme s'exprimait plutôt en breton. Certes, les notables et les bourgeois, pour la plupart, utilisaient le français. Aussi Anne tendait-elle l'oreille.

Les deux marchands devisaient de leurs affaires. À un moment, l'un d'eux déclara sur le ton de l'excuse :

— Je te connaissais, mais sans savoir vraiment qui tu étais. Accepte de me pardonner.

Et sur ce, il lui rendit la poignée de pièces d'argent qui était au cœur de leur litige.

Anne demeura coite. Elle ne savait trop pourquoi, mais ces paroles résonnaient étrangement en elle. Une poigne solide se referma soudain sur son bras. Elle fit volte-face, prête à sermonner l'insolent, mais sourit plutôt en reconnaissant son bon gros et sympathique garde préféré

— Simon !

L'ancien palefrenier ne parlait pas beaucoup. Fort heureusement, ses yeux, son sourire et sa figure étaient un vrai livre ouvert. Anne leva ses bras :

— Rassure-toi, il ne m'est rien arrivé. Tu vois, je vais bien. Allez, on rentre.

Elle gardait cependant en mémoire les paroles du marchand. Elles feraient leur chemin dans son esprit : de cela, Anne en était certaine. Ce ne fut qu'en soirée, lorsqu'elle se retrouva en tête à tête avec Philippe de Montauban et quelques autres seigneurs, qu'elle put enfin s'exprimer sur ce qui la taraudait.

Le chancelier l'écouta jusqu'au bout. Mais au fur et à mesure des secondes qui s'égrenaient, il changeait d'expression. Son front se plissait, les commissures de sa bouche se raidissaient, son regard devenait grave. Jean Meschinot, Alain Bouchard, leur chroniqueur, ainsi même que le sieur de Graville, le secrétaire de leur conseil, prenaient la mesure des paroles de la jeune duchesse, et leur figure se décomposait également.

— Vous assurez, poursuivit Anne, que les petites gens me connaissent. Mais savent-ils vraiment qui je suis ? Je leur demande sans cesse de nouveaux impôts. Les curés de paroisse plaident ma cause, qui est aussi la leur. Mais ils ne m'ont jamais vue. Ma voix, mes yeux... rien. Ils ne me connaissent pas. Alors, c'est décidé. Je ne peux plus ordonner ni demander désormais sans aller vers eux. Vous me comprenez !

Montauban était proprement abasourdi. Isabeau avait tout entendu. Battant des mains, elle approuva son aînée.

— Oui, oui ! Allons-y, c'est une bonne idée !

Le chancelier se leva lourdement. Il devait y réfléchir. Il prit les mains d'Anne et lui fit promettre de s'en remettre à lui. Pouvait-elle jurer de ne rien faire avant qu'il n'ait bien pesé le pour et le contre ?

Anne devinait trop, autour d'elle, les parfums à la fois légers et épicés de l'amour et du désir qui s'éveillaient comme chaque soir à cette heure. Les regards devenaient enjôleurs, les doigts se caressaient sous les tables. On se buvait des yeux entre deux battements de cils. Elle-même était aussi d'humeur trop folâtre pour donner la réponse qu'espérait le chancelier.

— Faites donc, dit-elle simplement, réfléchissez. Mais vous savez que je ne changerai pas d'avis.

* * *

À Amboise, à la cour du roi, l'ambiance n'était pas moins festive. On pouvait être en guerre et en constantes manœuvres diplomatiques, et vouloir aussi s'amuser. Dans le salon, plusieurs personnes accompagnaient le jeune souverain dans ses plaisirs ordinaires. Et ils n'étaient pas moins paillards qu'à Rennes. Plus discrets, cependant, car Charles était jeune et peu dégourdi, et Anne de Beaujeu, encore la maîtresse des lieux.

Alors que son frère était pris par une partie d'échecs avec Guillaume de Rochefort, elle lui serinait combien l'Empire étouffait la France. On parlait à mots couverts d'un rapprochement entre la Bretagne et le roi des Romains. Pour preuve, cette clause exaspérante imposée par Maximilien d'Autriche dans le traité de Francfort.

— S'il exige que nous retirions nos troupes de Bretagne, c'est qu'il fait les doux yeux à la petite duchesse ! insista la dame de Beaujeu.

Charles était fort contrarié. Il grattait souvent son long nez, pinçait ses grosses lèvres, et ses mains avaient ce tremblement brusque, ce tic nerveux qui inquiétait assez ses deux sœurs. Si Anne se tenait dans la lumière avec Pierre, son époux, Jeanne demeurait dans l'ombre. Mais elle n'en souffrait pas moins de voir son frère se débattre avec ce qu'elle appelait ses « démons intérieurs ».

Pour l'heure, Charles hésitait entre sacrifier sa tour ou bien user de son cavalier pour contourner le danger et attaquer son adversaire par-derrière après avoir sacrifié quelques pions. Sur ce entra la pétillante Marguerite d'Autriche entourée de sa suite.

Avec le temps, on avait presque oublié que Margot était la fille de Maximilien. Elle vivait en France depuis cinq ans révolus, on l'appelait « la petite reine », elle ensoleillait la cour. Tout cela en étant également la fille de leur plus dangereux adversaire sur l'échiquier politique !

Margot, cependant, était autant aimée pour sa blondeur et sa beauté qu'appréciée pour son intelligence précoce. « Quelle reine elle ferait plus tard ! » songeaient les courtisans alors même que les raisons de ses épousailles avec Charles se réduisaient à une peau de chagrin face à la menace grandissante de voir la Bretagne devenir terre d'Empire. Car c'était bien là, depuis la signature du traité de Francfort, toute l'argumentation déployée par la dame de Beaujeu.

Charles réfléchissait toujours à la pièce qu'il devait déplacer. Autour, tous l'encourageaient. Le roi était vaillant et trop lucide pour se laisser berner par Rochefort ! De son côté, le conseiller devinait bien les messages cachés sous ces paroles mielleuses : il devait incontinent faire une erreur pour perdre devant le roi…

Marguerite parlait de ses dernières lectures. Il faut dire qu'elle savait déjà le français, bien sûr, mais aussi l'allemand et un peu d'espagnol et de latin. Charles avait beau avoir le nez au-dessus de l'échiquier, il entendait chacune de ses paroles. Il aimait certes le son de sa voix, et il lui plaisait d'être promis à une femme aussi intelligente. Parfois, cependant, cette même précocité le rendait fou d'angoisse et de rage.

Margot voulut l'aider et lui demanda la permission de jouer à sa place. Ce qu'elle fit de sa main blanche et gracieuse. Puis elle déclara, tout sourire et les joues empourprées :

— Voilà, mon beau Seigneur ! Vous pouvez maintenant dire « échec » !

Tous applaudirent, Rochefort le premier.

Charles commença à sourire, mais sa figure se gâta vite. Il se leva brusquement et sortit en courant hors de la pièce.

— Mon frère ! s'écria la dame.

Une fois encore, elle tenta de calmer le jeu et de rassurer tout le monde. Le roi était fatigué, indisposé. Trop de pâtisseries, sans doute, surtout les dragées qu'il affectionnait tant !

Charles se réfugia dans sa chambre. Il vit les quelques livres étalés sur sa courtepointe, se jeta dessus, les feuilleta, puis les lança contre le mur. Il avait tant de difficulté, parfois, à comprendre ce qui était relaté dans ces pages, quand bien même elles étaient écrites en français ou en latin !

On tambourina à sa porte, mais il ne voulait voir personne, et surtout pas sa sœur !

— C'est moi… fit une petite voix.

Charles se redressa. Jeanne, c'était différent. Il se sentait moins pitoyable devant elle.

— Je t'en prie, pour l'amour de Dieu, ouvre-moi ! répéta la princesse.

Dieu. Dieu ou bien la Vierge Marie ! Elle n'avait vraiment que ces mots-là à la bouche !

Charles demeura immobile sur son lit, étendu sur le ventre, bras écartés. Il en venait à la conclusion qu'il y avait décidément autour de lui trop de femmes intelligentes. Elles avaient tant à dire et tant d'idées qu'il avait l'impression, lui, de n'être qu'une tête vide. Cela, tout le monde se le disait à voix basse dans le château. Les courtisans, les seigneurs, les ambassadeurs, les notables, les bourgeois, les clercs et même les domestiques !

Il laissa longtemps Jeanne, puis Anne tambouriner à sa porte tout en tournant et en retournant sa piécette d'argent dans sa main, et en se promettant qu'un jour…

Oui, un jour…

Chapitre 29

Le grand tour de Bretagne

Quelques jours plus tard, Anne fit venir chez elle des paysans, des marchands, des ouvriers, des artisans, des clercs, mais aussi nombre de femmes qui travaillaient autant que leurs maris. Les membres de la cour, et parmi eux ses proches, furent étonnés de la voir s'isoler en petit comité avec les uns et les autres pendant de longues minutes. Une file d'attente dépareillait les couloirs au vu et au su de tous dans un silence, presque un recueillement, que seul semblait comprendre le chapelain Adam Forget. Quand on l'interrogeait, il répondait sentencieusement que la jeune duchesse priait beaucoup ces derniers temps, et que c'était là une belle et noble chose.

Il ressortit effectivement de ces entretiens plusieurs mesures qui firent chaud au cœur des populations. Lors de la venue des Français, un an auparavant, cinq fours avaient été détruits. Anne en paya de sa poche un nouveau, énorme, installé dans les remparts, et qui serait accessible à tous.

— Je veux comprendre, répétait-elle à ceux qui l'interrogeaient, comment les gens vivent, ce qu'ils pensent, ce qu'ils craignent le plus. Leurs rêves, leurs espérances.

Et à Montauban, à Dunois, au prince d'Orange ou à Comminges, qui faisaient partie de son conseil, elle ajoutait que non, elle ne changerait pas d'avis.

— Même si votre projet est folie en ces temps de disette et de révolte ?

Anne gardait les lèvres pincées.

Armée de son sceau tout neuf — elle y était représentée de face, assise sur un fauteuil à haut dossier, et elle tenait une épée levée —, Anne entérina un certain nombre de mesures : freiner le pillage, les vols et autres irrégularités sur les prix ; punir ceux qui profitaient de la crise pour s'enrichir aux dépens des faibles ; créer une flotte de navires qui patrouilleraient le long des côtes pour endiguer le piratage. De toutes ces décisions que Montauban approuvait, Anne était très fière de cette « flotte » qui avait également pour but de montrer que la Bretagne demeurait malgré tout une nation souveraine.

— Mais d'où te viennent toutes ces idées ? voulut savoir Françoise.

Anne sourit, puis elle montra sa tête et son cœur.

Aux tout derniers jours de mars, Dunois, Montauban et le prince d'Orange tentèrent encore de la décourager. Son projet était insensé. Comment espérait-elle voyager sur des chemins qui étaient le terrain de chasse des brigands, des troupes royales, mais aussi des mercenaires payés par Rieux et Rohan ?

— Vous serez arrêtée, capturée...

— On veillera sur moi.

— Ce n'est pas une centaine d'hommes en armes qui pourront...

— Dieu pourvoira à ma sécurité.

Elle posa une main sur celle de Philippe de Montauban, l'appela par son prénom.

— Vous admettez, Philippe, répéta-t-elle doucement, que mon idée est bonne.

— Elle est certes excellente, mais pas en ce moment.

Elle ferma les yeux, et il comprit qu'elle demeurerait inébranlable.

Le convoi quitta Rennes le lendemain. La population était partagée. Certains pensaient qu'ils allaient perdre leur souveraine. D'autres, plus fervents, saisirent mieux le but ultime de ce tour de Bretagne que, du haut de ses treize ans, Anne avait décidé d'accomplir.

— Que fait le maréchal, à Nantes, à part attaquer mes collecteurs d'impôts et clamer que mon père l'a nommé par testament mon tuteur ? lançait la duchesse.

Il avait été convenu que Montauban resterait à Rennes pour exercer les tâches ordinaires du pouvoir. Le Guin était chargé de la sécurité des jeunes filles. Le commandant des mercenaires, Louis de Lornay, lui adjoignait une compagnie qui sillonnerait les routes devant et derrière le convoi. Ce dernier serait d'apparence volontairement modeste. Rien n'attirerait sur lui l'attention. Quelques chevaux, chariots et litières, rien de plus. Isabeau garderait près d'elle Jeanne Porchet, sa nourrice. Du reste, la maison des duchesses serait réduite à son minimum.

Ce matin-là, montée sur une belle haquenée blanche, Anne s'engouffra sous la porte Mordelaise. Les habitants s'étaient rassemblés dans les rues. Des centaines de gens anonymes la saluaient gravement.

Passé les premiers champs qui entouraient la ville, Anne força l'allure. Elle voulait goûter au vent sur son visage, à la tiédeur du soleil sur sa peau. Isabeau demeurait dans la litière avec son chat. Elle lui parlait comme à un être humain, un ami de son âge qu'elle n'avait jamais eu. Grand bien lui fasse !

Un cavalier se hissa à la hauteur d'Anne. Il releva son heaume. La jeune duchesse rit de bon cœur :

— Françoise !

— Je serai ton bras armé et ton ombre fidèle, répondit sa sœur aînée.

L'itinéraire avait été arrêté d'avance, mais gardé secret. En réalité, chacun savait qu'il risquait d'être modifié sans délai, car les forces adverses se mouvaient sans cesse dans les campagnes, prenaient des villes et des hameaux, et en abandonnaient d'autres. Simon le Gros et Benoît Vamier assureraient avec quelques hommes le service de messagerie. Ils porteraient les dépêches à Rennes et rapporteraient les réponses de Montauban à Anne.

La première semaine s'écoula sans histoire. Ils arrivaient dans un endroit. Anne repérait aussitôt les calvaires de pierre, sis sur des monticules face aux forêts ou aux rivages. Ou bien elle se rendait dans les petites chapelles et les sanctuaires. Là, elle s'agenouillait et rentrait en prières. Dans sa tête et son cœur, elle réveillait en quelque sorte les protecteurs, anges et saints mêlés, qui avaient la charge de veiller sur la Bretagne. Elle faisait, comme elle disait, son cercle pour ranimer une flamme invisible — celle de l'union des cœurs —, malgré les effrayants appétits de gloire et de fortune de certains, malgré les souffrances qui déchiraient les familles et les opposaient en deux, voire en trois camps.

Car il y avait ceux qui restaient fidèles à Anne, ceux qui penchaient vers le gouvernement rebelle du maréchal et ceux, aussi, qui souhaitaient vivre en paix et pensaient que seul le royaume de France pouvait leur ramener un peu de bonheur.

Anne priait donc. Ensuite, elle rencontrait les notables. Elle serrait des mains, embrassait des vieillards, tenait des nouveau-nés sur les fonts baptismaux. Un jour, après qu'elle eut parlé, une vieille femme édentée vint la voir pour baiser le bas de sa robe. Elle appela alors Anne « Notre bonne duchesse ». Ces mots venus du cœur furent clamés par toutes les poitrines de l'endroit. La formule lui resta. Partout où elle passait, bourgs ou petites villes, village ou simple hameau, Anne était ainsi nommée. Les gens avaient-ils voyagé ? Avaient-ils reçu en rêve de la bouche même des anges ce titre dont ils affublaient désormais leur souveraine ?

Il arrivait que la jeune fille et sa sœur ne puissent trouver un gîte convenable. Alors, elles dormaient dans la litière. Le Guin postait ses gardes alentour, des feux éclairaient la nuit, les mercenaires patrouillaient jusqu'aux petites heures de l'aube. Pour la chasse, Le Guin forma plusieurs équipes. Il y avait ceux qui allaient quérir le gibier, ceux qui achetaient aux paysans de quoi agrémenter les plats, et ceux chargés de les protéger.

Les denrées étaient rapportées au chariot de cuisine. Là officiait celui que l'on appelait « le grand-duc » — non pas Arnaud, que Françoise avait tenu à emmener et qui montait souvent dans l'attelage pour humer les bonnes odeurs de soupes ou de ragoûts, mais le cuisinier lui-même, « l'homme lige » comme le surnommait Le Guin en riant.

Dunois et le prince d'Orange servaient d'ambassadeurs auprès des notables locaux. Également présent dans la troupe — sans Awena, qui était restée à Rennes —, Bernard de Tormont allait au besoin au-devant des troupes françaises. Son passeport et sa recommandation royale ouvraient les chemins difficiles. Le mouvement tactique de la troupe faisait le reste en éloignant les bandes de pillards.

Anne écrivait, le soir, avant de se coucher.

Je sens dans toutes les fibres de mon corps combien ce voyage est essentiel à notre cause. Je rencontre les gens, je leur parle, ils voient mon visage et mes yeux ; je vois les leurs. C'est un échange. Je ne serai plus pour eux uniquement celle qui demande, édicte et leur soutire le peu qu'ils ont pour financer de vastes projets qui échappent à leur entendement. Je serai la fille, la sœur, la mère parfois, la consolatrice. Un guide. Ce que je fais pour eux est concret. Je répare un puits, je monte un four. Une distribution de nourriture, de l'argent sonnant et trébuchant. Écouter les gens, c'est un premier pas pour les comprendre. S'ouvrir les yeux sur leurs drames, leurs espoirs souvent trahis et déçus, c'est toucher leur âme et faire jaillir leur amour.

Anne officiait aussi en tant que juge et conseillère. Aidée du comte de Dunois et du prince d'Orange, elle arbitrait les différends de son mieux. Sa voix était toujours calme et claire, comme le reflux de la mer un soir de pleine lune, le flot tranquille de la rivière ou l'onde apaisante de l'étang ou du lac.

Un soir, avant de s'endormir, une pensée entière et lumineuse vint la réchauffer.

« Je suis la Bretagne. Je l'incarne. En priant aux calvaires et aux crucifix, je réveille son cœur. Je l'entends battre. Quel seigneur, même s'il connaît sa terre et son monde, peut en dire autant ? Quel monarque, assis sur son trône de gloire, loin dans ses châteaux, peut prétendre à tant de véritables grâces ? »

Isabeau dormait paisiblement à ses côtés. Elle seule veillait, les mains jointes, les yeux clos, le haut du corps environné d'une lumière douce et invisible tissée par les anges.

Un matin, au détour d'un chemin, ils virent venir vers eux une délégation de notables envoyée par les cités de Moncontour et de Lamballe. Anne écouta leurs griefs. Des pillages et des viols avaient été commis. Les uns accusaient les hommes du maréchal, les autres, des déserteurs. Anne donna l'ordre de les pourchasser partout où il le faudrait et de saisir au corps les responsables.

Le Guin voyait d'un mauvais œil l'idée de se séparer ainsi de plusieurs de ses précieux soldats. Mais Anne insista. De telles exactions ne devaient pas rester impunies.

Un après-midi, après avoir bien chevauché, ils parvinrent aux alentours de Pontivy. L'endroit était périlleux, car il appartenait à la famille de Rohan. Anne jouait avec Isabeau dans la litière quand des éclats de voix les avertirent d'un danger. Le Guin releva la draperie et déclara :

— Nos hommes sont tombés sur ceux de Jean de Rohan. D'autres appartiennent au maréchal. Je crains un affrontement.

Il fit mettre le convoi à l'abri du bois.

Anne tenait à voir. Elle descendit et repoussa Bernard, qui tâchait de la dissuader. Françoise attendait, en armure, au faîte d'une éminence. Sa silhouette flamboyait au soleil. Anne pensa que sa sœur était folle de s'imposer de telles souffrances. Elle était femme. Qu'elle le demeure ! Qu'avait-elle à se prendre pour Jeanne d'Arc ?

La jeune fille ne doutait pas, cependant, que les motivations de Françoise fussent nobles et honnêtes. Cependant, comme le disait sagement Adam Forget, chacun devait rester à sa place pour que l'immense rouage d'une société dévouée au Seigneur puisse fonctionner sans se gripper.

Anne sourit encore, car que faisait-elle en ce moment si ce n'était enfreindre certaines idées reçues, bousculer certaines règles ?

— Là ! lança Françoise en lui indiquant un petit groupe de cavaliers ainsi que des piétons armés.

Le Guin arriva par-derrière avec ses hommes. Le fracas des sabots montait de la plaine.

— Oh ! éructa Anne.

Françoise sourit. Bernard expliqua :

— Ce sont des Espagnols.

— Que diable viennent-ils faire si loin de chez eux ?

— Ce sont vos hommes, Votre Grâce, dit Bernard. Ceux prêtés par Ferdinand d'Espagne.

— Je les croyais en révolte ou bien repartis !

— Regardez...

Ils s'attendaient à un déferlement de fer et de feu. Au contraire, les hommes semblaient... parlementer. Plus tard, un officier espagnol vint les trouver et leur apprit qu'ils avaient réussi à éviter un bain de sang.

— Belles paroles, messire ! fit Anne.

Et pour leur peine, elle leur fit remettre par Dunois une bourse de pièces d'or.

— À la lumière de ce qui vient de se produire, déclara le Français, j'escompte que le maréchal doit être plus près, à présent, de vous accorder ce qu'il vous refusait encore dernièrement.

Le visage d'Anne s'éclaira. Dunois parlait-il de cette réconciliation vers laquelle allaient nombre de ses prières ?

— Si ses propres hommes se laissent convaincre par des Espagnols de ne pas vous combattre, c'est qu'il est mûr, appuya Bernard.

Le prince d'Orange montra le soleil qui déclinait sur la plaine.

— Il est temps, je crois, dit-il, de gagner le château de votre cousin et de profiter de son hospitalité.

Chapitre 30

L'hermine blanche

Dans la cour du château, les hommes préparaient les chevaux. Les hennissements, les piétinements agacés des bêtes rappelaient toujours à Françoise les écuries de Nantes et un certain palefrenier aux yeux si bleus qu'elle en avait des papillons dans tout le corps. L'aube pointait à l'horizon.

Guillaume de Braze-Montfort était le seigneur de la petite cité retranchée de Montfort-la-Cane. Les quatre tours d'angles qui les surplombaient étaient massives. Érigée au siècle précédent par Raoul VIII, la forteresse était solide. Elle dominait un gros bourg et ses murailles. Trois portes donnaient accès à la cité : la porte Saint-Jean, la porte Coulon, la porte Saint-Nicolas. Laquelle avaient-ils empruntée, la veille ?

Françoise n'aurait su le dire.

Leur cousin était un homme de forte corpulence. Bedonnant et boiteux, il était aussi peu dégrossi. N'aimant pas les honneurs, il ne s'était jamais frotté aux courtisans raffinés de Rennes, de Vannes ou de Nantes. Il était cependant toujours resté loyal envers le duc François II et il se faisait une réelle joie, aujourd'hui, de recevoir ses filles.

Françoise frissonnait. Quelle idée Anne avait-elle eu de vouloir participer à une chasse, si tôt le matin — et à priori *ce* matin ! Arnaud avait mal dormi, et Françoise tout autant, car c'était au tour d'Odilon de prendre un peu de repos.

La jeune femme avisa Isabeau, aussi mal sortie de son lit qu'elle-même, qui semblait absente.

— Alors, lui lança-t-elle, tu rêvasses ?

Alors qu'Anne, très à l'aise dans son manteau doublé de martre grise, parlait aux uns et aux autres, sa cadette semblait égarée dans la contemplation des lourdes tours.

— Crois-tu vraiment à cette histoire que nous a racontée hier le cousin Guillaume ? demanda-t-elle. Je veux dire, qu'elle soit vraiment vraie ?

Françoise avait de la difficulté à garder les yeux ouverts. Il lui fallut quelques secondes pour se rappeler cette légende. Isabeau alla au-devant de sa pensée :

— Tu sais, cette très belle jeune fille qui avait été enfermée dans une de ces tours par le seigneur et qui, pour s'échapper, a prié saint Nicolas.

Pour exaucer son souhait, le saint avait changé la fille en cane. Elle avait ainsi pu s'échapper. Dès lors, en remerciement au saint, chaque année, une cane et ses canetons entraient dans l'église et venaient voleter autour de sa statue. D'où le nom même de l'endroit.

Françoise ne savait trop que dire sinon que cette légende avait dû frapper les esprits. Le curé n'avait-il pas affirmé, la veille, qu'une cane venait encore dans son église !

— Et que lui est-il arrivé, ensuite, à cette jeune fille ? demanda encore Isabeau en montant à cheval.

Le seigneur Guillaume avait sa petite idée. Il ouvrit la bouche, mais se ravisa au dernier moment. Françoise sentait pour sa part sa cadette très fragile depuis quelque temps. Isabeau, en effet, dépérissait à vue d'œil. Son teint déjà assez pâle devenait presque diaphane. Ses veines bleues se voyaient davantage sur ses tempes, ce qui était un signe évident d'épuisement.

Après un mois de déplacement incessant, ils se reposaient enfin, et voilà qu'il leur fallait accompagner Anne à la chasse ! Pour ne pas contrarier Isabeau, Françoise termina l'histoire à la place de Guillaume :

— Ne t'en fais pas, Isa, la belle jeune fille a recouvré sa forme humaine. Elle a rencontré un homme bon et courageux. Ils sont tombés fous amoureux l'un de l'autre et ils ont vécu heureux, cachés de la folie des princes, dans la forêt et les bocages.

Guillaume grimaça, car cette fin-là était bien trop idéalisée pour son goût. Anne se hissait sur son cheval. Son cousin lui avait tant vanté ses champs et ses bois qu'elle était impatiente de vérifier ses dires. On donna le signal du départ.

Françoise chevaucha aux côtés d'Isabeau.

— Quand Antoine revient-il ? lui demanda sa jeune sœur.

Le Dolus faisait en effet partie, avec Simon et Benoît, des messagers d'Anne. En ce moment, il devait se trouver quelque part entre Rennes et Montfort.

— Il te manque, n'est-ce pas ?

Isabeau ne répondit pas, mais releva plutôt son col.

La petite seigneurie était située entre les rivières Meu et Garun, et ses bois tant décrits par Guillaume se résumaient à des landes parsemées de marécages. Malgré cela, Anne se tenait droite sur sa selle et discutait aussi bien avec Guillaume qu'avec le vicomte.

Tandis qu'ils trottaient au milieu des hommes et des chiens, Bernard entretenait la duchesse d'un garçon aux prises avec de grandes difficultés. À l'entendre, cet adolescent privé d'instruction dès sa naissance, élevé en orphelin, quoique surprotégé par un père absent, se démenait pour trouver les chemins de sa vie.

— Est-ce une énigme ou bien une leçon de philosophie, Bernard ? s'enquit malicieusement Anne.

— Non pas, Votre Grâce, plutôt une histoire vraie et un drame quotidien pour ce jeune homme.

Elle hocha la tête et l'encouragea à poursuivre. Placée en arrière, Françoise avait du mal à entendre. Trop de galops et d'échanges entre les hommes de Guillaume. Elle ne percevait que quelques bribes, mais sentait qu'il se disait là des choses intéressantes. En plus, Isabeau ne cessait de l'entretenir de son chat, qu'elle avait selon elle dressé. À quoi ? C'était une autre affaire.

Bernard poursuivait :

— Ce garçon sait qu'on se moque de lui parce qu'il a du mal à bien lire. Pourtant, il a de grands projets et il se sait choisi pour une noble mission. Sa sœur à la mainmise sur…

Anne changea brutalement d'expression. Ce jeu n'était plus drôle du tout. Bien que jeune, elle n'était pas tombée de la dernière pluie.

— Je vous prie, répliqua-t-elle sèchement, de ne point me parler ainsi de mon plus mortel ennemi.

Bernard se crispa. Il n'avait pas voulu la mettre dans l'embarras. Anne se détendit :

— Vous êtes bien un ambassadeur de votre maître, le roi. Quelle mission, exactement, est la vôtre ?

Bernard réfléchissait avant de répondre quand un homme signala la présence d'un gibier tout près. Les chiens grognèrent, puis filèrent ventre à terre dans la lande.

— Cet endroit est parsemé d'étangs, fit Guillaume, il ne nous échappera pas.

La traque commença. Anne comme Bernard semblaient heureux de ne plus avoir à discourir. Il fallait maintenant faire preuve de courage, de discipline, d'endurance.

Françoise apercevait la mine contrariée du vicomte. « Pauvre Bernard ! » se dit-elle. Ambassadeur du roi et amoureux d'Awena, il se prend aussi au charme d'Anne !

Elle devinait que la position du vicomte était trouble, sinon périlleuse. Quels rapports entretenait-il avec la cour d'Amboise ? Françoise savait qu'il n'avait rien envoyé depuis leur départ de Rennes, une promesse qu'il avait faite à Anne et que, visiblement, il tenait.

— Ici ! s'écria Guillaume en tirant sur ses rênes.

Ils pourchassèrent une mince silhouette blanche qui fuyait entre les bruyères avec l'énergie du désespoir. Déjà, les chiens la cernaient. Ils aboyaient, tendaient leur museau, frissonnaient. Ils parvinrent devant un étang semé d'ajoncs. Le soleil levant faisait étinceler les herbes. Bientôt, la rosée matinale serait entièrement bue par les chauds rayons.

— C'est une hermine ! s'écria le comte de Dunois.

La bête était prise au piège. Les hommes étant venus, les chiens obéissaient à leurs maîtres et se retiraient. Cependant, ils se préparaient à mordre.

— Elle est d'un beau blanc, laissa tomber Bernard.

Guillaume assura qu'elle ferait sans doute pour Anne un beau col de manteau ou alors des gants bien doux pour l'hiver. Il releva son carreau. D'autres l'imitèrent.

Alors qu'ils s'attendaient à faire face à un animal apeuré, l'hermine, contre toute attente, grogna à son tour. Sa petite tête était dressée, ses yeux ronds fixes, ses pattes toutes raides. Derrière elle se profilait l'étang ; devant se tenaient les chiens et les hommes armés de leurs carreaux meurtriers.

Les oiseaux s'étaient tus. Guillaume leva sa main…

— Attendez ! siffla une voix aiguë.

Atterrés, ils virent Anne descendre de cheval et approcher de l'hermine. La jeune fille se déganta et tendit sa main. Françoise échangea un regard perplexe avec Dunois, le prince d'Orange et Bernard. Un animal acculé pouvait être dangereux. Cette hermine en avait dans le ventre et n'hésiterait sans doute pas à…

Le silence s'éternisait. Les chiens, même, hésitaient. Les chevaux soufflaient lentement l'air hors de leurs naseaux. Anne fixait l'hermine blanche, et l'animal la contemplait en retour. Plus rien ne semblait exister en dehors d'elles.

Que se passait-il dans la tête de la jeune duchesse ? Françoise savait qu'Anne se sentait investie d'une tâche importante. Son tour de Bretagne, elle y tenait et ne se privait pas de dire que Dieu guidait ses pas.

En vérité, si Anne guettait l'hermine, c'est elle-même, surtout, qu'elle voyait menacée de toutes parts. Bernard venait de lui parler de Charles. Quelle impudence alors qu'on la traquait, que son pays était dépecé, que ses peuples étaient écartelés !

C'est elle que l'on visait à la gorge et au cœur. Elle et la blanche chair de l'hermine ne faisaient qu'un. Les ennemis étaient les hommes, les chiens, tous ces traîtres et ces ambitieux. L'étang figurait une zone sombre, profonde, liquide, pestilentielle, sans âme. Était-ce symboliquement la France ? Était-ce plutôt cet adolescent boutonneux, maladroit et complexé dont lui avait parlé Bernard ?

La jeune fille se tenait à présent à deux pas de l'hermine. Les secondes s'égrenaient. Toutes deux se toisaient.

Au bout d'un long moment, Anne demanda à ce qu'on épargne finalement l'animal. Elle ne voulait surtout pas, en cette pure et belle matinée d'été, voir taché de sang le pelage immaculé de cette bête qui était un peu comme sa sœur jumelle.

— Je vous en prie, mon cousin, répéta-t-elle, laissez-la vivre.

* * *

Le soir même, le retour des messagers fut enfin annoncé. Simon se rendit auprès d'Odilon, Benoît alla s'effondrer de fatigue sur une couche de grain. Antoine se présenta incontinent devant ses sœurs.

Un quatrième homme les accompagnait : un affidé du maréchal de Rieux. Guillaume enjoignit aussitôt à ses hommes de se saisir de lui et de le jeter dans une oubliette. Fort heureusement, Anne, mais aussi Dunois et le prince d'Orange s'interposèrent, car ce messager avait titre d'ambassadeur.

Ce dernier était aussi harassé qu'Antoine. Et il apportait en personne un pli de son maître. Anne brisa le sceau et le parcourut.

Narquoise, elle s'exclama :

— La prétention de cet homme est sans égale !

Dunois ramassa le pli. Anne poursuivit :

— Vous aviez raison, reprit-elle. Il cherche à négocier son pardon. Le « monnayer » serait un terme plus exact…

Le maréchal de Rieux sentait qu'il perdait pied. La tournée d'Anne faisait grand bruit dans tout le pays. La ferveur qu'elle soulevait était pareille à une source fraîche, mais aussi à un déferlement. Le peuple se colportait la nouvelle. Leur jeune maîtresse venait à eux mains tendues pour les voir, leur parler, les écouter. Et ce qu'elle faisait en retour n'était pas simples promesses. Elle agissait, elle payait, elle ordonnait, elle bâtissait ou reconstruisait.

Anne résuma les exigences du maréchal :

— Il veut cent cinquante mille écus pour se rembourser de ses frais de guerre et pour se payer de ses efforts pour avoir, l'an dernier, fait reculer les Français. Plus une pension de quinze mille écus et une somme de cent mille écus, à partager entre le seigneur d'Albret et mon ancienne gouvernante. Rien de moins !

Anne était rouge d'indignation. Où pensait-il donc qu'elle pouvait trouver pareilles sommes ? En saignant encore ses peuples ?

— Songez qu'il est enfin prêt à se soumettre, plaida le comte de Dunois.

Anne avait trop à cœur de réunifier son duché pour rejeter ce pli d'un revers de main — comme l'envie, pourtant, lui en démangeait ! La Bretagne tout entière sous sa gouvernance, c'était une nouvelle chance de résister à la France. La réunification opérée, elle serait en plus forte posture pour négocier avec ses alliés naturels : Maximilien d'Autriche, le roi Henri VII d'Angleterre et Ferdinand d'Aragon.

Les hommes la dévisageaient. Pour sa part, toujours accaparée par cette légende de la belle fille changée en cane, Isabeau cherchait à savoir ce que ce seigneur, qui l'avait enfermée, voulait tant lui faire qu'elle ne souhaitait pas.

Anne se tourna vers sa sœur et lui annonça qu'outre de l'argent, Rieux demandait aussi sa main pour Gabriel, le fils d'Alain d'Albret.

— Toi qui veux tant savoir ce que c'est que d'appartenir à un homme, Isa, lui lança Anne, tu risques bientôt de l'apprendre.

Elle se tourna ensuite vers Dunois, qui s'apprêtait à rédiger la réponse de la duchesse à la cour de Rennes, et décida :

— Demandez à Philippe de négocier encore. J'aime la Bretagne, mais je connais aussi la misère de ses peuples.

Chapitre 31

Le chat perdu

À Rennes, rue des Dames, une pluie lourde et froide cognait aux fenêtres du château. Les veilleurs de nuit venaient d'annoncer la onzième heure du soir. Haletante, Françoise monta l'étroit escalier et gagna les combles. Une suite de portes s'ouvrait devant elle. Elle tendit son bougeoir, plissa les yeux, compta machinalement dans sa tête. Puis elle fit confiance en son instinct et alla frapper au bon battant.

Odilon finit par venir ouvrir.

— Madame ! s'exclama la servante, tout ensommeillée.

— Je m'excuse de te réveiller, ma bonne fille, dit Françoise, mais c'est grave.

Sur la couche, une silhouette bougea et grogna. Odilon commença de rougir et baissa aussitôt les yeux. Simon n'était pas de service ce soir… Il se leva néanmoins pour se vêtir. Odilon écouta ce que Françoise avait à lui annoncer, écarquilla les yeux et souffla :

— Par Dieu ! Ne craignez rien. Je vais aller me recoucher auprès d'Arnaud.

En attendant Simon, Françoise s'adossa contre la porte. Les paupières à demi fermées, elle revoyait les images fugaces de ce nouveau cauchemar qui l'avait elle-même tirée du lit.

— De Grâce, les pressa-t-elle, dépêchons...

Elle se rendit ensuite dans l'appartement attribué au vicomte de Tormont. Elle ne fut pas étonnée d'y trouver Awena. La belle dame d'honneur des duchesses était nue sous le drap. Françoise ne se permit aucun commentaire et dit seulement que cela faisait plus d'une heure, déjà, que...

Son visage était tendu. Ses cheveux dégoulinaient de pluie.

— Vous ne l'avez donc toujours pas retrouvée ? s'étonna Bernard.

Awena lui jeta un regard aigu. Son amant s'excusa :

— Pardon de ne t'avoir rien dit. Je pensais que cela serait terminé sous peu.

— Des domestiques courent et cherchent par toute la demeure et les jardins, ajouta Françoise. Nous n'avions aucune raison de croire que...

Son cauchemar lui sauta une fois de plus au visage. *Elle* aurait dû se douter !

— Je vous accompagne, décréta alors Awena en enfilant une houppelande.

Ils retournèrent dans l'appartement des jeunes duchesses, où Jeanne Porchet, la nourrice d'Isabeau, était en pleurs.

— As-tu rassemblé les vêtements que je t'ai demandés ? la gronda Françoise.

La nourrice tendit du linge de corps. En bas, les intendants rassemblaient les chiens. Jeanne s'accrocha au poignet de Françoise.

— Pardonnez-moi, madame, pardonnez-moi !

Françoise lui tapota le bras.

— Restons calmes, s'enhardit Bernard. Nous allons bien finir par la retrouver.

La voix du vicomte était grave et réconfortante. Elle domina un moment les reniflements, les pleurs et le crépitement de la pluie. Françoise aussi aurait voulu le croire. Mais tandis que les autres s'en allaient dans des directions différentes, elle était assaillie par les angoisses qui l'avaient réveillée. Jeanne Porchet passa devant elle et maugréa en se mordant les lèvres :

— Ce satané chat ! Isabeau l'aime trop. Je le disais bien !

Depuis la fin du jour, la jeune fille avait en effet cherché Grisot, en vain. L'heure du coucher étant venue, nul n'avait encore revu l'animal, et Isabeau s'était mise à se plaindre.

Françoise rejoignit les maîtres-chiens, qui donnaient les vêtements à sentir à leurs molosses. Les hommes eurent un sourire d'espoir. La pluie avait beau forcir, le froid de la nuit tomber sur les toits, tout allait bien se passer, maintenant.

Françoise entendait encore les griefs de sa demi-sœur dans sa tête : « Vous ne m'aimez pas. Personne ne m'aime, ici ! Il n'y a que Grisot, et il a disparu. Il ne fait jamais cela. On me l'a volé. J'en suis certaine ! »

Que ce chat soit un fardeau pour toute la domesticité, nul ne l'ignorait. Quant à l'enlever ou bien à l'assassiner, comme le prétendait Isabeau, personne ne se serait jamais permis. Mais la jeune fille n'entendait rien. Depuis leur retour de voyage et la fatigue qui en avait résulté, elle vivait sur les nerfs et ne trouvait de réconfort que dans ses jeux innocents avec son chat. Hélas, Grisot semblait s'être volatilisé. Et si Isabeau avait accepté de se coucher comme d'habitude, elle s'était ensuite relevée en cachette de sa nourrice pour filer sans un bruit.

Dans le château comme en dehors, on fouillait, on l'appelait. Le flamboiement ocre et jaune des torches trouait la nuit. Les gardes étaient sur les dents.

Benoît vint annoncer à Françoise qu'Antoine aussi demeurait introuvable.

— Il a dû partir à sa recherche, souffla-t-elle. Fasse Dieu qu'il la retrouve à temps!

Car Françoise le sentait bien : cette pluie était mauvaise. Personne ne pouvait le savoir autant qu'elle. Comme bien d'autres événements funestes annoncés en songe, celui-ci la faisait frissonner de l'intérieur. Elle leva les yeux vers les fenêtres toujours allumées de l'étude d'Anne.

— Faut-il prévenir la duchesse? demanda Jeanne Porchet en reniflant.

Françoise secoua la tête. Anne avait tant à faire depuis leur retour! En passant devant une grille entrouverte, elle eut la terrible intuition que sa jeune demi-sœur s'était peut-être risquée hors des jardins.

— Il faut prévenir les sergents du guet, décida-t-elle.

— Je m'en occupe, fit Simon.

Bernard s'offrit pour l'accompagner.

Françoise avait mal à la tête. Sans cesse lui revenaient les symboles vus pendant son cauchemar. Le corbeau qui hurlait à la mort. Les touffes de poil qu'il avait dans le bec. Les traces de sang sur les pierres d'une rue ou d'un chemin. Enfin, le son lugubre d'une cloche lointaine qui sonnait tel un glas.

Le comte de Dunois et le prince d'Orange survinrent, décoiffés, leur tenue pas encore bien mise. Ils lui demandèrent s'il ne valait pas mieux déranger Anne et le chancelier Montauban.

— Anne travaille encore... répéta Françoise.

Depuis le début de juillet, de nouvelles négociations étaient en cours dans le but de se réconcilier avec les rebelles. Les états de Bretagne s'étaient réunis à Vannes pour débloquer les sommes qui devaient être allouées au maréchal, à la comtesse de Dinan et à Alain d'Albret. Le prince d'Orange et Comminges avaient travaillé fort en ce sens ; trop pour le second, sans doute, car il était mort peu avant.

Finalement, Rieux se faisait bon prince. Il renonçait officiellement à la tutelle d'Anne, mais demandait en dédommagement pour ses pertes — nombre de ses châteaux et domaines avaient été ravagés par la guerre — cent mille écus ainsi qu'une rente annuelle de douze mille écus. La comtesse recevait quant à elle cent mille écus. Anne lui avait de plus adressé une longue lettre dans laquelle elle lui pardonnait et la gratifiait pour les « bons et loyaux services » qui furent toujours les siens.

Toutes choses qui requéraient les efforts de la duchesse et de Philippe de Montauban, même la nuit !

— Non, répéta Françoise, inutile de l'inquiéter. Laissons Anne aux affaires de l'État. Nous allons retrouver Isa par nos propres moyens.

* * *

Au même moment, sous un porche de la cité, deux silhouettes étaient serrées l'une contre l'autre. Les paquets d'eau tombaient dru et s'écoulaient en torrents le long des ruelles. Tous les volets étaient clos. Ce soir, les tavernes ne feraient pas de gros bénéfices.

— Rentrons, Isa, murmura Antoine. Tu trembles de froid.

La jeune fille haussa les épaules. Que craignait-elle, maintenant que son frère l'avait retrouvée ? Il l'avait enveloppée dans sa cape et il lui parlait à l'oreille. Sa voix tranquille, son air bonhomme malgré son jeune âge, sa carrure solide étaient cette nuit pour Isabeau son seul rempart contre la détresse et la fureur qui bouillait dans ses veines.

Depuis trop longtemps, elle feignait l'indifférence et l'insouciance, jouait à la poupée, suivait le mouvement général et gardait le silence. Dernièrement, une nouvelle était venue : elle était promise à Gabriel d'Albret. Elle avait déjà reçu le portrait du jeune homme. Il était évidemment plus âgé qu'elle. Cependant, elle l'avait trouvé beau. Un artiste de Rennes venait tout juste de terminer son propre portrait, que le chancelier devait faire acheminer à la famille d'Albret au plus vite.

Isabeau s'était montrée enthousiaste. Mais depuis quelques jours, plusieurs événements étaient venus la contrarier. De petites choses anodines, dirait-on, mais qui pesaient sur son cœur à l'insu de ses proches. Tous ignoraient la nature de ses tourments, excepté Grisot, qui était le confident, le « ronronneur », le « câlineux ».

Elle se tourna vers Antoine, ressentit la peine et la peur du jeune homme.

— Tu as les pieds gelés, ajouta-t-il. Allons, ton chat va rentrer. Il s'est caché quelque part. Il attend comme nous la fin de la pluie. Demain, tu le reverras.

Il caressa les cheveux de sa sœur. Elle enfouit plus étroitement son visage contre son épaule. Pris d'une intuition, il la rassura :

— Tout le monde t'aime, je t'assure !

— Toi, je le sais.

— Françoisine aussi, et Arnaud, et Jeanne, et Anne également !

Silence.

Anne était si lointaine depuis... depuis toujours, en fait. Elle était leur sœur, mais elle était aussi plus que cela. S'ils avaient pressenti cette différence dès l'enfance, ils ne pouvaient désormais plus l'ignorer, car Anne était comme une grande aile au-dessus de leur tête. Elle les protégeait, certes, mais elle leur cachait aussi leur juste part de lumière.

C'était un sentiment complexe, étouffé, secret. Un amour et en même temps une fierté entachée de gêne et d'envie. Pas de jalousie propre, car ils avaient conscience de la supériorité d'Anne en bien des domaines — dont celui, fort utile, de l'intelligence. Néanmoins, ils avaient l'impression qu'Anne s'éloignait d'eux. Qu'en elle, la souveraine dévorait lentement mais inexorablement la sœur.

— Et François ? interrogea brusquement Isabeau alors que la pluie diminuait d'intensité et que la nuit pâlissait sur les toits et les murailles.

Antoine se garda quelques secondes de pudeur. D'Avaugour était un autre mystère, un roc froid et glissant sur lequel ils ne pouvaient projeter aucune pensée d'affection sans qu'elle retombe aussitôt au sol. François avait choisi le camp de leurs adversaires. Il s'était retranché derrière le paravent convenable de l'amour. N'était-il pas en relation avec une des filles du maréchal ? De plus, il demeurait sous l'influence de François de Châteaubriant.

En désespoir de cause, Antoine hocha du menton : François aussi l'aimait. Sauf que, comme Anne, il était pris par ses rêves de grandeur. Ce qu'il convenait peut-être aussi de nommer un « destin ».

Ce n'est qu'au lever du jour qu'Antoine put rentrer au château. Il portait Isabeau endormie dans ses bras. Quand elle les vit près de la grille, Françoise accourut à leur rencontre.

Le chat Grisot ne reparut plus. La jeune femme n'en était guère étonnée. Mais outre la disparition du chat, ce fut l'état général d'Isabeau qui, d'emblée, l'inquiéta…

Chapitre 32

Le prix du pardon

Pendant ce temps, dans l'étude de la duchesse, les affaires de l'État allaient bon train. Les sommes énoncées par Philippe de Montauban voltigeaient dans la tête de la jeune fille. Cent mille écus par ici, cent mille autres par là. Le maréchal de Rieux avait affirmé devant les états de Bretagne que ses propres pertes s'élevaient à plus de trois cent mille écus. En acceptant en outre de recevoir son argent en dix annuités, et en utilisant sa rente de douze mille écus pour entretenir des hommes d'armes, il faisait preuve, quoi qu'on en puisse juger, de générosité.

— La générosité du maréchal… plaisanta Anne, qui n'ayant point dormi de la nuit n'était pourtant guère d'humeur à rire.

— Il accepte de ne plus soutenir les prétentions d'épousailles à votre égard d'Alain d'Albret.

— Une autre de ses volte-face habituelles.

Philippe voyait bien qu'Anne n'était pas encore prête à admettre que, dans cette affaire, le maréchal faisait tout de même preuve de souplesse.

— Il se sait à bout de ressources, ajouta la jeune fille. S'il en allait autrement, soyez sûr que…

Elle s'interrompit brusquement. Il y avait pour son goût bien trop d'allées et venues dans les jardins et couloirs, si tard dans la nuit, et cela l'inquiétait. Montauban était aussi las qu'elle. Cependant, il gardait confiance et dit :

— S'il y avait vraiment quelque danger, Votre Grâce, le capitaine Le Guin viendrait nous prévenir.

Anne soupira. Il avait cent fois raison. Elle se passa une main sur le visage. Inéluctablement, la nuit tendait vers l'aube. Dans l'étude, qui sentait bon l'encre et le bois, pâlissait le halo des bougies. Aux carreaux, la pluie battait moins fort. Le matin s'annonçait paisible.

— Et pour ces révoltes en Cornouailles ! voulut savoir Anne.

Dès juillet, les nouveaux impôts prélevés pour couvrir les sommes à verser aux barons rebelles avaient en effet suscité des troubles dans les campagnes. Plomodierm, Plonévez-du-Faou et la cité de Quimper avaient été pillées par des bandes organisées. À leur tête se trouvait un dénommé Jean L'Ancien.

Anne imagina ces hommes rudes et honnêtes pour la plupart en révolte contre la folie et les exigences des seigneurs. Durant son tour de Bretagne, la jeune fille en avait rencontré des centaines. Tous avaient été heureux de la voir et de lui serrer les mains. Certains même avaient prié avec elle au pied des calvaires dressés. Et voilà qu'à présent, ils se cabraient devant ses décisions !

Elle soupira de nouveau. Un étourdissement la gagna. Alors qu'elle suivait, perplexe, les drôles de lueurs qui se mouvaient dans les jardins, elle se rassit.

— Comment leur en vouloir ? laissa-t-elle tomber en parlant des paysans en colère. Ils n'ont presque plus rien à manger, et on leur enlève les quignons de la bouche pour racheter, encore et encore, l'honneur bafoué des nobles, la paix, l'union, la stabilité.

« Toutes choses, poursuivit-elle en pensée, que ces braves gens ne peuvent entièrement comprendre, trop occupés qu'ils sont à essayer simplement de survivre. »

Le chancelier semblait, comme toujours, suivre le cours de ses réflexions. Souvent, Anne jetait un œil attristé vers les plats vides. En vérité, toute la nuit, en travaillant, ils avaient mangé froid. Mais, bon sang ! Puisque le château semblait si réveillé, pourquoi ne pas appeler en cuisine et se faire monter du pain ou bien quelques pâtisseries ! Anne s'imaginait en train de prendre une bouchée bien chaude et croustillante, sucrée à souhait… Son visage se détendit. Philippe de Montauban allait donner des ordres quand Anne reprit, très sérieusement :

— Et je lis dans ce document qu'Alain d'Albret demande soit ma sœur pour son fils, soit, si le mariage ne peut se faire, un dédommagement de cent mille écus d'or ! Où irions-nous chercher cette nouvelle somme ?

— Fort heureusement, Isabeau semble bien aise de prendre un époux.

Ils se regardèrent en souriant. « Et moi ! » semblait dire Anne, à bout de force, même si dans le secret de son cœur gouverner ne lui déplaisait pas le moindrement du monde. Chose qu'avec un mari à ses côtés, elle pourrait difficilement faire avec autant d'allant et de bonheur, même si chaque décision pesait parfois ou bien lui coûtait.

— Vous êtes épuisée, la plaignit le chancelier.

Lui-même paraissait tassé, amorti. Il rêvait d'un bon gobelet de vin chaud épicé, mais n'osait en commander alors qu'Anne se refusait à boire de l'alcool, à priori si tôt le matin ou alors si tard dans la nuit.

— Je crois que vous avez raison, mon ami, admit la duchesse en bâillant avec discrétion.

— Je vais faire appeler.

— Non pas, Philippe, ne dérangeons personne.

Elle prit ses mains, les garda quelques instants. Enfin, elle leva sur lui ses yeux si clairs, mais pour l'heure ternis par la fatigue.

— Philippe, ajouta-t-elle, pardonnez-moi cette familiarité, vous qui pourriez être mon père. Simplement, je voulais vous dire…

Le chancelier hocha la tête. Il savait. Anne voulut tout de même aller au bout de sa pensée.

— Vous délaissez votre propre famille pour moi et Isa, pour le pays…

— C'est un honneur, Votre Grâce. C'en sera toujours un. Je demeurerai fidèle.

Elle tapota sa main.

— Je vous en prie, répéta-t-il, allez prendre un peu de repos. Je ne vous ferai pas réveiller avant midi.

— Soit. Vous transmettrez nos décisions à nos secrétaires.

Le sieur de Graville et Alain Bouchard avaient en effet quitté l'étude fort tard, vers les deux heures du matin, en titubant d'épuisement.

Anne résolut de sortir de la pièce avant que d'autres idées et de nouvelles tracasseries à résoudre se bousculent à son esprit. Le couloir était noir et lugubre. Elle fit quelques pas, presque à tâtons, et se traita d'idiote en prenant conscience qu'elle avait oublié son bougeoir. Alors qu'elle avançait, une lourdeur pesait sur ses épaules. « Le poids du pouvoir », songea-t-elle. Son souffle s'accélérait. Elle avait de la difficulté à respirer. Une impression d'étouffer lui serrait la cage thoracique.

Soudain, comme un trop-plein d'émotion, le flot jaillit de sa gorge. Elle éructa un petit cri étranglé. Frappée de surprise, hébétée de sentir des larmes couler sur ses joues, elle s'arrêta et se laissa glisser le long du mur. Ce qu'elle appelait ses « démons » la rattrapait. Plus exactement, elle eut l'impression qu'ils se trouvaient autour d'elle, invisibles. À cette heure où elle était le plus vulnérable, ils fondaient sur elle et l'attaquaient comme une armée venue piller une cité.

Elle se laissa submerger par la vague. En vérité, qui était-elle de la duchesse de Bretagne, de l'héritière de ses aïeux ou bien de la jeune fille de treize ans prise dans un véritable tourbillon qui, parfois, la dépassait ? Seule, sans témoin, elle put se défaire de sa carapace de glace, de sérieux et de retenue pour pleurer enfin, se laisser aller, se vider de sa tristesse et de sa détresse, dans l'obscurité et le silence revenu dans le château.

Elle pleurait encore sans pouvoir et sans vouloir, même, se reprendre en main : « Encore quelques instants, seulement ! Ensuite, je baiserai mon crucifix. Je demanderai l'aide du ciel, des saints et du Seigneur, qui est lui aussi toujours présent à mes côtés. » Elle se donnait encore quelques secondes d'épanchement quand elle entendit d'autres pleurs étouffés que les siens. Piquée au vif, elle fit l'effort de se relever.

Elle avança vers la silhouette recroquevillée devant une porte. La femme, car c'en était une, avait du mal à retenir ses sanglots. Anne s'approcha doucement et s'agenouilla à sa hauteur. L'autre sentit sa présence et se raidit.

— Jeanne ? s'étonna la duchesse.

La nourrice était en larmes. Elle contempla Anne en tremblant et en reniflant de honte et de douleur.

— Je suis si désolée, Votre Grâce ! J'ai manqué à mon devoir. J'ai manqué…

* * *

Peu après, l'aube se leva. Le temps qu'Anne puisse apprendre toute l'affreuse histoire, Isabeau était ramenée dans sa chambre. Les médecins de la cour se précipitèrent à son chevet, car son demi-frère la disait souffrante.

Anne arriva sur ces entrefaites.

— Comment va-t-elle ?

Les hommes de science empêchèrent la jeune fille d'entrer. À les entendre, Isabeau avait pris froid. Elle toussait. D'ailleurs, Anne entendait distinctement sa sœur gémir et se plaindre.

— Je veux la voir.

— Son mal pourrait être contagieux. De grâce, laissez-nous officier.

Anne s'étonna alors de ne voir ni Antoine ni Françoise. Le prince d'Orange venait aux nouvelles. Par contre, le comte de Dunois, son habituel acolyte, brillait également par son absence. Awena se faufila entre les médecins. Anne soupira. Enfin quelqu'un qui pourrait lui expliquer ce qui s'était exactement passé ! Car elle n'était pas certaine d'avoir tout compris de la bouche de la nourrice.

Awena lui fit un récit comme Anne les aimait : simple, concis, direct et sans faux-semblants.

— Ce maudit chat ! s'exclama la jeune duchesse.

Bernard de Tormont arrivait, tout mouillé et dégoulinant sur le plancher.

— Alors ? s'enquirent en même temps Anne et Awena.

Le vicomte ne put que présenter ses mains vides.

— Où sont Françoise et Antoine ? exigea de savoir Anne.

Françoise avait décidé de quitter Rennes pour aller chercher une personne qui, selon elle, saurait certainement guérir Isabeau. À cette annonce, les médecins présentèrent une mine pincée. Awena ne songea pas à ménager leur amour-propre, mais se contenta d'expliquer :

— Avant la bataille de Saint-Aubin-du-Cormier, Françoise et Simon ont été attaqués dans la forêt…

Elle raconta tout. L'attentat dont avait été victime Françoise, la blessure profonde de Simon, leur rencontre avec Magdeleine Bois.

— Et ma sœur croit que cette femme serait capable de…

— Elle a eu une nouvelle vision, je crois.

Anne n'aimait pas se faire rappeler les cauchemars et les révélations oniriques de sa demi-sœur. Atteinte dans sa propre fierté — après tout, elle était la duchesse ! —, elle oublia aussi que les prédictions de Françoise s'étaient à plusieurs reprises révélées utiles, sinon véridiques.

— Et… elle a passé les murailles ?

Ce disant, elle se tourna vers le capitaine Le Guin, qui hocha du chef.

— Vous avez donné des ordres pour qu'on la laisse aller ?

— Oui, Votre Grâce.

— Sans m'en référer d'abord ?

Le capitaine — chose rarissime — n'osa pas affronter la colère de l'adolescente et baissa les yeux.

Anne trépignait sur place.

— C'est pure folie ! éclata-t-elle. Saint-Aubin est encore tenue par les Français.

— Il y a autre chose, madame, avoua Le Guin, très mal à l'aise. Votre frère Antoine ainsi que le comte de Dunois l'accompagnent…

— Folie, folie, folie ! répéta Anne entre ses dents.

Puis, sans égard pour les médecins effarouchés, elle força leur barrage et vint trouver Isabeau.

Chapitre 33

Quand la mort rôde

Depuis Rennes, Françoise, Simon, Antoine, Benoît ainsi que le comte de Dunois avaient peu parlé. Sans doute la brusquerie du départ y était-elle pour quelque chose. En constatant l'état d'Isabeau, Françoise avait pris une décision déconcertante. Ayant depuis des années très peu confiance en la médecine officielle, elle avait déclaré qu'il était possible de sauver Isa — mais pas grâce à la science des barbiers, des apothicaires ou des chirurgiens.

La surprise avait été totale, car même si un coup de froid pouvait se traduire parfois par la mort, nous étions en août et non pas en hiver.

— La Faucheuse se moque bien des saisons, avait rétorqué Françoise. Elle prend sa part d'hommes, de femmes et d'enfants tous les jours.

Cette réponse sans fioriture avait choqué plusieurs courtisans, mais trouvé un écho favorable chez Simon et Antoine. Le premier parce qu'il se rappelait leur bref séjour à Saint-Aubin ; le second parce qu'il n'avait pas aimé le regard éteint qu'Isabeau lui avait décoché peu avant d'être étendue sur son lit. Aussi s'étaient-ils proposés comme volontaires.

Benoît avait demandé l'autorisation du capitaine Le Guin. Celui-ci avait tenté, mais en vain, de dissuader Françoise. Pour des raisons qui ne regardaient que lui, le sympathique comte de Dunois avait également accepté de faire partie de l'expédition.

— Je ne sais ce que vous manigancez, avait-il dit à Françoise, mais j'en suis !

Dunois arborait lui-même, depuis quelques mois, une mine terne et fatiguée. Malgré tout, heureuse de compter sur un homme d'expérience de son calibre, elle avait accepté avec enthousiasme.

* * *

Ils étaient donc cinq cavaliers. Françoise seule arborait une armure et allait la visière de son heaume rabattue. Les autres la suivaient en cottes de mailles et pourpoints.

Ils avaient passé la porte Mordelaise au matin et rentraient, après cent détours, dans le hameau de Moronval, près de Saint-Aubin-du-Cormier. Chaque fois qu'ils avaient croisé une patrouille française, Dunois avait mis pied à terre pour parlementer. On leur avait déconseillé cet endroit. Ils constataient hélas de visu les raisons qui avaient poussé les soldats à leur bailler cet avis.

Si Françoise s'était sentie mal sous son armure durant tout le trajet, elle éprouvait maintenant des haut-le-cœur devant l'horrible spectacle.

— Par Dieu, mais que s'est-il passé, ici ?

Ses compagnons plaquèrent un linge sur leur nez et leur bouche, et plissèrent les yeux. Une brume évanescente montait du sol. Dans la lumière crépusculaire se devinaient les restes fumants de plusieurs maisons.

— La guerre est une calamité, admit le comte de Dunois.

Même si les lambeaux de brouillard ressemblaient à des spectres, Françoise se déclara tout de même satisfaite d'être enfin arrivée. Elle se laissa glisser de son destrier.

— Cherchons, je vous en prie !

L'idée qui ne l'avait pas quittée depuis Rennes était fort simple. À son avis, Magdeleine Bois était leur unique chance de sauver Isabeau. Hélas, le hameau paraissait désert.

Alors qu'ils cherchaient chacun de leur côté, Françoise entendit soudain un cri étouffé. C'était Benoît qui revenait en hâte sur ses pas.

— Qu'est-ce ? lança la jeune femme.

Elle aperçut des spectres. Mains tendues, gémissants, hagards, ils sortaient un à un du manteau de brume.

Françoise leva sa lame. Dunois posa aussitôt une main sur son gantelet.

— Laissez...

Antoine enflamma leurs torches. Les chevaux hennissaient. La peur se glissait partout.

Simon et Benoît se mirent à trembler. Que des soldats aguerris puissent ainsi perdre tout empire sur eux-mêmes était en soi effrayant. Les spectres avançaient toujours. À la lueur des torches, on voyait leurs visages mangés par la vermine, leurs lèvres putréfiées, leurs chairs gonflées et verdâtres. Certaines faces laissaient entrevoir des bouts d'os. D'autres se montraient un œil en moins ou bien le crâne dégarni et rongé.

Antoine déglutit d'horreur, puis s'écria :

— Des lépreux !

— La guerre, répéta Dunois d'une voix éteinte.

Benoît tenta de les repousser, mais les malades ne ressentaient plus la morsure du feu. Françoise reconnut l'un d'eux et ne put s'empêcher de l'interpeller. Son prénom exact lui était inconnu. Cependant, il s'agissait bien de l'homme-ours qui l'avait secourue alors que les tueurs payés par la Dinan étaient sur le point de l'occire.

Elle se présenta devant lui sans se soucier des autres malades, et souleva la visière de son heaume.

— C'est moi, Françoise de Maignelais. Pour l'amour de Dieu, conduisez-moi à Magdeleine !

L'homme qui lui avait paru si fort et si farouche n'était plus que l'ombre de lui-même. La lèpre avait tant rongé sa chair qu'il ressemblait déjà à un mort. Du fond de sa détresse, il la reconnut finalement et leva une main. Aussitôt, les lépreux reculèrent. Il se pencha vers elle. Françoise ôta son casque, secoua sa longue chevelure. C'était bien la même femme au visage étroit, à la bouche charnue, aux yeux un peu renfoncés, au regard intense.

L'homme-ours balbutia :

— Elle disait que vous aviez un don. Que vous étiez comme elle…

Françoise battit nerveusement des cils. Entre le lépreux et l'espace infime situé sous ses paupières, de nouvelles images lui parvinrent, horribles, cauchemardesques, enfiévrées.

« Magdeleine danse dans les flammes. Elle ne souffre pas. Elle rit et se moque de ceux qui la brûlent. »

La voix brisée, elle déclara à ses compagnons que Magdeleine ne viendrait pas.

— De grâce, demanda-t-elle à l'homme-ours, que s'est-il passé ?

Les Français étaient venus, puis les hommes du maréchal, ceux de Rohan et d'autres encore ! Des brigands, des pilleurs, des mercenaires égarés qui cherchaient à voler de quoi rentrer chez eux. Le village n'avait pas survécu. La misère, la peur, les privations avaient fait le reste.

La nuit s'installait peu à peu. À travers les voiles de brume, on distinguait la voûte céleste piquée d'étoiles magnifiques. L'homme-ours pleurait doucement.

— Je n'ai rien pu faire pour la protéger, bredouilla-t-il. Ils l'ont emmenée alors qu'elle tentait de tous nous soigner. Elle était allée chercher des herbes. Elle revenait quand ils sont venus.

Dunois, Simon, Benoît et Antoine écoutaient sans comprendre. Mais Françoise voyait dans sa tête *qui* venait ainsi. Les hommes de l'Inquisition. Magdeleine était pour eux une sorcière qui devait périr.

Françoise se laissa tomber au sol — son armure était bien trop lourde. À bout de fatigue et de nerfs, son corps n'était qu'une plaie. Alors, l'homme-ours s'accroupit près d'elle et murmura quelques mots à son oreille. Un pauvre sourire fleurit aux lèvres de la jeune femme.

— Est-ce Dieu possible ?

L'autre hocha du menton.

— Mais vous devez faire vite.

— Pouvez-vous nous accompagner ?

L'homme-ours ne pouvait pas. Il allait mourir durant la nuit. Il le savait, car Magdeleine le lui avait annoncé en rêve. Était-ce avant ou bien après qu'elle ait elle-même péri sur le bûcher ? Celui qui avait été son ami, son confident, son garde du corps et vraisemblablement son compagnon ne savait plus. Heureusement, il put donner à Françoise de précieuses indications...

Hébétée, aussi meurtrie qu'eux, la jeune femme regarda ensuite disparaître ces fantômes moitié vivants et moitié morts que le brouillard reprenait dans ses toiles blanchâtres.

— Et maintenant? demanda Antoine, qui se consumait d'angoisse.

Françoise répéta seulement qu'il fallait faire vite.

En chemin, Dunois vint trotter à sa hauteur. Ils traversaient une forêt noire et dense. À un moment donné, proche de l'aube, le comte demanda une halte.

— Nous devons poursuivre, au contraire! se récria Françoise, les yeux cernés. C'est tout proche. Je le sens!

Dunois approuva. Elle avait sans doute raison. Hélas, il avait aussi à faire de son côté.

— Pardon?

Il lui prit les mains.

— Ma très chère Françoise, fit-il, je dois vous laisser.

Elle crut avoir mal entendu, mais écarquilla les yeux en voyant des larmes couler sur les joues du vieil homme. Comme un masque qui se fend, ses chairs paraissaient s'être affaissées. Ce qui lui restait de vie, de joie et d'espérance semblait s'être envolé en quelques heures.

— Pardonnez-moi, avoua-t-il à son tour, mais c'est en vous voyant auprès de vos sœurs et en famille, avec Antoine, luttant côte à côte et veillant à tout pour tout le monde que...

— Je ne comprends pas.

Dunois sourit pauvrement.

— Je crois au contraire que si.

Elle déglutit, puis hocha la tête.

— Je ne suis pas aussi devin que vous, ajouta-t-il, mais je sais quand même des choses. À mon sujet, surtout. Et il est grand temps que j'aille retrouver ma propre famille. Ma quête de grands exploits, les belles causes à défendre, le goût du panache et de la gloire m'ont finalement conduit au bout de moi-même.

Il soupira longuement. Les autres attendaient, silencieux, respectueux.

— Vous escomptez donc rentrer chez vous ? répéta Françoise. Mais seul et dans ces conditions, c'est pure folie !

— La vraie folie n'est pas toujours là où on pense la voir.

— Belle philosophie. Restez, je vous en prie.

Pour couper court aux récriminations de Françoise, il tira un parchemin roulé de son pourpoint.

— Ceci est pour Anne, de ma part. Qu'elle ne prenne pas mon départ pour une traîtrise, car ce n'en est pas une.

Françoise ne pouvait rien dire ; elle comprenait enfin, et des larmes coulaient maintenant de ses yeux. Cet homme avait été un roc sur lequel s'appuyer, un ami précieux.

— Je vous laisse également ce second pli à remettre à mon cher cousin, le duc d'Orléans, quand vous le reverrez.

Il l'embrassa et lui recommanda surtout d'être heureuse avec le jeune homme qu'elle aimait toujours.

En le voyant partir, silhouette affaissée sur son destrier, Françoise ne put s'empêcher de sangloter. C'était aussi pour elle un substitut de père qui s'en allait. Lorsque les bois se furent refermés sur le comte et que les bruits ordinaires furent revenus, Antoine s'enquit de leur route.

— Ce n'est plus très loin, répondit la jeune femme en essuyant ses larmes. Tenez-vous prêts.

* * *

Le petit convoi avançait péniblement. Ce chemin de terre parsemé de racines et de pierraille qui traversait la forêt était à la fois un fil d'Ariane qui les empêchait de s'égarer et un véritable piège, car nombre de brigands hantaient les lieux. Fort heureusement, le mercenaire engagé par le marchand pour le protéger connaissait les endroits dangereux. À leur approche, il envoyait des sentinelles en amont du sentier. Ils fouillaient les taillis, jouaient du cor si la voie était libre. D'autres s'attardaient au contraire en aval et s'assuraient qu'ils n'étaient pas suivis.

Le mercenaire n'avait sous sa garde que deux chariots couverts, une litière et un troisième attelage bardé de fer et pour l'heure chargé au maximum de sa capacité. De temps en temps, il en faisait le tour. Des mains et des bras jaillissaient de tous côtés. Il entendait des gémissements, des supplications : « Je suis innocent ! », ou alors « Je peux vous payer. Libérez-moi ! »

Mais le mercenaire n'avait ni le pouvoir ni l'envie d'ouvrir la cage. Le marchand était le seul maître, et il payait bien. Ils suivaient l'armée française dans ses déplacements et collaient au plus près les hommes du maître inquisiteur. Les prêtres pourchassaient les sorcières et les impies ; le marchand se tenait en retrait et récoltait ainsi les prisonniers. Autant dire des esclaves qu'il revendait à prix d'or dans les foires ou bien dans les campagnes mises à sac par les guerres et qui, par conséquent, manquaient cruellement de main-d'œuvre.

Hélas, les temps étaient durs ! Les acheteurs n'auraient que peu de moyens pour racheter ceux qui se lamentaient dans la cage roulante. Mais le marchand comme le mercenaire savaient que leur commerce rapporterait toujours assez pour les nourrir et leur permettre de continuer à servir la Sainte Inquisition.

Le mercenaire songeait à l'or que lui procureraient les nouveaux esclaves quand une vive lumière lui éclata soudain en pleine figure. Les chevaux hennirent de stupeur. Durement réveillé par les cahots, le marchand releva le drap de sa litière et s'enquit :

— Que se passe-t-il?

Pour toute réponse, il suivit le regard du mercenaire. Tous deux aperçurent le cavalier en armure qui leur barrait le chemin.

— Holà, chevalier! fit le mercenaire.

En même temps, il essayait de deviner où se trouvaient ses propres hommes. Ceux qu'il avait envoyés en avant devaient être sur le point de revenir. Ceux qui ratissaient derrière n'étaient sans doute pas loin.

Fort heureusement, le chevalier était seul.

— Que voulez-vous? s'enquit le marchand sur un ton péremptoire.

— Nulle offense, répondit la silhouette en armure.

La voix était frêle. Son destrier cognait avec impatience la terre meuble de ses fers. Le marchand envoya son mercenaire pour parlementer, mais le chevalier l'étonna en le demandant en personne. Pour mieux le convaincre de se lever de sa litière, Françoise fit sauter une bourse de pièces dans son gantelet.

La négociation fut brève. Le chevalier se proposait de racheter tous les prisonniers dans un seul et même lot. Le marchand compta toutes les pièces et en vérifia l'authenticité avec ses dents noires et branlantes.

— C'est peu pour douze gaillards, dont une toute jeune femme, se plaignit-il.

Françoise se pencha sur l'encolure de son destrier.

— Vous savez comme moi que les foires sont encore loin, et les chemins, très peu sûrs. Mon offre est la meilleure.

L'autre réfléchit. Son sens aiguisé des affaires ne le trompait pas. La bourse ne contenait pas assez d'argent pour racheter tout le monde. Cependant, la femme — il avait deviné le sexe de son interlocuteur — n'avait pas tort.

Françoise consentit à lui donner un supplément pour la cage.

Le mercenaire fut étonné de s'entendre ordonner de « laisser le tout » et de partir sur-le-champ. Lorsqu'il ne resta que le chariot bardé de fer dételé, la jeune femme mit pied à terre. Alors Benoît, Antoine et Simon, qui étaient restés en retrait, sortirent des fourrés.

Antoine fit sauter le cadenas. Un à un, les prisonniers s'extirpèrent de l'attelage. Lorsqu'elle aperçut la jeune fille enveloppée dans une longue cape toute déchirée, Françoise la héla.

— Tu es bien Guenièvre Bois ?

La frêle silhouette portait une fine cicatrice sur la joue gauche. Elle cligna plusieurs fois des paupières. Françoise ajouta :

— Magdeleine était ta tante et ta professeure, n'est-ce pas ?

— Que faisons-nous des autres ? s'enquit Antoine.

— Donne-leur tout ton or. Ils sont libres.

Encore tout effarouchée, la jeune fille monta docilement en croupe derrière Benoît. Son visage était froissé d'épuisement, son regard, à la fois trouble et soupçonneux.

— N'aie crainte, lui glissa le soldat français, tu es en sûreté avec nous. Personne ne te fera plus de mal.

Françoise remonta en selle et lui souffla encore en prenant sa main :

— Jeune fille, j'ai grand besoin de ta science de guérison. Viens, je t'emmène.

Chapitre 34

Une cloche solitaire et lugubre

Après avoir délivré la jeune Guenièvre, ils furent contraints de passer la nuit dans la forêt. Les ténèbres étaient partout. Blottis les uns contre les autres au pied d'une saillie rocheuse, ils attendirent. Françoise était pourtant d'avis de chevaucher. Arguant que s'égarer leur ferait perdre encore plus de temps, ses compagnons l'en dissuadèrent.

À l'aube, la jeune femme se sentait toujours aussi fatiguée. Le plus étonnant était qu'elle n'avait rêvé à rien. Aucun cauchemar, aucune vision, aucun mauvais présage. Tout ce qu'il fallait, en vérité, pour l'inquiéter davantage.

Juste avant de partir, ils découvrirent que Guenièvre et Benoît avaient disparu. Les deux absents rentrèrent heureusement peu avant le lever du soleil, les mains pleines d'herbes, de plantes et de racines. Benoît déclara qu'il avait expliqué à Guenièvre de quoi souffrait Isabeau.

— J'aurai besoin de ces herbes pour la soigner, expliqua la jeune fille.

Ils levèrent le camp.

Des heures plus tard, dans le lointain, sonnait une cloche. Françoise se figura la cité de Rennes entourée de ses enceintes, de ses tours orgueilleuses, de ses portes massives. Clop, clop, clop ! faisaient les sabots de son destrier. Il lui semblait que les cliquetis de son armure tressautant sur son corps accompagnaient cette note unique et lugubre.

— Pressons ! Pressons !

Ils galopaient depuis des heures dans une sorte de transe. Aucune patrouille française ne les avait interceptés. Était-ce un signe que des anges les accompagnaient ? Françoise ne voyait de la route qu'un long ruban de poussière ocre. Le soleil daignait parfois apparaître entre les lourds nuages plombés. Alors, le chemin devenait rouge sang. L'épuisement la faisait dangereusement osciller sur sa selle. Quand la pluie se remettait à crépiter, la route devenait blanche et presque irréelle.

Ils atteignirent enfin la porte Mordelaise, se frayèrent un passage au milieu des chariots, des attelages, des marchands et des ouvriers affairés, remontèrent les rues étroites, débouchèrent sur l'esplanade de la rue des Dames, franchirent la grille. Françoise ne voulut pas passer par les écuries et gagna directement l'entrée principale. Devant la façade de pierre, elle remit son heaume et ses gantelets à Simon.

En plus des battements sourds de son cœur, de la pluie battante et du glas résonnait maintenant le bruit de ses bottes ferrées sur le plancher. Les courtisans qu'ils croisaient paraissaient stupéfaits. Bernard de Tormont et Awena vinrent à leur rencontre. Tous paraissaient catastrophés. Bougeaient-ils au ralenti ? Étaient-ils comme écrasés par un poids invisible ?

C'est à peine si Françoise reconnut Arnaud, qui tenait la main d'Odilon. Elle avait réussi à repousser tous les bruits et n'entendait plus à présent que les pleurs. Parvenue devant la porte de la chambre d'Isabeau, elle se heurta aux médecins silencieux. Derrière elle venaient Benoît, Antoine et Guenièvre.

Ils entrèrent...

Avant même que ses yeux ne s'habituent à l'obscurité de la chambre, Françoise reconnut l'odeur à la fois fétide et subtile de la mort, comme une aile noire et moqueuse au-dessus de la tête de tous ces vivants hébétés frappés par le sort. Elle se rappela aussitôt les instants glacés vécus lors du décès de Marguerite, la seconde femme de son père.

Elle se rua vers le lit, tira les rideaux.

Isabeau était là, menue, allongée, immobile, les paupières closes. Son visage était aussi blanc que de la cire. Seul le dessous de ses yeux, encore légèrement teinté par cette vie qui l'avait habitée, semblait encore retenir quelques bribes d'âme.

Jeanne Porchet pleurait toujours. Tandis que les médecins expliquaient qu'ils n'avaient rien pu faire, Françoise songeait que la nourrice devait pleurer ainsi depuis des jours. Une silhouette se pencha également vers le lit. Antoine s'agenouilla et saisit la main de sa jeune sœur. Il y avait dans ce geste tendre tellement de détresse et de malheur que Françoise n'y put plus tenir. Elle se releva, mais sut dans l'instant qu'une importante partie d'elle-même demeurerait auprès d'Isabeau et d'Antoine. Elle ne vit pas Guenièvre debout près de Benoît, et qui tenait toujours bêtement son sac d'herbes médicinales. Elle ne répondit à aucun signe, à aucune formule de politesse.

Awena l'assurait pourtant qu'elle aussi avait veillé Isabeau.

— Elle vous a demandés souvent, murmura-t-elle. Toi ainsi qu'Antoine…

Bernard serra sa belle dans ses bras pour la faire taire.

— Anne ? demanda simplement Françoise.

On lui indiqua le couloir menant à la chapelle.

— Bien sûr… se contenta de répondre la jeune femme.

Elle n'avait pas conscience des œillades acérées que lui lançaient les courtisans. Comment, en effet, osait-elle paraître au château vêtue d'une armure de guerre ? Et pourquoi cette folle et inutile escapade qui avait tant alarmé Anne et le chancelier ?

Cette fois-ci, Françoise n'avait proféré aucune tragique prédiction. Elle n'avait fait que tenter de chercher du secours. Pourtant, le poids des accusations muettes était tout aussi lourd à porter, et même pire !

Dans la cour, elle croisa un groupe d'hommes en tenue de guerre — les barons rebelles revenus faire leur pardon. Rieux, Sourléac, Villeblance et les autres !

On lui saisit la main. C'était Raoul. Elle contempla son mari sans le voir vraiment.

— Je viens d'apprendre la nouvelle, balbutia-t-il. Je suis si…

Elle lui échappa : n'était-elle pas, malgré sa lourde armure et comme le jour de leur triste mariage, un oiseau ? Une colombe ?

À l'entrée de la chapelle se tenait le chancelier Montauban ainsi qu'une femme austère, quoique bien mise, entourée de plusieurs épouses de clercs et de notables. La Dinan avait les lèvres si pincées qu'elle ne pouvait décemment ouvrir la bouche. Françoise se raidit. Leurs yeux s'effleurèrent sans se rencontrer.

La jeune femme alla ensuite s'agenouiller devant l'autel près de la frêle silhouette vêtue de crêpe noir qui s'abîmait en prières depuis des heures. Elle ne vit pas non plus, dans la cour, Arnaud courir vers son père et Raoul soulever l'enfant dans ses bras.

Et ce fut heureux.

* * *

À Amboise, dans la même semaine, Charles était en train d'écouter un récit guerrier de la bouche d'un de ses familiers quand sa sœur entra dans la pièce. Son pas rapide et le froissement sec de sa longue robe n'auguraient rien de bon. Et si l'on ricana autour du roi, la figure tendue et les yeux écarquillés de la dame de Beaujeu leur firent aussitôt rentrer cette joie mauvaise dans la gorge.

— Laissez-nous ! commanda-t-elle.

Plusieurs hésitaient encore à abandonner l'adolescent. Alors, elle ajouta d'un ton cinglant :

— Tous !

Charles déglutit. Il savait les nouvelles changeantes, incertaines, contrariantes et même parfois contradictoires. Un jour on gagnait, un autre on reculait. Cette guerre de Bretagne n'en finissait pas et commençait à l'ennuyer. Il avait presque vingt et un ans, et quoi ? Il avait froid et se sentait mal chaque fois que paraissait sa sœur aînée.

Il prit sur lui, se leva. Qu'y avait-il donc, encore ?

— Ma sœur, commença-t-il, je…

Anne de Beaujeu lui jeta les plis qu'elle avait reçus de leur ambassadeur de charme placé à la cour de Bretagne.

— Que des banalités et du vent ! Ah ! Il est beau, notre agent en Bretagne !

Charles avait eu si peu à voir avec la nomination du vicomte qu'il se permit de se rappeler en pensée le visage avenant et la voix agréable du jeune homme.

— De Tormont a surtout séduit l'ancienne maîtresse du duc ! se plaignit Anne.

Elle frappa dans ses mains. La porte s'ouvrit. Ses propres conseillers, dont Guillaume de Rochefort, entrèrent.

— Non, non, non, mon frère ! reprit-elle avec force. J'apprends de plus que Rieux retourne manger dans la main de la jeune duchesse, que les rois d'Espagne et d'Angleterre entreprennent de nouvelles négociations secrètes avec elle. Que Maximilien d'Autriche lui a fait envoyer une ambassade.

Comme jadis leur père, la dame marchait en rond, penchée en avant, les mains nouées dans le dos.

— Cela sent par trop les épousailles ! Nous serions encerclés, étouffés. Cela ne se peut, cela ne se fera pas.

Elle s'arrêta devant Charles, frappa du poing sur sa table.

— Il nous faut retourner à des méthodes plus directes, mon frère !

Elle se tut quelques instants, sourit aux anges, puis reprit :

— Isabeau de Bretagne vient brusquement de mourir. Le fils d'Albret ne pourra donc pas convoler avec elle. Le Gascon va sûrement demander à la petite duchesse de lui bailler les cent mille écus prévus à leur contrat en cas d'empêchement au mariage…

Charles était sidéré par l'intelligence, la ruse et l'étendue des connaissances de sa sœur. Elle envoyait un ambassadeur, mais payait en même temps des espions. Voilà donc quelle était la bonne méthode ! Il jeta un regard navré à son roman et songea, un peu dépité, que la politique n'avait vraiment rien à voir avec l'esprit chevaleresque.

— Il nous faut frapper vite et bien, reprit la dame, sinon l'œuvre de notre père sera réduite à néant.

N'y allait-elle pas un peu trop fort ?

Anne de Beaujeu se retourna vers l'assistance.

— Puisque la jeune duchesse est encore entourée d'étrangers, c'est qu'elle enfreint le traité de Francfort. Pourquoi devrions-nous alors abandonner nos places fortes ? La guerre ! scanda-t-elle. La guerre !

Charles n'était plus certain de suivre. Sa sœur n'avait-elle pas, quelque part dans ses nombreuses stratégies, également entamé en secret des négociations avec la cour de Rennes pour qu'il puisse épouser non pas Marguerite, mais bien la petite Anne de Bretagne ?

Chapitre 35

Au revoir, mon bel amour !

— Pardonnez-moi, mon père, car j'ai péché.

Adam Forget prit les mains de la jeune duchesse. Au ton de sa voix, à ses paupières qui clignaient rapidement, l'homme de Dieu devina qu'Anne allait enfin déverser ce trop-plein de peine et de colère qui l'accablait depuis la mort brutale de sa sœur.

— Dieu vous écoute, mon enfant.

Ils se trouvaient dans un coin de l'étude où travaillaient Anne et le chancelier Montauban. Sauf qu'ils étaient seuls, assis face à face, tandis que les courtisans attendaient impatiemment derrière la porte.

Anne réprima un sanglot. Sa tristesse était trop vive. Elle leva les yeux au plafond et déclara dans un souffle :

— Pardonnez-moi, car j'ai causé la perte de ma pauvre sœur.

Adam Forget se fit mentalement la leçon : « Surtout, ne précipite rien. Laisse-la parler. »

— Je l'avoue, j'étais jalouse de mon droit d'aînesse.

Anne évoqua les nombreux problèmes politiques et financiers, la Bretagne cernée de toutes parts, ses propres doutes quant à ses réelles capacités. Il fallait un chef fort aux commandes. Dans son for intérieur, *elle* était ce chef. Mais Isabeau aussi était duchesse et héritière.

— Cela était juste, mon enfant. Mais encore…

Anne essuya ses yeux boursouflés.

— J'ai demandé un signe à Notre Seigneur. Je l'ai imploré. Si je suis vraiment celle qu'Il a choisie pour mener le peuple de Bretagne à la victoire, qu'Il envoie un signe !

Le chanoine saisit l'ampleur et la gravité de la confession. Son front se couvrit de sueur froide. Ce qu'il allait dire maintenant serait capital.

— J'ai fait ce vœu, poursuivit Anne. Et tout de suite après, ma sœur est morte.

Adam Forget était en lui-même en quête d'une réponse à la fois apaisante, chrétienne et finement politique. Il la trouva en un pur jaillissement de sa pensée et la livra tout d'un bloc, si entière et si nette qu'il ne douta pas un seul instant qu'elle lui fût tout droit envoyée du ciel. Anne écouta attentivement, puis elle sourit tristement. Le chanoine sortit ensuite dans l'antichambre et annonça aux barons que la jeune duchesse était maintenant prête à les recevoir.

L'étude n'était pas grande. Un feu de cheminée ronflait dans un angle. Une chaude vapeur embuait les vitres. Dehors soufflait l'âpre vent d'automne. Entrèrent les conseillers ordinaires, dont Philippe de Montauban, Alain Bouchard et le sieur de Graville, mais également les nobles repentis : le maréchal de Rieux, la comtesse de Dinan, Raoul d'Espinay et quelques autres.

Anne avait longtemps lutté contre elle-même avant d'accepter de les recevoir en privé. Mais comme disait Philippe, elle ne pouvait faire moins après leur avoir à chacun pardonné par écrit. Octobre s'avançait. Le roi de France avait repris les hostilités sur un point de litige qui l'opposait à Anne, à savoir qui, de lui ou d'elle, ne respectait pas les clauses du traité de Francfort. Sous le prétexte qu'elle entretenait encore quelques troupes anglaises, Charles refusait en effet de lui rendre, comme il s'y était engagé, les places fortes qu'il détenait encore en Bretagne.

— Je veux bien me séparer de mes Anglais, fit Anne, mais le roi voulait que ce fût déjà fait pour hier.

Elle eut ce petit sourire en coin qui dénotait chez elle tant de malice et d'intelligence. On parla aussi du pape, qui tentait, en bon père, de réconcilier les belligérants. Hélas, de l'avis de Montauban, c'était peine perdue.

— Sa Sainteté veut la paix entre l'Angleterre et la France, dit-il, mais ni l'Empire ni l'Espagne ne le souhaitent. Henri VII ne veut pas perdre la Bretagne, Charles et sa sœur ne veulent pas que la Bretagne devienne une enclave étrangère qui pourrait menacer leur frontière ouest. Et nous voulons, nous, au milieu de toutes ces volontés contraires, conserver notre autonomie.

C'était là un résumé un peu simpliste, mais finalement assez juste de la situation.

— Le saint-père ne parviendra à rien de bon, je le crains, approuva la comtesse de Dinan.

Depuis le début de l'entretien, elle n'osait fixer Anne. Elle devinait les pensées de son ancienne élève et mesurait trop sa fierté et sa confiance blessée pour tenter, si vite, de l'approcher de nouveau. Alors, elle demeurait humblement dans l'ombre du maréchal.

— Je me battrai pour vous, Anne ! annonça Rieux. Les troupes françaises avancent sur la Vilaine. Je les stopperai.

Il pouvait pérorer. Après tout, il avait obtenu gain de cause.

Il restait à régler le problème posé par Alain d'Albret. Car le fier Gascon ne décolérait pas. Il se sentait exclu du « grand pardon ». Lui qui n'avait pourtant de son propre aveu jamais trahi la cause du duc François !

Montauban inclina doucement la tête. Anne comprit le message et dit :

— Nous avons pensé le nommer capitaine de la garnison de Nantes. (Elle se tourna vers Rieux.) Vous en demeureriez le gouverneur…

Rieux secoua la tête. La comtesse fit de même. À leur avis, Alain ne s'en contenterait pas. N'ayant pu obtenir la main d'Isabeau pour son fils, il réclamait ses cent mille écus à cor et à cri.

— Dans l'état actuel des choses, vous comprendrez, fit Anne, que je ne puisse lui bailler ces sommes. Il devra attendre.

Elle se rassit à sa table. De l'encre, une plume et le document officiel de la nomination du Gascon étaient prêts. Elle saisit la plume et apposa sa signature. Seul Philippe de Montauban fut assez proche d'elle pour l'entendre maugréer :

— Fasse le ciel que je ne regrette pas cette décision !

— L'unique solution, à mon avis, poursuivit le chancelier, serait de vous marier à un puissant seigneur. Cela seul garantirait notre indépendance.

Les autres, dont Raoul d'Espinay, opinèrent.

— Nous avons renoncé à soutenir Alain d'Albret, assura la comtesse dans l'espoir de séduire Anne.

Elle sentit néanmoins qu'elle commettait là une grossière erreur. Car si Anne n'aimait pas le Gascon, elle notait tout de même que sa propre demi-sœur, qui l'avait tant appuyé, le rejetait maintenant sans une once de remords.

— Que ne suis-je née homme ! se récria Anne. La question de ma légitimité ou de mes épousailles ne se poserait alors pas !

— Je suis sûr, Votre Grâce, lui dit Montauban pour la réconforter, que Dieu vous garde pour une mission et un avenir très particuliers et glorieux pour vos peuples.

Anne lui bailla un sourire de reconnaissance, car il s'avérait que ses douces paroles étaient l'exacte copie de celles prononcées plus tôt par le chanoine.

* * *

En soirée, Benoît Vamier raccompagnait Guenièvre dans les corridors. Depuis leur retour de Saint-Aubin-du-Cormier, ils gardaient une discrétion de rigueur. Le Guin avait certes réintégré Benoît et Simon dans la garde du château, mais que faire de la jeune Bretonne ? Heureusement, Françoise avait trouvé à la loger parmi les blanchisseuses. C'était un emploi tout trouvé pour Guenièvre, qui lui était par ailleurs reconnaissante de l'avoir tirée de son triste sort.

Que serait-elle en effet devenue, vendue comme servante ou comme esclave dans une foire quelconque ? Juste avant d'être secourue dans ce chariot de métal qui empestait la saleté et l'urine, Guenièvre avait rêvé que sa tante, du haut de son paradis — et non de son enfer, comme le prétendaient les prêtres —, lui annonçait un avenir radieux, de la joie et de l'amour, de même qu'une mission de guérison.

De cette heureuse prédiction, Guenièvre ne doutait plus depuis qu'elle avait croisé le regard de Benoît. Depuis qu'elle avait senti les bras du soldat se refermer sur sa taille fine. Non pas qu'elle se considérait comme une beauté. Sa fine et longue cicatrice la défigurait à moitié. Cependant, elle avait de la bonté, de l'enthousiasme et de la ferveur à revendre.

Benoît lui tenait timidement la main. Pendant la chevauchée, secouée par les cahots, Guenièvre avait fait un nouveau rêve dans lequel elle se tenait nue dans les bras de ce jeune homme qui ne parlait pas beaucoup. Tous deux faisaient l'amour avec douceur et respect. Aussi, lorsqu'il la laissa sur le pas de la chambre qu'elle allait dorénavant partager avec trois autres filles, elle se hissa sur la pointe des pieds et lui fit don d'un baiser rapide, mais suffisamment appuyé sur les lèvres pour que Benoît l'emporte avec lui dans son cœur et ses propres rêveries amoureuses.

* * *

Au même moment, Françoise sentait peser sur sa poitrine le visage de son vieux mari. Sa barbe lui irritait la peau. Ses seins rudement malaxés étaient douloureux. Après de si longs mois de séparation, Raoul avait voulu à toute force reprendre ses droits d'époux. Françoise s'était donc réfugiée dans ses pensées et ses souvenirs. Durant l'acte, elle avait en imagination remplacé Raoul par Pierre, ce qui lui avait permis, après quelques minutes de culpabilité, d'éprouver elle aussi du plaisir. Si l'on exceptait la fougue pleine de rage, les halètements poussifs de Raoul et ses propres échauffements le long des cuisses, Françoise pouvait maintenant, tout comme lui, goûter à un peu de repos.

Elle massait rêveusement le cuir chevelu du rouquin, mais cessa brusquement quand l'image de Pierre, seul et si mal traité dans sa cellule, s'imposa à son esprit. Alors, elle se perdit dans la mélancolie. Raoul le sentit et demanda de sa voix la plus ensommeillée :

— Quelque chose ne va pas ?

« Quelque chose ! »

Françoise ne répondit pas directement. Elle préféra évoquer leur fils.

— Arnaud était heureux de vous revoir, dit-elle.

Raoul inspira profondément, chercha le regard de sa femme dans la pénombre. À la lueur du feu qui crépitait dans l'âtre, Françoise devina qu'il souriait.

— C'est un bon petit bonhomme plein d'entrain et d'intelligence, répondit-il.

Et ce fut tout. Depuis leurs retrouvailles, ils n'avaient pas davantage discuté. De rien d'essentiel, en tout cas. Que des banalités. Des nouvelles de leurs terres, des gens du Palet, du père Guy Desvaux, le curé de Champeaux qu'ils appréciaient tous les deux, ou bien des conversations à propos d'Arnaud — le seul lien tangible qui existait entre eux. L'un et l'autre respectaient ainsi le pacte qu'ils avaient conclu.

Françoise demeura longtemps éveillée après que Raoul se fut abandonné au sommeil. Soudain, elle entendit du bruit. Ce ne pouvait être Arnaud, car son fils était gardé ce soir par Odilon. Ce n'était pas non plus un garde : le pas était trop léger. Curieuse, mais aussi désireuse de marcher un peu, ne serait-ce que pour soulager ses cuisses et son ventre labouré par son fougueux mari, elle se leva.

Le corridor était désert, la nuit, déjà bien avancée. Son instinct l'attira vers les escaliers. Deux silhouettes s'y dessinaient. Elle les suivit jusque dans le grand vestibule. La plus petite silhouette s'avança alors vers la sentinelle. Une voix que Françoise reconnut demanda :

— Vous laisserez la porte entrouverte, n'est-ce pas ? Elle va revenir. Il faut qu'elle revienne…

Interloqué, le garde ne répondit pas. Blottie derrière une colonne, Françoise vit passer Anne, pieds nus et en chemise de nuit. Simon l'accompagnait. Il la guida ensuite vers l'escalier. Aussi stupéfaite que la sentinelle, Françoise les rejoignit. Simon tenait un bougeoir. Il la supplia en silence de ne rien dire. Anne avançait, les yeux grands ouverts, le souffle paisible.

Françoise comprit que sa demi-sœur marchait tout endormie. La preuve : Anne s'arrêta de nouveau. Prenant Françoise pour Isabeau, elle lui dit d'un ton joyeux :

— Allons, je l'aime, ton chat ! Si nous allions le chercher ensemble ?

La jeune femme joua le jeu et répondit sur le ton qui avait été celui de leur sœur :

— Je le savais. Grisot est si mignon ! Mais je pense l'avoir vu rentrer. Il n'y a plus de raison de rester ici. Allons donc nous aussi nous recoucher.

Simon reprit son poste, et Françoise reconduisit Anne vers sa chambre. Parvenue devant le seuil, la jeune duchesse battit des cils. Son visage s'anima. La stupeur se peignait sur ses traits.

— Tu as rêvé, souffla Françoise. Tout va bien.

Des larmes roulaient sur les joues de la duchesse. Si elle avait gardé une certaine distance avec Françoise depuis la mort d'Isabeau, elle ne pouvait ignorer, cette nuit, combien son aînée était fidèle et généreuse.

Elle lui en avait voulu, pourtant, d'être partie si brusquement. Elle lui avait aussi fait grief pour ce qu'elle prenait comme une trahison de la part du comte de Dunois, qui ne lui avait laissé qu'une petite lettre décousue pour toute explication.

— Isa voulait tant connaître la vie, les joies, l'amour… soupira-t-elle.

Françoise l'aida à se recoucher. Sans y prendre garde, elle réveilla une des dames d'honneur d'Anne, qui dormait à poings fermés. Awena était de repos, cette nuit. Françoise sourit candidement et songea sans rougir : « Enfin, avec Bernard dans son lit, c'est une manière de parler… »

* * *

Awena et Bernard reposaient, nus sous les draps, étroitement enlacés dans les bras l'un de l'autre. Comme chaque nuit ou presque, ils venaient de faire le long et lumineux voyage de l'amour. Ils haletaient un peu, souriaient beaucoup. Plus aucun muscle, plus aucune tension n'habitaient leur corps et leur âme. Ils goûtaient comme au premier jour à ce bonheur ineffable, sans heurt ni peur, qui leur venait toujours après l'acte.

Bernard savait les gestes tendres. Il savait aussi oser les gestes brûlants qui permettaient à Awena de se changer en une amazone de légende. Ils chevauchaient alors tous deux sur des sentiers ou dans des plaines secrètes connues d'eux seuls. Et c'était chaque fois la même révélation, le même contentement serein et total. L'assurance qu'elle était bien à lui, et lui à elle. Destinés l'un à l'autre malgré les différences, les préjugés et les tourmentes politiques.

Et puis soudain vint un souffle un peu court, une crispation. Awena décela immédiatement le danger et se dressa sur un coude. Sa longue chevelure blonde et bouclée tombait en cascade sur le torse du vicomte.

— Il y a un problème, mon amour ? balbutia-t-elle.

Il la regarda au fond des yeux. Dieu qu'il aimait ses prunelles si vertes, si ardentes ! Il savait qu'il n'y avait dans cette eau claire ni méchanceté, ni colère, ni désir de nuire, de trahir ou de médire. Simplement de l'amour.

Il soupira.

— Hélas ! Je voulais d'ailleurs t'en parler.

Awena eut très peur de ce que Bernard allait lui avouer. Il tendit sa main, caressa son épaule nue, descendit jusqu'à la naissance de ses seins. Son désir se raviva immédiatement. Elle s'en aperçut, mais n'était plus en état d'y répondre.

— Qu'est-ce ? voulut-elle savoir.

— Le service du roi.

Bernard se leva. Nu, il ressemblait à un bel éphèbe, à une statue grecque. La gorge d'Awena se serra.

— Le roi, ou plus justement sa sœur, ajouta-t-il. En clair, je suis rappelé à la cour de France. « Réprimandé », devrais-je dire.

Il vint se rasseoir. Awena trouva la force de lui prendre la main. Puis, se redressant, elle se colla contre lui. Le feu de l'âtre et leur proximité réciproque ne parvenaient plus à les réchauffer. Une fêlure venue de l'intérieur venait de se produire.

— Je ne serai pas égoïste au point de te demander de rester auprès de moi quand ton roi te réclame, déclara-t-elle.

Bernard leva les yeux. Comme elle était belle ! Comme elle était tragique et en cet instant plus subtile et politique qu'aucun souverain n'aurait été capable de l'être ! Malgré cela, il lui fit cette réponse qu'il savait dictée par son envie de la garder, de la posséder, de la chérir encore :

— Anne s'est réconciliée avec ses barons. Elle a prouvé sa force à tous les grands. Isabeau est morte…

Awena comprit à mi-mot sa supplique alors même qu'il s'arrêtait sur le seuil de la trahison.

Elle se redressa :

— Et qui serais-je à la cour de France ? Ta servante ? Ton amante cachée ? La vile Bretonne !

Elle se plaça devant le feu pour se chauffer le corps, mais surtout pour consoler son âme meurtrie. Elle demeura ainsi immobile tandis qu'il se rhabillait.

À l'aube, elle le vit partir accompagné par quelques hommes d'armes et disparaître dans le froid et la brume épaisse.

Chapitre 36

Une ambassade attendue

Philippe de Montauban observait Anne, qui rêvassait à la fenêtre. À quoi songeait la jeune duchesse en cette matinée d'octobre ? Isabeau reposait dans son sépulcre de pierre et de marbre depuis septembre, mais pour la Bretagne se levait, tous l'espéraient du moins, une aurore glorieuse.

Ils avaient en effet reçu de la cité d'Ulm une série de plis par messagers secrets. Les envoyés d'Anne auprès de Maximilien d'Autriche avaient terminé de rédiger les clauses d'un contrat de mariage enfin acceptable par les deux parties. Montauban examinait d'ailleurs le document depuis une heure environ. Anne achevait quant à elle une longue lettre adressée à ses vassaux : « Anne, par la grâce de Dieu, duchesse de Bretagne... », par laquelle elle leur annonçait sa décision de s'unir au roi des Romains.

Après bien des tergiversations, ce choix s'imposait en toute logique. Devenir reine et future impératrice du saint empire romain ! Parée de titres aussi prestigieux, Anne verrait son importance et sa puissance telles que la France serait finalement obligée de laisser la Bretagne tranquille. Montauban en était là de ses propres réflexions quand Anne se perdit dans la contemplation du portrait de Charles VIII que Bernard de Tormont avait eu « l'impudence de lui offrir » — selon les propres termes de la duchesse. Elle fixait la toile, détaillait les traits du jeune roi de France.

Le grand adolescent arborait un air décidé et farouche, mais aussi tendre et ingénu. Le peintre avait eu ce génie à la fois artistique et politique de présenter son modèle sous le meilleur jour possible. Montauban n'osait interrompre ce silencieux face à face de la duchesse avec celui qui se voulait en toute chose son suzerain. Et ce fut Anne qui déclara peu après :

— Il est trop bien de sa personne pour être vrai. J'ai entendu dire que son nez était très long alors que sur la toile il semble tout à fait normal ou presque. Et ses yeux, si noirs...

En vérité, Montauban se doutait que ce qui peinait le plus la duchesse était à la fois le comte de Dunois, qui avait disparu dans la nature, et le vicomte de Tormont lui-même, parti comme un malappris quelques jours plus tôt sans un seul mot d'explication. Awena avait eu beau essayer d'excuser la conduite de son bel apollon, Anne n'avait rien voulu entendre. À ses yeux, trop de gens disparaissaient sans la prévenir, comme si elle n'était pas la duchesse, mais une simple enfant à qui l'on pouvait facilement tourner le dos.

Elle revint de ses réflexions et, se tordant les mains, déclara à propos de ses épousailles avec Maximilien :

— Je sens bien que ce mariage est la seule issue possible et envisageable. Pourtant, si je l'espère de tout mon cœur, je me dis aussi qu'il n'empêchera pas la France de continuer à nous harceler.

Montauban retint sa réponse. Il était notoire que la puissance de Max était de beaucoup surestimée. Qu'en réalité, le roi des Romains ne bénéficiait que de peu de latitude et de moyens. Cela, la dame de Beaujeu ne pouvait l'ignorer…

Anne revint à sa table pour terminer sa missive non sans jeter un regard en biais en direction du portrait de Charles. De temps en temps, elle revenait se placer devant lui et le toisait en silence. Lui parlait-elle en pensée ? Et que lui disait-elle ? Les jours passant, ils avaient appris que le maréchal de Rieux, qui guerroyait de nouveau sous la bannière de la duchesse, avait fini par arrêter les troupes du général de La Trémouille sur la Vilaine, comme il l'avait annoncé. Il s'avérait également qu'Alain d'Albret fulminait de se voir proposer une rente « misérable » de mille deux cents livres en lieu et place de son dédommagement de cent mille écus. Tout cela parce qu'Isabeau était morte et que son fils Gabriel restait sans parti !

— Il a juré de se venger de nous, fit Anne. Aussi ne suis-je pas tranquille de le savoir le maître de mon beau château de Nantes…

Elle se tordit encore les mains, se leva, repassa devant le portrait du roi. Parfois, elle s'approchait de lui, presque lèvres contre lèvres. Pour le défier ? Le sonder ? Montauban énonça à voix haute les clauses de l'entente de mariage, qui se résumait à ceci : duc de Bretagne, le roi des Romains n'aurait aucun droit ou presque sur le pays outre le privilège et l'obligation de le défendre contre tous ses ennemis. Ce qui était, après tout, le but visé par Anne et son conseil. Même Rieux et la comtesse de Dinan étaient maintenant d'accord !

Anne alla se rasseoir. Elle se sentait épuisée, vidée. Les soldats n'étaient pas les seuls à donner leur âme et leur sang ! Alors qu'elle allait enfin prendre un époux, la rumeur courait que Maximilien ne pourrait pas venir en personne à Rennes pour assister à la cérémonie. Anne demeurait perplexe. Fort heureusement, son chapelain ainsi que Michel Guilbé avaient promis de l'éclairer à ce sujet.

Un bruit d'attelage s'éleva. Était-ce le retour de l'ambassade qu'ils attendaient depuis des jours ? Anne se pencha à la croisée et attendit dans l'air froid.

— Oui, annonça-t-elle gaiement, ce sont eux !

Le capitaine Le Guin et quelques-uns de ses hommes encadraient un modeste convoi. Anne ne put reconnaître les blasons, car on les avait cachés pendant le transport. Inutile, en effet, d'ameuter les Français, les brigands et les hommes de Rohan, qui se prétendait toujours l'unique héritier de la Bretagne. Ce prétentieux s'était acoquiné avec le roi de France et faisait relever des forteresses, des murailles et des châteaux dans l'unique but de la défier.

— Descendons accueillir les ambassadeurs de mon futur époux, déclara Anne, heureuse surtout d'enfin se dégourdir les jambes et de s'aérer l'esprit.

— Votre Grâce, supplia Montauban, ne pouvons-nous pas d'abord ôter ce portrait et le remplacer par celui du roi des Romains ?

Anne éclata de rire.

* * *

Wolfgang de Polheim était le maréchal de cour et le cousin de Maximilien. Précédé d'une sulfureuse réputation de séducteur, il était surnommé « le Beau ». Homme cultivé, fin politique, il cachait un début d'embonpoint par d'amples tuniques et tentait de faire oublier la rougeur de son visage par des propos légers, un accent charmant et un sens de l'humour aiguisé. Il revenait à Rennes après y avoir séjourné une première fois en juillet. Et s'il avait, lors de son précédent séjour, considéré la jeune duchesse avec distance, voire avec méfiance, il était aussi satisfait de la revoir, car il s'avérait que son maître, qui voulait se remarier, avait finalement fixé son choix sur la jeune, fraîche et intelligente duchesse de Bretagne.

La fille intéressait le roi en proportion presque égale à sa dot : cette Bretagne tant convoitée, car stratégique et au cœur de nombreux dilemmes, autant symboliques que territoriaux. Polheim n'aurait su dire dans quelle proportion, exactement. Mais pour les rois et les reines, les affaires de politique et d'amour allaient toujours ou presque de concert.

Anne l'accueillit en sa grande demeure de Rennes et offrit un bal pour fêter son arrivée. Une juste récompense, car le voyage avait été éprouvant à maints égards. Passer au travers des filets tendus par les hommes du général de La Trémouille n'avait pas été de tout repos. Heureusement, la duchesse avait envoyé des hommes d'escorte.

Le soir même, la première dame d'honneur de la duchesse vint le trouver. Il se fit rappeler son nom par Jacques de Gondebaud, son secrétaire.

— Françoise d'Espinay-Laval, comtesse de Clisson et baronne du Palet, annonça ce dernier.

Il lui glissa dans l'oreille, car ils étaient fort entourés, que la dame était également la demi-sœur d'Anne. En fin diplomate, Polheim ne trahit aucune émotion. Était-ce la même dame qui, selon certains, possédait le don obscur et sulfureux de prédire l'avenir ?

Il fut abordé par la comtesse de Dinan, qui était à l'origine de ces rumeurs. Celle-ci lui présenta son fils, le beau et frivole François de Châteaubriant, qui était partout accompagné par un autre François, d'Avaugour, le fameux bâtard de Bretagne qui avait par serment en 1486 renoncé à se prévaloir de la couronne au seul profit de sa sœur Anne — geste chevaleresque qui permettait aujourd'hui à Maximilien de prétendre au titre de duc.

Les danses commencèrent. De l'avis de Polheim, la salle n'était que peu éclairée. L'ambiance se voulait-elle intime et cordiale, ou bien manquait-on simplement de bougies ? Chaque détail revêtant pour lui une grande importance, l'ambassadeur se promit de noter ce fait dans son journal pour l'utiliser dans la suite des négociations qui devaient être entamées dès le lendemain entre lui, la duchesse et le chancelier Montauban.

Les trioris débutèrent. Polheim leva la jambe et se commit avec la comtesse de Dinan. La danse se déroulait pour le mieux quand il se rendit compte que tous les regards convergeaient vers une seule et même personne : une beauté quasi céleste qui n'était pas la duchesse elle-même, mais une courtisane, une fille d'alcôve.

En connaisseur de jolies femmes, Polheim fut renversé par le charme, la blondeur, l'air ingénu et la tenue de la dame en question.

— Awena… lui souffla son secrétaire.

L'ambassadeur attendit la suite… mais suite il n'y avait apparemment pas. C'était Awena tout court. Dès lors, Wolfgang de Polheim tenta désespérément de se rapprocher de ce soleil qui illuminait ce soir les lambris du château. Mais il s'avéra que la dame était courtisée par plusieurs seigneurs à la fois.

S'il ne fut guère étonné de voir papillonner autour d'elle ceux que l'on appelait les deux François, leur attitude et leurs propos lui donnèrent par contre des raisons de douter de la galanterie des hommes de Bretagne. En tendant l'oreille, il surprit en effet ce qu'il convenait d'appeler « des insinuations par trop gaillardes ». La belle s'offusqua et les repoussa. Mais les jeunes seigneurs, sans doute pris de boisson, revinrent à la charge et l'empoignèrent sans plus de politesses.

Entre deux figures, Jacques de Gondebaud, qui dansait de son côté, révéla à Polheim que la belle Awena avait été la maîtresse en titre de feu le duc.

— Heureux homme, rétorqua l'ambassadeur.

— Dernièrement, elle se pavanait encore au bras d'un vicomte français.

Anne dansait également. Pourtant, l'attention des courtisans semblait entièrement happée par la belle et les deux papillons qui la prenaient tour à tour, car cette danse se faisait d'ordinaire à trois et en trois parties.

Alors que l'on dansait ensuite un passe-pied[1] endiablé, Polheim lança le premier l'idée qu'Awena avait besoin d'aide.

— Allez-y donc ! s'écria-t-il à son secrétaire.

Le pauvre Gondebaud se voyait mal intervenir dans ce qui ressemblait fort à une querelle galante. Mais la jeune femme suffoquait presque, tant d'émotion que physiquement, et il fallait bien intervenir. Les deux jeunes gens étant des seigneurs bretons, Gondebaud hésitait encore, terrifié à l'idée de commettre un impair, quand une noble dame se mêla à la danse et arracha Awena des griffes de ses affreux prétendants.

Françoise prit les trublions avinés par le bras et les entraîna dans un coin.

— Quelle honte ! Mais quelle honte ! les tança-t-elle. François !

1. Danse bretonne de la fin du Moyen Âge.

Les jeunes nobles éclatèrent de rire. Françoise les jeta dans les bras d'autres donzelles, puis elle revint vers Awena, qui était toute rouge. Elles se retirèrent. Montauban vint aux nouvelles.

— Ces deux-là ont trop bu, conclut le chancelier, qui échangea, de loin, une œillade singulière avec la comtesse de Dinan.

L'on dansa ensuite une gavotte endiablée. Le parterre de danseurs se défit, puis se reforma.

— Prends un peu de vin, conseilla Françoise à Awena.

La jeune blonde essuya ses larmes. Depuis le départ de Bernard, sa vie était de nouveau misérable. Des courtisans s'arrêtaient dans les corridors pour lui tenir des propos fielleux ou pour lui faire des avances. On avait même, l'autre jour, tenté de la pousser dans une alcôve.

Elle recouvra néanmoins assez d'empire sur elle-même pour mettre Françoise en garde :

— Votre frère, mon amie !

— François ?

— Non, Antoine…

Françoise tenta de chercher le jeune homme au milieu de la foule. Elle dut convenir que cela faisait quelque temps, déjà, qu'elle ne l'avait pas vu. En fait, depuis l'enterrement d'Isabeau, il fallait bien avouer qu'Antoine se terrait.

Elle hocha du menton et décida :

— Je vais le trouver.

En sortant du salon, elle vit le capitaine Le Guin aborder Awena. C'était bien généreux de sa part ! Mais que pouvait-il faire pour empêcher des nobles de la tourmenter ?

Guidée par Simon, Françoise découvrit Antoine sur les toits. Entre la jeune femme et le soldat, nul n'était besoin de paroles. Si l'ancien palefrenier avait autrefois réprouvé Françoise parce qu'elle lui volait un peu l'affection de Pierre, il avait depuis appris à la respecter, sinon à l'apprécier. La *fille* s'était révélée une femme de caractère, mais aussi de cœur.

Il lui indiqua la grosse cheminée au pied de laquelle Antoine était bêtement assis depuis plus d'une heure.

— Mon frère! s'écria-t-elle.

Il faisait froid à la belle étoile. Le vent d'hiver soufflait du nord, les chaleurs de l'été semblaient un rêve trop vite enfui. Antoine sanglotait sans retenue. Françoise s'assit près de lui, recouvrit ses épaules d'une couverture.

— Écoute… fit-il simplement en tendant l'oreille. Tu te rappelles comme Isa aimait danser!

L'instant n'était pas aux explications. Françoise pleura aussi sur le triste sort de leur sœur, fauchée au seuil d'une vie qui lui promettait pourtant tant de joies et de découvertes.

Au bout d'une quinzaine de minutes, elle se releva.

— Je devine les tourments qui te rongent, Antoine. Nous n'étions pas là. Tous les deux. Et c'est à cause de moi. Sans mon acharnement à vouloir ramener la guérisseuse, tu serais resté auprès d'elle. Tu l'aurais accompagnée de ton mieux. Elle t'aimait tant!

Le jeune homme secoua la tête. S'il se sentait coupable, il s'en serait davantage voulu de n'avoir pas tout tenté pour la sauver.

— Je n'ai rien pu faire pour notre père, ajouta Françoise, et rien non plus pour Isa. Mais regarde en bas! Ces lumières, cette animation, toute cette joie! Anne est là. C'est pour elle, désormais, que nous devons être unis et debout.

Elle lui tendit sa main. Hélas, Antoine demeura prostré. Comme il toussait, elle se promit de demander à la jeune Guenièvre de lui préparer des potions pour le soulager. Dans les salons se jouait leur avenir à tous. Consciente qu'Anne aussi avait besoin d'elle, Françoise redescendit. Elle devait veiller à ce que rien ne survienne qui pourrait faire médire ou plus grave encore déplaire à l'ambassadeur du roi des Romains…

Chapitre 37

De drôles d'épousailles

19 décembre 1490

La litière s'éloignait de la cathédrale Saint-Pierre par les petites rues. Elle laissait derrière elle le bruit des libations et le joyeux brouhaha des citadins qui fêtaient les épousailles de leur duchesse avec celui que l'on appelait déjà « le mari fantôme ». Dans les tavernes, on buvait, mais on se gaussait aussi de cet étrange mariage. Assise bien au chaud sous ses couvertures, Anne se laissait reconduire au château, où devait se tenir le banquet qu'elle devait présider devant tous les notables et les représentants de Maximilien.

Installée face à elle sur des coussins, Françoise ne pouvait s'empêcher de songer à ce qu'elles venaient de vivre dans la cathédrale. La messe et la bénédiction papale assez spartiates et dénuées de faste conduites par Michel Guilbé. Ce même ecclésiastique qui avait procédé en 1486 à la reconnaissance d'Anne en tant que duchesse, puis, l'année précédente, à son triomphal couronnement.

— Tu as vu la tête qu'a faite ton chanoine en recevant les pièces d'or que lui a remises le maréchal de Polheim ! souffla-t-elle, tout sourire et les yeux mi-clos.

Elle enchaîna sur les derniers événements. Elle voulait tant remonter le moral de sa cadette ou tout du moins l'accompagner émotionnellement tout au long de cette nouvelle étape de sa vie !

— Notre père voulait te donner comme époux soit Louis d'Orléans, soit Maximilien. Au moins aura-t-il été exaucé sur ce point.

Anne la toisa, les sourcils froncés, mais ne fit aucun commentaire. Françoise lui prit la main.

— As-tu vraiment si froid ?

Le soir n'était pas si mordant que cela ; la journée avait été plutôt douce. Le prince d'Orange les accompagnait à cheval, de même que le capitaine Le Guin et quelques hommes triés sur le volet. Les courtisans venaient derrière, certains à pied, la plupart en attelage ou en litière.

Au prince, Françoise lança d'une voix enrouée :

— Il vous manque, n'est-ce pas ?

Anne et d'Orange savaient tous deux qu'elle parlait du comte de Dunois, dont ils demeuraient toujours sans nouvelles. Elle rabattit la tenture et reprit, un ton plus bas :

— On raconte que Maximilien avait hâte de se remarier. Il a dix-huit ans de plus que toi, mais il est bien mieux de sa personne que d'Albret. Et puis, il a tendrement aimé son épouse, Marguerite, morte il y a huit ans. Quand on lui parle d'elle, il paraît qu'il en a encore les larmes aux yeux !

Elle tapota la main de la jeune duchesse :

— S'il l'a tendrement aimée, il t'aimera aussi. Et puis, il est cultivé, il protège les artistes, il encourage les libres penseurs... Dire que tu vas devenir la belle-mère du roi de France !

Anne contemplait sa sœur sans la voir.

— Tu veux me poser des questions ? s'enquit Françoise.

Elle avait dans l'idée qu'Anne devait être curieuse d'apprendre par exemple certaines vérités qu'on lui cachait encore sur la vie intime d'un couple. Ce que l'on nommait à mi-mots « les devoirs conjugaux ».

Anne inspira profondément. Son visage demeurait impassible, fermé. Alors, Françoise comprit que sa sœur la mettait en quelque sorte au défi de deviner ses pensées. Ne pouvait-elle pas lire l'avenir ? En un mot, Françoise savait-elle si ce mariage par procuration était ou non la meilleure chose pour la Bretagne ? Était-il viable ? Allait-il déboucher sur l'avenir heureux et glorieux que l'on ne cessait de brosser autour d'elle ? Françoise, hélas, secoua la tête. Elle n'avait eu aucune nouvelle révélation. Depuis les noirs cauchemars qui l'avaient assaillie juste avant le décès d'Isabeau, la jeune femme semblait bénéficier d'un heureux répit.

Ils arrivèrent devant la grille du château. Le banquet était fin prêt, les salles, vivement illuminées — Anne avait eu vent des réserves émises l'autre jour par Wolfgang de Polheim.

— J'espère que tu as faim ! la taquina Françoise.

Le temps, pour elle, d'aller embrasser Arnaud, qui voulait à toute force assister aux libations, et elle serait prête pour la suite de cette longue et festive soirée. Juste avant de regagner l'appartement qu'elle partageait avec son époux, elle croisa Simon. Dans les yeux du garde, elle lut une question ainsi qu'une sorte de découragement qui lui donna froid dans le dos. Elle chercha parmi les soldats, puis se mêla aux courtisans, qui, tout énervés, marchaient rapidement dans les corridors en suivant les domestiques « porte-bougies ». Voyant l'heure tourner, elle renonça à chercher celui qui occupait toutes ses pensées et rentra chez elle. Elle ne voulait surtout pas manquer la cérémonie qui suivrait le festin !

* * *

On prépara un lit de parade dans un des salons ordinaires du rez-de-chaussée. Montauban n'avait pas lésiné sur le décorum. Draperies, soies, dentelles, velours, brocarts et satins habillaient somptueusement la chambre. Vêtue d'une robe de cérémonie et coiffée d'un délicat hennin blanc pailleté d'or, Anne fut installée sur la courtepointe. Pendant ce temps, les membres du conseil, les officiers et les dignitaires s'entassaient au fond de la pièce vivement éclairée et surchauffée.

Les salles du festin se vidaient peu à peu. Les courtisans ne pouvant pas tous tenir dans la chambre, ils piétinaient dans les pièces attenantes. Pour leur donner l'occasion d'assister de loin à la cérémonie, on avait ouvert toutes les portes. Le souper avait été long, la moitié des spectateurs était ivre, et l'autre, victime d'une surcharge de l'estomac.

Tous, pourtant, firent silence au moment où entra Wolfgang de Polheim accompagné de sa suite. L'ambassadeur s'approcha du lit et exhiba l'acte de mariage officiel signé par le roi des Romains. L'archevêque lui fit signe de le dérouler. Les cous se tendirent, les yeux s'écarquillèrent. La comtesse de Dinan s'était d'autorité placée dans la ruelle du lit, tout près d'Anne. C'était une audace. Non loin, les deux François, fin ronds, se gaussaient à mi-voix.

Françoise cherchait quant à elle la personne dont l'absence l'angoissait au plus haut point. À Benoît, qui montait la garde devant une des portes, elle demanda :

— Alors ?

L'autre secoua la tête, ce qui était de mauvais augure.

Au même moment, le « beau » Polheim monta sur le lit et dénuda sa jambe droite. Puis, ayant soulevé la courtepointe et tout en maintenant haut le document déroulé, il glissa sa jambe nue contre celle d'Anne. L'assistance entendit clairement le « oh ! » exclamatif que poussa la jeune fille. Toujours dans un équilibre précaire qui nécessitait son extrême vigilance, l'ambassadeur se retira ensuite avec dignité et élasticité. On l'entendit avouer avec humour à son secrétaire qu'il s'en était fallu d'un cheveu qu'il ne perde son équilibre et ne se retrouve réellement dans le lit de la duchesse, ce qui en fit rire plusieurs.

Déjà, la chambre d'apparat n'était plus qu'au quart pleine. Anne s'était relevée. Était-ce tout ? Était-elle vraiment devenue, par cette jambe accolée à la sienne, la reine des Romains ? L'archevêque hocha du chef. La comtesse acquiesça également. Un court instant, Anne fut prise de délire. Venait-elle d'entrevoir, au milieu des silhouettes qui s'en retournaient terminer leur repas, une jeune fille blonde au visage illuminé de taches de rousseur ?

« Isa… », songea-t-elle. Mais une seconde seulement, car il ne resta bientôt plus qu'elle, Awena, Jeanne Porchet et Marie, sa fidèle servante.

— Françoise ! s'exclama-t-elle.

— Je crains, fit Awena en l'aidant à se relever de ce lit immense et vide, que votre sœur ne soit partie chercher Antoine…

* * *

Françoise se couvrit la tête d'une capuche bordée de fourrure et hâta le pas derrière Simon.

— Plus vite, plus vite !

Elle lui demanda également si c'était « bien vrai ».

Ils entrèrent sous un porche en pierre, pénétrèrent dans une chambrée de soldats.

— Les hommes l'ont désertée depuis trois jours, la prévint Simon en couvrant le bas de son visage d'un linge mouillé au vinaigre.

Françoise refusa cette élémentaire protection contre ce que les médecins appelaient « les miasmes », et se pencha aussitôt sur une couche placée au sol, dans l'angle d'un mur. La pièce empestait la mâle odeur des hommes de troupe, mais plus encore la crasse et la maladie. Françoise avisa Guenièvre, agenouillée sans relâche auprès d'Antoine depuis plus de vingt-quatre heures d'affilée.

La jeune guérisseuse leva vers elle un visage exsangue de fatigue et de chagrin.

— Il refuse mes remèdes, souffla-t-elle. Je crois qu'il a pris de lui-même sa décision…

— Non ! se récria Françoise.

Elle songeait à Marguerite, à son père, à Isabeau, et elle prit d'autorité les mains de celui qui était toujours pour elle le Dolus.

— Antoine ! Antoine ! le tança-t-elle. Ouvre les yeux ! Regarde-moi ! Parle-moi !

Hélas, il était évident que le jeune homme était atteint du même mal foudroyant qui avait emporté Isabeau. Une pensée s'insinua dans l'esprit de Françoise. Elle se mit à renifler autour de la couche et du visage de son frère.

— Madame ? s'enquit Guenièvre, stupéfaite.

Un homme entra dans la pièce.

— Raoul ?

Le baron d'Espinay avait déserté la table du maréchal de Rieux pour courir derrière sa femme. Il s'agenouilla près d'elle et lui murmura tout bas :

— Ne pensez pas que c'est moi qui ai fait cela…

Ils songèrent tous deux aux parfums très spéciaux qu'il concoctait dans son étude en sous-sol du domaine du Palet.

— Je sais que vous y pensez, que vous y avez pensé pour Isabeau, ajouta le baron. Mais ce n'est pas moi.

Françoise ne répondit pas. Antoine entrouvrait les yeux.

— Il ne tousse même plus, fit Guenièvre. Je suis si désolée, répéta-t-elle.

La main du Dolus s'anima dans celles de sa sœur.

— Antoine, je t'en prie, supplia Françoise, pour moi, pour Anne, nous ne sommes plus que trois, à présent. Reste…

Le chanoine Adam Forget entra également. Il surprit ces dernières paroles et grimaça. Quelle était cette audace de demander à un humain ordinaire ce qui n'appartenait qu'à Dieu !

— Isa… murmura Antoine en souriant à demi.

Il tenta de se dresser sur sa couche, tendit ses bras comme s'il voyait sa sœur s'avancer au-devant de lui.

Debout près de la couche, Guenièvre se laissa enlacer par Benoît. Elle bredouilla qu'Antoine ne voulait plus vivre, qu'il avait vomi ses remèdes toute la journée.

— Isa ! répéta Antoine.

Puis, après avoir baillé un dernier sourire d'excuse à sa chère, douce et attentionnée Françoisine, il rendit l'âme.

Chapitre 38

La reine des Romains

Moulins n'était qu'un gros bourg d'aspect médiéval. On racontait une bien étrange légende sur ses origines. Un noble de l'illustre famille de Bourbon s'y était un jour perdu après une chasse éprouvante. Recueilli dans un moulin par une généreuse bergère, il y avait par la suite fait édifier un relais de chasse. Les années passant, une cité s'était développée autour du bâtiment, donnant naissance au bourg actuel.

Après un détour infructueux par Amboise, Bernard y entra, épuisé, sous une pluie battante. Loin d'être aussi inanimée qu'il s'était plu à se l'imaginer durant son long et périlleux voyage, la petite cité était au contraire bien occupée. Maints négociants y vendaient leurs marchandises sous de larges toiles dégoulinantes, les artisans vantaient leurs œuvres, les forgerons faisaient retentir leurs marteaux — des bouquets d'étincelles jaillissaient de leurs marteaux —, et des files de clients attendaient d'être servies. De tous ces gens, les prêteurs sur gages étaient les plus actifs.

Bernard sourit. On ne l'avait donc point trompé ! La cour s'était bien installée à Moulins pour passer les fêtes de Noël.

La cité n'appartenait-elle pas au mari de la dame de Beaujeu ? Sous l'influence de cet homme intègre doué pour les affaires, elle prenait son essor. Un vent de renouveau soufflait, les notables semblaient heureux et honorés de recevoir le roi. Bernard reconnut une vieille connaissance : un intendant du Trésor royal qui discutaillait avec un banquier.

Le vicomte gagna le palais ducal, où il se fit annoncer, puis il chercha une auberge. Il était en effet inconvenant de se présenter au roi poisseux de boue. Mais en trouverait-il seulement une de libre ? On racontait que la ville abritait plus de mille fonctionnaires royaux.

Bernard s'estima heureux de pouvoir dénicher une chambre qu'il partagea avec plusieurs voyageurs. Il dut ensuite se faire reconnaître de trois sergents avant d'être enfin admis dans la cour royale, au milieu des courtisans qui, peu importe l'endroit, semblaient toujours pressés. « Et guère polis ! » songea le jeune vicomte en ravalant sa frustration. Fort heureusement, son cousin avait été averti de sa venue.

— Bernard ! l'appela affectueusement le général de La Trémouille.

Il l'accueillit avec chaleur. C'était agir avec témérité tant Bernard avait eu le temps de se rendre compte qu'on le recevait assez fraîchement, l'ordre signé de la régente pour son retour étant loin d'être une simple invitation…

Mais Louis II de La Trémouille n'était pas un courtisan. Il le prouva en prenant Bernard dans ses bras au vu et au su de tous.

— Heureux de te revoir, lança-t-il à voix haute.

La Trémouille était ainsi fait. Véritable lion au milieu de la bataille, il incarnait hors des armées l'homme tranquille qui faisait partout la preuve d'une délicatesse de grand seigneur. « En plus de cela, se disait Bernard avec reconnaissance, mon cousin est un être dévoué qui vit davantage à la cour et sur son cheval que chez lui dans sa famille, qu'il chérit pourtant de tout son cœur. » Pour le jeune vicomte, Louis, tour à tour modèle, ami et mentor, était le prototype même de celui qui avait réussi.

— Ainsi, hasarda Bernard, le roi veut me voir !

— Sois rassuré, cousin, il ne t'en veut pas pour ce mariage par procuration avec l'ennemi. Entre nous, il affectionne tendrement sa petite fiancée bourguignonne.

— Lui, oui, mais sa sœur...

Bernard parlait d'Anne de Beaujeu, car Jeanne la boiteuse aimait tout le monde. La Trémouille hocha du chef. Pour la dame, c'était en effet plus compliqué.

La Trémouille observa son cousin de bas en haut et annonça qu'il ferait bien de lui prêter un de ses manteaux. Ils suivirent un couloir en pierre sombre qui suintait la crasse et l'humidité.

— La duchesse entend faire ici bientôt de grands travaux, annonça-t-il. Mais pour l'heure, je crains que nos parfums ne vaillent pas ceux d'Italie.

Parvenus devant la salle où se tenait le conseil royal, ils demandèrent à ne pas être tout de suite introduits. Des voix filtraient sous la porte... Celle qui dominait était tonitruante. Le seigneur qui se plaignait ainsi tentait bien de modérer son ardeur. Pourtant, le ton était péremptoire. Bernard et son cousin devinèrent que d'Albret, le géant brun et poilu, tournait comme un tigre en colère.

Il était, disait-il, injustement trompé et humilié par ce mariage d'opérette qui avait finalement uni la jeune duchesse

Anne et ce mesquin, ce fat, ce prétentieux Maximilien d'Autriche !

— J'ai été honteusement déshonoré ! geignit le Gascon. Je me vois privé à la fois de celle qui devait devenir ma femme, et de celle promise à mon fils Gabriel !

La Trémouille se pencha à l'oreille de Bernard et murmura :

— D'Albret s'est échappé de Nantes il y a quatre jours. Il s'est présenté au roi en allié. En fait, il est venu négocier avec lui ce qu'on lui a refusé en Bretagne.

Alain d'Albret avait en effet obtenu le soutien plein et entier du roi, de même qu'un énorme dédommagement pour ses pertes de guerre, plus une pension de six mille écus pour ses deux fils.

— Contre ces sommes sonnantes et trébuchantes, poursuivit le général, d'Albret a fait une offre alléchante au roi et à sa sœur…

Dans la salle, Charles se leva finalement pour répondre au Gascon. Il avait l'air un peu perdu au milieu des gens de sa cour, et si frêle face à d'Albret ! Pourtant, il déclara d'une voix forte et assurée :

— Ce mariage est effectivement une farce. Il a été accompli contre notre volonté et en violation avec les termes du traité du Verger. Cette désobéissance est une faute grave qui sera punie.

À bout de souffle et rouge d'émotion, le jeune roi se tourna vers sa sœur aînée, qui put ainsi intervenir à son tour. Anne de Beaujeu descendit de son estrade et avança vers le Gascon. Bien qu'elle soit également de frêle apparence, nul ne s'y trompa : elle possédait toujours cette aura magnétique et ténébreuse héritée de Louis XI ! Même d'Albret parut plus petit quand elle annonça qu'une lettre de dénonciation serait bientôt envoyée au pape pour exiger la résiliation de ces ridicules épousailles — cela, même si elles avaient été célébrées par un archevêque.

De son côté, Bernard s'attendait à affronter sa disgrâce. Son cousin secoua la tête.

— Pas maintenant, mais plus tard, en petit comité. À propos, qu'en est-il de ta mission diplomatique secrète ?

Bernard haussa les épaules.

— J'ai souvent entretenu la duchesse Anne du roi, répondit-il, et je lui ai remis le portrait.

— Bien. Peu importe les événements, je crois que toi et moi, nous entrerons bientôt à Nantes en vainqueurs aux côtés de Charles.

Il l'entraîna ensuite vers la salle où allait se donner un joyeux festin. Tout n'avait pas fini de cuire, mais ils trouveraient sûrement de quoi boire au bonheur de leurs retrouvailles.

— Dis donc, fit le général, tu m'as l'air changé.

— Je suis amoureux.

— Encore !

— Non pas, cousin. Il s'agit de la même dame.

— Ta blonde Bretonne ?

Bernard sourit. Awena était sans cesse à ses côtés. Il n'avait pas besoin de fermer les yeux pour l'imaginer près de lui, pour sentir la douceur de sa main dans la sienne, pour se réchauffer à son sourire, pour puiser dans l'eau claire de ses yeux le seul réconfort dont il avait finalement besoin.

Il le dit à La Trémouille, qui sourit.

— Alors, c'est vrai ! Mon bourreau des cœurs de cousin est réellement amoureux !

— Oui. Comme toi avec Gabrielle.

Un nuage passa sur le beau visage de La Trémouille. Sa femme et leur fils, Charles, devaient cruellement lui manquer.

— Allons boire ! conclut Bernard en lui donnant une bonne tape dans le dos. Nous verrons le roi et sa terrible sœur après.

* * *

Au même moment, à Rennes, une cloche aussi lugubre que celle qui avait sonné pour Isabeau retentissait maintenant pour Antoine. Anne et Françoise étaient seules dans la chapelle, chacune agenouillée sur un prie-Dieu, recrues de fatigue et de tristesse. Elles venaient d'enterrer leur malheureux frère.

Pourtant, les fêtes qui suivaient le mariage se poursuivaient sans répit. Et elles devaient presque s'échapper en catimini pour assister à l'oraison funèbre donnée pour l'âme du jeune Dolus. Anne s'abîmait en prières. Mais que ressentait-elle vraiment dans le secret de son cœur ? Antoine avait été plus proche d'Isabeau. Cela n'avait pas été un calcul de sa part, car Anne vivait en marge de leur cercle, dans un univers déjà tout dévolu au pouvoir. Si jeune, elle y avait été happée, confinée, destinée !

— Nous ne sommes plus que nous deux, à présent, fit doucement Françoise.

Elle ne comptait pas d'Avaugour, qui allait toujours selon le vent sans égard pour la famille, tandis qu'Antoine, quoique modeste et discret, avait toujours su être vaillant et entier. « Jamais, songeait Françoise, il ne nous aurait tourné le dos.

Quoi qu'on lui eût dit, peu importe la gravité des événements, il serait demeuré de notre côté. Anne le sait. Pour cela, du moins, elle doit le regretter. »

Elle tendit la main à sa sœur. Anne en eut à peine conscience. Il était hélas trop vrai qu'elle se sentait à part. On est bien seul quand on se tient au sommet. Un homme lui manquait vraiment en ce moment de solitude, et c'était Philippe de Montauban, l'ami et le père de remplacement, qui, en ce jour, prenait congé pour aller rendre visite à sa propre famille.

Finalement, Anne trouva la main tendue de sa sœur et la serra en silence, sans un mot, sans un regard. Peu après, on vint les chercher. C'étaient le sieur de Graville, qui avait des documents pour Anne, ainsi qu'Odilon, qui ramenait Arnaud. Le bambin voulait à toute force voir sa mère. Il se jeta dans ses bras aux cris de « mamou ! »

Anne se détourna. Elle aussi aurait bientôt une famille bien à elle — autre que la seule Bretagne —, des êtres de chair et de sang qui l'aimeraient sans condition. Peut-être avec ce mari fantôme qu'elle n'avait encore jamais vu…

* * *

Dans les couloirs du château, les courtisans hésitaient entre la joie et le deuil. Cela se reflétait dans la couleur des habits. Certains étaient tout de sombre vêtus, comme Françoise. La plupart, cependant, arboraient comme Anne des robes et des tuniques aux couleurs flamboyantes. Françoise sermonnait Arnaud pour une bêtise commise en cuisine — le petit avait volé des dragées — quand une silhouette jaillit soudain d'une alcôve.

C'était d'Avaugour. Le jeune homme avança si vite qu'il bouscula Odilon.

— Holà ! s'exclama Françoise en tirant Arnaud en arrière. Quelles manières !

Mais elle se tut. Une longue épée sortait elle aussi du réduit, et sa pointe brillait à deux doigts seulement de la gorge de son frère. Le Guin apparut au bout de cette épée. Il poussa un autre homme dans le couloir : François de Châteaubriant.

— Les deux François dans la même alcôve ! se gaussa Françoise.

Awena se montra ensuite, confuse, échevelée, la gorge mise à nu. Sa robe de soie était toute déchirée, son visage était en larmes. Françoise vit rouge. Elle se tint devant son frère et laissa tomber :

— Honte à toi ! Honte à vous deux !

D'Avaugour grimaça, mais rien ne sortit de sa bouche. Alors son compère, qui en savait long, rétorqua fort peu galamment :

— Nous n'avons aucune leçon à recevoir d'une femme qui se vêt en armure et qui entre la nuit dans une cellule pour se donner à un prisonnier.

Françoise fut mouchée. Mais le capitaine n'en avait pas terminé avec eux. Il brandit une seconde lame, probablement confisquée à l'un des compères et ordonna :

— Messieurs, partez !

— Catin ! lâcha d'Avaugour entre ses dents pour Awena.

Hargneux, Châteaubriant cracha au sol, puis ajouta entre ses dents, toujours pour la jeune femme :

— Tu n'auras pas toujours un chevalier servant près de toi.

Avant de tourner les talons, il prévint également le capitaine :

— Où que vous alliez, prenez garde aux ombres qui rôdent…

— Votre poésie ne m'émeut point, messire, répliqua Le Guin.

Pour un petit officier, il n'avait pas froid aux yeux. C'était toujours ce qu'en avait compris Françoise. Et, une fois encore, il leur sauvait la mise. Le capitaine s'inclina, puis leur demanda de les raccompagner.

Françoise serra Awena dans ses bras.

— Ma pauvre, fit-elle, je m'excuse pour ces deux rustres. Anne saura tout.

Odilon retira enfin sa main des yeux d'Arnaud. Françoise lui sut gré de cette délicatesse. Décidément, d'Avaugour tombait de plus en plus bas. Sans doute lui en voulait-il encore de ne pas lui avoir rétrocédé le titre de comte de Clisson… qui appartenait somme toute désormais à son époux.

Au même moment, dans son étude de travail, Anne ne perdait pas de temps. Sachant que son mariage avec Maximilien allait jeter de l'huile bouillante sur le feu de ses relations avec la France, elle relut un premier document qu'elle envoya au conseiller Jehan de L'Espinay, le chargeant de remettre en état les pans de murailles qui en avaient le plus urgemment besoin.

Et elle signa avec une certaine fierté : « Maximilien et Anne, par la grâce de Dieu, duc et duchesse de Bretagne, roi et reine des Romains ».

Ce qui était à n'en pas douter un nouvel acte de rébellion à l'encontre de la France.

Chapitre 39

Frissons dans la nuit

Le prisonnier brûlait de fièvre. D'extrêmes chaleurs, puis des frissons glacés le maintenaient dans les pires tourments. Dehors, le vent soufflait dru. Les murs de sa cellule étaient poisseux d'humidité. Les autres soirs, il écoutait le concert fait des cris et des piétinements sinistres des rats, des souris, des mulots et des autres créatures infâmes qui partageaient son espace. Ce soir, la maladie lui faisait revivre sa vie à rebours. Une existence qu'il considérait comme gâchée par la vindicte, la jalousie et la méchanceté des hommes.

Recroquevillé sur sa couche moisie, le duc d'Orléans se revoyait enfant.

— Louis, disait sa mère, nous allons rencontrer une femme qui connaît les mystères de l'avenir et du destin.

Il la regardait, ébahi. N'était-ce pas mal ? Le prêtre ne serait-il pas en colère s'il l'apprenait ?

— Rassure-toi, il n'en saura rien.

Le garçonnet avait six ans. Il tenait la main de sa mère, et ils allaient partager un secret. Quoi de plus excitant pour un enfant !

Derrière eux venait un homme taciturne qui ne parlait jamais beaucoup. Louis ne s'en souciait guère. Domestique ou garde du corps, il n'était qu'une ombre. La diseuse de bonne aventure était une gitane. Il venait chaque année des bohémiens sur leurs terres. Ils se cachaient dans les forêts comme des voleurs.

Louis se rappelait que la femme avait de longs cheveux noirs qu'elle nouait sur sa tête par un épais bandeau rouge sang. Dans son attelage transformé en habitation, tout lui paraissait sombre et mystérieux. Jusqu'à la voix de la sorcière, qui tenait sa petite main dans la sienne.

Des années plus tard, Louis se rappelait encore le son de sa voix grave, hachée, et surtout les paroles qu'elle avait prononcées.

— Il y a des fleurs de lys autour du visage de cet enfant…

— Tu vois ! Tu vois, mon chéri ! s'exclamait Marie de Clèves. Le roi Louis ne pourra rien contre toi.

La devineresse ajouta :

— Cet enfant est protégé par le rayon d'or des riches, des puissants et des glorieux.

La devineresse avait pris la poignée de pièces que lui jetait l'antipathique domestique. La duchesse d'Orléans était aux anges. Elle prédisait à son tour que le roi voulait éteindre leur branche, mais que le Seigneur, dans sa grande bonté, ne le permettrait pas.

— Un jour, mon fils, un jour, tu seras roi à ton tour. Je te portais dans mon ventre que je savais déjà que tu deviendrais grand, fort et glorieux.

Rongé par la fièvre, enfermé dans la grosse tour de Bourges depuis plus d'un an, Louis éclata de rire. Les mères, décidément, aiment toujours croire que leurs enfants seront célèbres. Cela les rassure sur leur propre sort. Qu'en était-il aujourd'hui de toutes ces fadaises, ces prétentieuses et illusoires prédictions de bonnes femmes ? La réalité était qu'il avait voulu jouer les papillons et qu'on l'avait impitoyablement écrasé. Résultat : il pourrissait dans un cachot sordide.

Les images changèrent dans sa tête. Le temps faisait un bond en avant. Il revoyait encore sa mère, mais cette fois nue, offerte et gémissante dans les bras d'un homme. Était-ce le même que celui qui les avait accompagnés dans le campement des gitans ? Louis n'en était pas certain. Il vivait ce souvenir et il conservait en même temps assez de lucidité pour se demander si sa mémoire ne lui jouait pas des tours.

Sa mère était semblable à toutes les femmes belles et hardies. Elles rêvent de joie, de tendresse et de moments forts pour se consoler de leur terne quotidien. Elles veulent du plaisir et plus encore quand celui-ci est interdit, dangereux, brûlant. Louis sentit la colère monter en lui. Il hurla aux images venues le tourmenter :

— Allez-vous-en !

Peu après, il en vint d'autres, en bouquets, mais de plus agréables, car il se revoyait pendu aux corps et aux lèvres de toutes les belles créatures dont il avait, depuis sa jeunesse, croisé le chemin. Des filles fleurs, des diablesses, des servantes, des drôlesses, des lingères et des marchandes mélangées à toutes les filles de nobles, châtelaines, duchesses, comtesses et même des princesses, qui avaient partagé avec lui une couche, un lit ou une alcôve.

Au milieu de tous ces visages, il s'en glissa un qui l'étonna. Ce n'était pas le faciès de Jeanne de France, mais celui, doux et en même temps grave et intelligent, de la jeune duchesse Anne de Bretagne. Que devenait cette enfant qu'il avait tant voulu aider ? L'idée du pourquoi — des raisons secrètes qui l'avaient fait agir — lui vint également. Avait-il cru, en venant au secours de la Bretagne, hâter ce que sa mère avait jusqu'au bout appelé son « glorieux destin » ? Avait-il simplement voulu se venger d'Anne de Beaujeu, qui lui avait ravi la régence du royaume ?

Toujours est-il que les visages disparurent un à un. Les baisers, les doux serments, les caresses. Il se retrouva à nouveau seul tantôt glacé, tantôt dévoré par un douloureux feu intérieur, avec des démangeaisons sur tout le corps. Il entendit des pleurs ainsi qu'une voix qu'il reconnut pour être celle de leur geôlier :

— Inspection !

Et, un peu plus tard :

— Non ! Non !

Louis fit un effort surhumain pour se dresser sur sa couche. Il posa les mains à plat sur le mur qui le séparait de la cellule occupée par son compagnon d'infortune, et s'écria :

— Pierre ! Pierre !

* * *

Pierre Éon Sauvaige rêvait qu'il avait neuf ans.

— Viens, lui murmurait une voix d'homme, je veux te présenter quelqu'un…

Ils entrèrent dans une pièce délabrée. Sur un tréteau en bois était étendu un corps sans vie. Le soldat portait une blessure profonde à la poitrine. Une marque ensanglantée en forme de croissant rougissait sa gorge aux chairs bourrelées et purulentes. Laquelle des deux avait amené Jean Éon au trépas?

— La guerre, murmura l'autre.

Pierre se détourna de ce père mort et toisa celui qui venait de parler. Ce dernier avait un visage étroit, des cheveux drus et noirs, une moustache sévère, le teint hâlé et des yeux vert foncé qui ne cillaient pas. Ce devait être un homme de guerre et de violence. Le genre d'individu qui pouvait facilement assener de telles blessures sur le corps d'un ennemi.

— Je suis désolé, petit. C'était ton père, et c'était aussi mon ami. Il m'a chargé de veiller sur toi. Je m'appelle Le Guin.

Il leva sa main noueuse…, mais Pierre se sauva en courant. Il étouffait. Cette pièce sentait trop la mort, la charogne, le sang — quelque chose de glauque et de démoniaque. Il lui fallait retrouver le soleil ou à tout le moins le ciel. Hélas, le jour baissait. L'esplanade du château des ducs de Bretagne était envahie de chariots, d'attelages, de chevaux, de soldats. On criait. On appelait au secours. Des blessés étaient amenés, déplacés, déchargés.

Pierre cherchait la lumière. Celle-ci disparaissait derrière les toits du beau château de tuffeau blanc. Alors, le garçon posa une main sur ce revêtement tiède qui portait encore la marque de la vie et du soleil. Cette tiédeur se communiqua à lui. Peu après, il croisa le regard affolé d'une fillette de son âge qui paraissait en quête du même réconfort. Elle était blonde, mais ses cheveux avaient la couleur de la paille. Son visage, comme celui de ce Le Guin, était étroit, sa bouche, un peu trop grande. Ses yeux bruns tiraient sur le vert. Ils contenaient toute la frayeur du monde. Ils se contemplèrent tous deux durant quelques secondes. Elle dit :

— Ma mère est morte.

Pierre songea à ce père qu'il avait à peine connu. Puis la fillette disparut. Alors, un autre enfant appela le garçon :

— Pierre !

C'était Simon le Gros, un orphelin de son âge qui venait d'être placé auprès du maître des écuries de monseigneur le duc de Bretagne. Il lui tendit sa main.

— Allez, viens !

Simon ajouta, mais cette fois avec une voix plus bourrue qui n'était plus celle du garçon un peu attardé qu'il avait été :

— Ne fais pas l'imbécile. Cette fille n'est pas pour toi.

Pierre secoua la tête. Les jambes ballantes sous lui, il se revoyait assis sur une poutre, au sommet de la tour du château. Il sculptait un objet usuel : une épingle à cheveux qu'il entendait offrir à Françoise. Ensuite, elle le rejoignait, et ils se contemplaient en silence dans la nuit et les craquements de la charpente. Bien plus tard, elle l'avait fait demander, et ils s'étaient retrouvés dans une pièce en soupente. Elle avait laissé tomber au sol l'unique vêtement qu'elle portait, et ils s'étaient aimés follement.

— Tu te trompes, Simon, répondit-il à son ami, la vie est grande. Elle peut nous surprendre si on la laisse venir…

Le grincement d'une porte qui s'ouvre brisa net ce rêve que le jeune prisonnier classait dans ses meilleurs souvenirs. Une haute silhouette se dressa devant lui.

C'était Rainier de Bourg.

— Inspection ! rugit-il.

Il surgissait en pleine nuit de tempête, comme un démon qui ne cesserait jamais, sans doute, de les tourmenter. Un garde le saisit au col et le jeta au bas de sa couche. De Bourg exigea de la lumière. Un autre homme plaça sa torche au-dessus de sa tête. Avec son poignard, Rainier trancha dans le matelas de grain.

— Ah ! Ah ! s'écria-t-il en trouvant l'objet qu'il cherchait.

Il exhiba le clou devant les yeux de Pierre.

— Ainsi, le bougre n'a pas menti.

Un autre garde apparut, placé entre deux soldats, les mains liées dans le dos. Son visage meurtri, ses bras ensanglantés dénotaient l'homme qui venait de subir les affres de la torture. Pierre reconnut Étienne Bucy, le frère de cette si jolie lingère qui avait en secret, pendant des semaines, adouci la captivité du duc d'Orléans.

De Bourg découvrit aussi les curieux objets en bois, sculptés de peine et de misère avec cet unique clou — les trésors de Pierre. Il y avait là un jouet pour enfant, un peigne et une pièce en cuir tanné qui ressemblait assez à... De Bourg n'en était pas certain. Mais peu lui importait. C'était là une traîtrise qui devait être punie immédiatement.

— Emmenez-le ! lança-t-il pour le malheureux complice de Pierre.

De Bourg s'agenouilla ensuite près de son prisonnier.

— Quant à toi, mon gaillard...

Il écrasa les objets en bois sous sa botte.

— Non ! supplia le jeune homme.

Une voix assourdie leur parvint : c'était Louis d'Orléans qui grondait, qui menaçait. Il ajouta, tandis que le geôlier refermait la porte et repartait en riant :

— Vous le paierez, de Bourg ! Je jure devant Dieu que vous paierez pour cela !

* * *

Il existe des êtres unis les uns aux autres par des liens secrets et invisibles qui dépassent l'entendement des hommes. Au même moment à Rennes, dans son lit, alors qu'à ses côtés ronflait Raoul d'Espinay, Françoise songeait à cette vérité non écrite.

Son époux avait exigé d'elle le plaisir de la chair. Elle s'était laissé faire en se réfugiant dans les souvenirs de son cœur. Cette fois-ci, pourtant, Raoul avait senti ou deviné qu'elle ne chevauchait pas en sa compagnie. Alors, il avait refermé ses mains sur sa gorge et menacé :

— Vous songez toujours à lui ! Mais il est mort, entendez-vous ! Il n'est plus. Le présent, c'est moi. L'avenir, c'est moi. Mettez-vous bien cela dans la tête et cessez d'espérer.

Françoise avait ri. Contre ce rire tranchant de femme, Raoul ne pouvait rien. Mais le bougre avait hélas des idées ; le désespoir lui en donnait.

— Si jamais il en réchappe et que vous vous revoyez, éclata-t-il, alors… (Il reprit son souffle comme après un long échange d'armes.) Alors, je le jure sur ce que j'aime le plus, je les tuerai, lui et votre fils bâtard.

Peu après, Raoul s'était endormi.

Françoise se leva en silence. La chambre était glacée. Où donc se trouvait Odilon ? N'était-elle pas chargée d'entretenir le feu ? La jeune femme s'enveloppa dans sa houppelande doublée de fourrure — un cadeau de son époux — et alla rejoindre sa servante dans la petite pièce attenante où dormait Arnaud.

Odilon était allongée contre le bambin. Françoise se coucha à son tour et se blottit contre eux. Enfin, la chaleur revint dans son corps. Enfin, l'affreuse vision de Raoul en train d'étrangler leur fils s'estompa.

« Non, il ne le fera pas, se raisonna Françoise. Nous avons une entente, tous les deux. S'il ne veut pas que ses parents lui retirent tous ses biens, il ne peut faire autrement que de garder Arnaud vivant. De plus, il est si imbu de la grandeur de son nom qu'il ne s'humiliera pas en le désavouant. »

Rassurée par cette dernière pensée pleine de sagesse, Françoise se rendormit et rêva aux bras, aux baisers et aux yeux si bleus et si purs de Pierre. Ils étaient seuls, tous les deux, sur le bord de la Loire. C'était une douce soirée d'été. Elle était venue à lui déguisée. Il lui avait fait voir sa barque et le matériel dont ils auraient besoin pour vivre ensemble une belle et grande aventure.

Ensuite, ils s'étaient disputés. Mais qu'importe ! Après, ils s'étaient embrassés pour la première fois.

Chapitre 40

Un chaud manteau sur tout le corps

Anne écoutait distraitement la conversation : les rapports ou les prises de position des membres de son conseil. Ce matin, elle était distraite. Il était des jours comme celui-là où la duchesse s'éloignait d'elle et où la jeune fille ordinaire s'en rapprochait. Les désirs, les doutes et les interrogations de son âme et de son cœur parlaient plus fort que les décisions d'État. Ainsi, lorsque Montauban ou le prince d'Orange prenaient la parole, une partie d'elle voulait écouter. Mais quand il s'agissait du maréchal de Rieux ou pire encore de la comtesse de Dinan-Laval, ses oreilles se bouchaient, et Anne pouvait alors étudier les deux visages qu'elle avait sous les yeux : les portraits de Maximilien d'Autriche, désormais son mari devant Dieu, et celui du jeune roi de France, son ennemi le plus acharné.

Et elle rêvassait.

Si Max — les proches du roi des Romains le nommaient ainsi — était âgé de trente-deux ans, il était aussi fort bel homme. Blond de cheveux, il avait des yeux bleu foncé, un visage fier et altier, un nez puissant, un front droit. À ce que prétendait Wolfgang de Polheim, il n'avait que quelques dents de gâtées. Anne n'avait sous les yeux que la figure, mais elle imaginait facilement le reste. Charles... Il fallait bien avouer que malgré ses dix-neuf ans, le jeune souverain de France ne pouvait rivaliser en beauté avec l'Autrichien. Les heureux coups de pinceau de l'artiste n'arrivaient pas à gommer entièrement ses défauts de traits. Anne gardait suffisamment la tête froide pour voir le roi tel qu'il devait vraiment être : un jeune homme au regard lourd et à l'esprit sans doute obtus, avec une chevelure grasse et brun foncé qui lui tombait droit sur les joues, une bouche trop grosse et un nez sur lequel il valait mieux ne pas trop s'attarder. Et on le disait de surcroît mal formé des bras, des mains et des épaules !

Philippe de Montauban et le prince d'Orange parlaient chacun d'un allié de la Bretagne. Le premier expliquait pourquoi Ferdinand d'Aragon tardait à signer l'entente secrète qui était pourtant si à son avantage ; le second, les raisons pour lesquelles le roi Henri VII ne se hâtait pas davantage. L'un et l'autre étaient soi-disant aux prises avec des problèmes. Mais qui n'en avait pas ?

Anne n'était-elle pas acculée à la banqueroute ? Décidément, la politique lui faisait penser à deux pommes.

« J'en ai deux dans mes mains. Combien puis-je en manger ? L'une est avariée, l'autre est déjà à moitié croquée, mais du côté qu'on ne voit pas. Alors, finalement, combien en ai-je ? »

C'était son père qui lui avait un jour tenu cette leçon devant la Dinan, qui s'en était offusquée. Pourtant, à cette heure, Anne songeait combien Ferdinand et Henri étaient réellement pour elle... des pommes !

« Et Max, et le roi Charles aussi... »

Elle eut une pensée pour ce pauvre Louis d'Orléans, à qui, un jour, elle avait rêvé en tant qu'époux. C'était si loin...

— Votre Grâce ?

Montauban la rappelait une fois encore à l'ordre. Non plus en toussotant, mais en lui adressant un regard presque courroucé.

— Ce que nous révèle la comtesse est grave.

— Grave ?

— Il a fui, répéta le chancelier.

Anne répéta également, mais sans comprendre :

— Fui ?

— Oui. D'Albret a quitté Nantes pour aller se terrer à Moulins, chez le roi et sa sœur, la duchesse de Bourbon.

— Et il lui a proposé son aide pour un projet dont on ignore encore tout, précisa la comtesse.

Rieux baissa les yeux.

— Il est parti alors que nous venons de nous saigner les veines pour lui bailler vingt mille livres ! éclata Anne, qui recouvrait enfin le sens des réalités.

— Hélas ! Votre Grâce.

Anne exigea une feuille, une plume et son sceau. Puis elle retira à l'orgueilleux Gascon son commandement de la garnison du château de Nantes.

— Quand je le disais que je regretterais ma décision de l'y avoir nommé !

Elle se tut. Son visage se plissa. Elle avait froid, soudain. Comme si cette pomme pourrie pouvait encore lui faire plus de mal.

En sortant de l'étude, Rieux confia à sa complice :

— Était-il bien nécessaire d'aller trahir votre demi-frère ? Cela ne vous a pas rapprochée d'Anne pour autant. Vous la disiez rancunière...

La comtesse le planta comme un navet au milieu des courtisans pour aller rejoindre son fils François.

* * *

Les corridors réservés à la domesticité étaient aussi vivants et animés, sinon davantage, que ceux dans lesquels se pavanaient les nobles. Lingères, laquais, pages, femmes de cuisine et porteurs de bûches s'y croisaient et badinaient à loisir. Ils avaient également leurs guerres secrètes, leurs rapports de force, car une hiérarchie stricte réglait les faits et gestes de chacun. Il était pourtant des heures, comme celle du bain hebdomadaire, où les rapports étaient des plus courtois.

Une jeune lingère se faufilait au milieu de cette foule. Les murs fleuraient le linge sale et la saponaire. Le tout ne sentait pas très bon. Une femme très en chair régulait le bal des baquets de linge. La lingère se fit demander de se hâter. Et puis, pourquoi serrait-elle les draps contre elle au lieu de bien les porter comme les autres !

— Tu es nouvelle, toi !

L'autre n'osa fixer la maîtresse femme.

— Tu portes un voile sur les cheveux, comme les dames ! As-tu la crève ?

À ce mot, d'autres se raidirent, car « maladie » rimait souvent avec « agonie ».

— Non pas, madame, je suis seulement frileuse.

— Ah bon. Allez, sauve-toi !

À cet instant apparut une silhouette blonde et gracieuse. Les lingères et les domestiques se pressèrent, les pages et les laquais connurent leur moment de joie à la vue de cette créature qui était si convoitée dans le château. Awena parla aux uns et aux autres. Elle avisa soudain la lingère au voile, fronça les sourcils. Quand elle voulut l'interpeller, celle-ci avait déjà disparu.

La jeune fille s'était tout bonnement adossée contre un mur. Elle laissa passer le flot des servantes, puis elle soupira. C'était folie que de venir en ce lieu. Un éclat de rire la rendit brusquement à la réalité. Derrière la paroi se trouvait la salle d'eau réservée aux hommes.

Elle se cacha derrière un tas de draps et observa les allées et venues d'un groupe de jeunes laquais très légèrement vêtus. Ils grelottaient sur place, mais allaient tout de même courageusement se frotter. Non pas un à un, mais en groupe et en chœur. La lingère les entendait plaisanter. Les baquets d'eau se vidaient. Elle imaginait la scène derrière le mur, et elle en rougissait jusqu'aux oreilles. Les rires, les propos étaient badins. Il y en avait aussi de grivois. La vapeur de l'eau chaude flottait jusque dans le corridor. Tant mieux, car ces nappes suspendues aideraient le voile à cacher la délicieuse confusion qui agitait la lingère.

Un bruit de pas l'alarma. Se croyant perdue, elle se mit à courir et se pressa tant qu'elle tomba dans les bras d'un garde qui venait.

— Holà ! fit le jeune homme en happant la biche affolée.

Il approcha son visage du sien et crut rêver. Son souffle en fut coupé. Ses yeux s'agrandirent. Il ouvrit la bouche… À cet instant, la lingère recouvra tous ses moyens et lui dit sur un ton péremptoire :

— Vous n'avez rien vu.

Puis elle s'en alla, et on ne la revit plus.

* * *

Le soir, Anne tournait en rond dans sa chambre. Régulièrement, elle venait se tenir devant la psyché de bronze chargée de lui renvoyer son image. Oh ! Elle se savait légèrement bancale. Mais grâce aux talonnettes en feutre que lui avait confectionnées Pierre, cela ne paraissait plus. Et puis, allongée, cela comptait-il vraiment ?

Elle ne put s'empêcher de rougir. Depuis quelques jours, c'était une mauvaise manie qui la prenait à toute heure du jour et du soir. Elle s'observait comme jamais auparavant. Elle avait quatorze ans, et on lui disait qu'elle en savait plus sur la vie que bien des jeunes de son âge. Oui. Mais connaissait-elle les bonnes choses ? Elle parlait le latin, l'espagnol, l'anglais et un peu de grec. Qu'en était-il de la langue du cœur et de celle du corps ?

Son fantôme de mari faisait dire par la bouche de son cousin qu'il se languissait d'elle. Il voulait la voir incontinent, la connaître, la serrer à toute heure dans ses bras, lui rendre les hommages d'un époux envers sa femme — ce dernier point demeurait assez nébuleux pour Anne, qui ne supportait plus de n'en rien connaître. Mais alors, pourquoi diantre tardait-il à se présenter devant elle ?

Elle était jolie, pourtant ! Ses cheveux étaient blonds, son visage avait ce bel arrondi qui plaisait et ses lèvres étaient en forme de cœur — comme les aimaient les hommes. Un teint de pêche et des yeux d'une belle eau bleue terminaient le tableau. Elle arborait certes un front haut qui étonnait.

Mais cela dénotait son intelligence. Parfois, elle devait convenir qu'être trop futée n'était peut-être pas une bonne chose pour une femme au regard des galants et des hommes en général. Ceux-ci pourraient en effet par trop s'effaroucher.

Elle tournait et tournait donc. Auprès de qui pouvait-elle s'informer des choses qui la taraudaient depuis son mariage ? Elle avait repassé cent fois dans sa tête la scène de la jambe nue de Polheim contre la sienne. Était-ce tout ? Ce ne devait sûrement pas. Alors, il fallait savoir.

Des visages lui vinrent. Le premier fut celui de sa sœur aînée. Françoise savait tout cela. Elle avait un mari et un fils. Elle avait également eu Pierre. Anne avait beau être jeune et prise tout entière par les affaires de l'État, elle n'était pas aveugle. Avec Pierre, Françoise avait fait beaucoup de choses. Le tout était précisément de savoir lesquelles. Elle renifla. Finalement, non. Depuis la mort d'Isa, quelque chose s'était brisé en elle à propos de Françoisine.

La comtesse de Dinan ? Certes pas. Ni maintenant ni jamais plus. Il y avait désormais une barrière de feu et de fer entre elles. Inutile, donc, d'y songer. Le comte de Dunois n'était hélas plus là. C'était un galant et un homme de bien. Philippe ?

« Non, trop vieux, trop solennel, trop sérieux. »

Antoine était mort, lui aussi.

Alors qui ?

Sur ce, Awena entra. Ce fut comme le soleil après la pluie, le jour après les ténèbres. Anne lui sourit. Sa dame de compagnie s'approcha et prit ses mains.

— Vous êtes d'humeur joyeuse, ce soir, Votre Grâce, fit-elle.

Anne se retint de lui répondre qu'elle la trouvait non moins belle, mais moins lumineuse depuis que le beau vicomte de Tormont n'était plus à la cour.

— Awena, demanda-t-elle, si nous nous asseyions ?

Anne était rouge et essoufflée.

— Vous êtes contrariée ? avança la jeune femme.

Et puis, soudain, elle sut. Plus exactement, elle devina et lui dit tout net :

— C'était vous !

— Moi ?

— Cet après-midi, près de l'étuve des hommes…

Anne se renfrogna.

— Ne vous en faites pas, souffla Awena. Si vous le voulez bien, ce sera notre secret.

La duchesse n'avait plus d'autre choix, devant le visage ouvert et souriant de la jeune femme, que de lui avouer le reste : ses nombreuses questions sur les hommes, sur la chose à faire en leur présence, sur ses doutes et ses peurs.

Elle lâcha enfin la question qui lui brûlait les lèvres :

— Qu'est-ce, exactement, qu'un homme, Awena ?

L'ancienne courtisane avait tant peiné et aimé. Elle aimait encore tant, d'ailleurs ! Anne savait à qui Awena songeait si fort et avec tant d'affection alors même que ses yeux étaient si pleins d'ardeur et de lumière !

— Un homme, Votre Grâce, répondit finalement Awena avec un petit rire de gorge, c'est un chaud manteau appuyé tout contre votre corps…

Chapitre 41

L'intrusion nocturne

Nantes, nuit du 19 au 20 mars 1491

La comtesse Françoise de Dinan-Laval s'était couchée tôt. Maux de tête, indispositions de l'estomac, tout lui était un supplice, même garder les yeux ouverts ! Les festivités données en l'honneur du mariage de la jeune duchesse Anne achevées, elle avait regagné Nantes en compagnie du maréchal de Rieux. Après avoir été la gouvernante de deux duchesses, elle avait maintenant l'atroce sensation de n'être plus rien. Tout cela à cause de l'opiniâtreté et de la rancœur d'Anne !

Rieux lui avait bien dit qu'ils n'étaient plus en faveur au conseil de la duchesse. La fille n'avait plus cure de leurs avis ou de leurs opinions. La comtesse, qui devait originellement demeurer à Rennes, était donc repartie.

Pour l'heure, seule dans son grand lit, son bonnet de nuit enfoncé sur la tête, elle se laissait aller à revivre le temps de sa grandeur, les années joyeuses où elle faisait la belle démonstration de son érudition et de son intelligence à Anne et à Isabeau. L'ombre de Françoise se glissa une fois encore entre Anne et elle. La comtesse se retourna dans ses couvertures. Dans la ruelle du lit sommeillait sa servante. La nuit était froide. Que ce château semblait vide sans Anne !

Peu après, elle cessa de s'entourer des images de son passé. Le sommeil la gagnait. Son cerveau embrumé accepta enfin de lâcher prise sur le réel. Les premiers temps de son rêve furent heureux. Légère, elle flottait au-dessus d'une campagne fleurie et souriante qui sentait le printemps. Survolant les bois, les champs, les cités côtières, les anses, les criques découpées et les îles déchiquetées par le vent et les marées, elle goûtait à une sorte de plénitude comme seule peut connaître une enfant innocente.

Soudain, le ciel s'obscurcit. Sans rien voir du danger qui menaçait le pays, elle songea à la France, le redoutable voisin : l'ogre de légende qui voulait tout manger. Elle résolut de s'approcher et découvrit qu'il s'agissait bien d'un ogre, tout du moins d'un géant qui battait la campagne. Ses jambes étaient immenses. Sa tête dépassait la crête des nuages.

Elle voleta autour comme une mouche et se rendit finalement compte qu'il ne s'agissait pas d'un homme poilu et menaçant, mais d'une jeune fille !

C'était Anne. Immense. Omniprésente. Souveraine. Elle étendait sa main, amenait l'ombre ou le soleil sur un bourg, une forteresse, une cité retranchée.

— Anne ! s'écria-t-elle.

Hélas, la jeune duchesse continuait sa marche à travers la Bretagne. La comtesse sentit alors un poids tomber sur sa poitrine. Cette tristesse l'alourdit tant qu'elle perdit de l'altitude. Bientôt, elle ne put plus voler et se résolut à atterrir. Sa tête était lourde, son cœur, semblable à un gros caillou sec. Pour finir, il se mit à pleuvoir.

Elle se réveilla brusquement et constata que ses joues étaient mouillées de larmes. Plus que la fin ridicule et pathétique de son rêve, *quelque chose* l'avait vraiment tirée du sommeil. Elle appela sa servante. Celle-ci ne dormait pas davantage.

— Tu as entendu ? s'enquit la comtesse.

Des lueurs apparurent à la fenêtre. La Dinan se leva, écarta la lourde draperie.

— Il y a des gens dans la cour du château, dit-elle.

— À cette heure ? s'étonna la servante.

— Mes vêtements, je te prie.

Engoncée dans sa houppelande, la comtesse sortit de son appartement. On allait et venait dans les corridors. Elle retint un laquais par le bras.

— Par Dieu, mais que se passe-t-il donc ?

— Je ne sais pas, madame.

Et l'homme s'en fut. La comtesse en stoppa un autre, qui se révéla heureusement plus bavard.

— On raconte que des artisans et des paysans se sont introduits dans l'enceinte, madame.

La comtesse était abasourdie. Une porte s'ouvrit. Elle reconnut le profil assez ingrat de Françoise de Rieux, l'épouse de son fils François, puis son fils lui-même, tout habillé et sanglé.

— Mère ! s'écria Châteaubriant. Rentrez chez vous.

— Non pas, François, je veux savoir ce qui...

Une haute silhouette se dessina dans la pénombre. Des hommes l'entouraient. À leur allure, on aurait effectivement juré des paysans. Pourquoi, alors, portaient-ils qui une épée, qui une hallebarde ? Ils ouvrirent la bouche. La comtesse reconnut les sonorités méridionales de la langue, et elle pensa « Gascons ».

— Ma chère sœur ! la salua le seigneur d'Albret.

— Alain ?

— Lui-même !

— Mais, et Jean ?

— Le maréchal est, vous le savez, encore retenu à la chasse…

— C'est donc cela.

Des chevaux encombraient l'esplanade. Des hommes d'armes mettaient pied à terre.

— Je suis de retour, expliqua d'Albret. Sachez, madame, qu'on ne me chasse pas d'un seul trait de plume.

Anne avait eu beau le déchoir de son commandement de la garde, il était encore le maître. Ignorer son influence sur ses soldats, quand bien même il ne les commandait plus, avait été une erreur.

— Mais que faites-vous ? reprit la Dinan.

Le Gascon se rendait en effet dans les appartements de la duchesse, ouvrait les portes et les coffres. Il incita ses hommes à fouiller, à chercher, à prendre. Peu après, ils entassèrent nombre de bibelots de valeur sur le sol marqueté : tableaux de saints, tapisseries de prix, objets de culte en or, psautiers délicatement ouvragés, pièces d'orfèvrerie, lingerie fine.

— Alain, s'indigna la comtesse, vous ne pouvez agir ainsi ! C'est mal.

— Mal ! se récria le géant.

— Vous venez de toucher vingt mille livres de la duchesse.

— C'est que j'ai perdu bien davantage.

On lui remit un coffret. Il l'ouvrit, y trouva les bijoux qui restaient à Anne. D'Albret les empocha sans la moindre hésitation.

— Sachez, madame, lâcha-t-il, que l'honneur se paie aussi !

* * *

Le 4 avril, Charles VIII fit son entrée solennelle dans la cité. Louis de La Trémouille ainsi que le sympathique vicomte de Tormont l'accompagnaient. Pour l'occasion, on avait paré les maisons et suspendu aux carrefours des paniers et des fanions à fleurs de lys. Vêtu d'un manteau d'hermine blanche, coiffé d'un chapeau à plumes, le roi avançait à cheval. Sa cape d'un délicat velours rouge foncé terminait de mettre de la majesté sur sa jeune personne.

On lui fit les honneurs du grand escalier. Il avisa les murs de tuffeau blanc et les tourelles neuves, et admit que c'était là un beau château. Dans le vestibule, Charles fut stupéfait par la richesse des ornements. Il passa ensuite de pièce en pièce. Le nombre des draperies fines, la profusion des tableaux, la diversité et la finesse du mobilier l'étonnèrent.

— Ces ducs de Bretagne avaient un goût sûr, fit-il.

— Avant de négocier son départ pour Rennes, la comtesse de Dinan et le maréchal de Rieux ont tenu à vous faire savoir que le seigneur d'Albret avait pillé les appartements de la duchesse, lui dit Bernard.

Charles fronça les sourcils.

— Alors, fit-il, il faut commander un inventaire précis de ce que nous trouverons ici. Je ne voudrais pas que l'on dise que j'ai volé quoi que ce soit.

— D'Albret est rentré comme un malotru sur ses terres, sire, ajouta La Trémouille.

Le roi ne releva pas. Il s'extasiait à la vue d'un meuble particulièrement bien fait, orné et sculpté avec grâce.

— Vous dites que la comtesse et le maréchal ont regagné Rennes ?

Il se tourna vers ses capitaines et s'esclaffa :

— Quel courage !

Il ajouta, un ton plus bas, en désignant d'un même geste les tableaux et les ornements du château :

— Il nous faut tout cela aussi en France.

Des vivats s'élevaient de la cour. Charles s'en enquit.

— Ce sont les marchands et les notables, sire, répondit Guillaume de Rochefort.

Voyant que Charles paraissait perplexe, le conseiller lui rafraîchit la mémoire :

— Vous leur avez confirmé leurs privilèges et…

— Ma sœur n'est pas avec nous, vous savez. Parlez sans crainte.

— Ma foi, sire, reprit Rochefort, je crois que vous avez tout à gagner des Nantais en agissant auprès d'eux comme un souverain juste et soucieux de leur bonheur.

— N'ont-ils pas le choix de me prêter serment et de conserver leurs biens ou alors de quitter la ville en emportant toutes leurs possessions !

— Cela est très généreux, sire. De cela, la duchesse sera sans doute informée et soulagée.

— Bien, bien.

Charles appela ensuite La Trémouille et son cousin.

— De combien d'hommes disposons-nous ?

— Cinquante mille, monseigneur. (Devinant la prochaine question, il l'anticipa.) Les Bretons n'en peuvent qu'aligner douze.

— Nous serons donc à quatre contre un. Bien, répéta Charles.

Depuis quelque temps, sa sœur relâchait son emprise sur lui. Sans doute cela tenait-il au fait qu'elle était enceinte et se voulait tout entière à ce qu'elle appelait déjà son « nouveau métier ».

— Général, décida le roi quand il atteignit la chambre carrée des ducs de Bretagne, il faut en finir. Les peuples ont assez souffert. Ne sommes-nous pas déjà maîtres de ce pays ?

Cela dit, il sourit, s'allongea sur le lit et croisa ses longs bras sur son torse creux.

Chapitre 42

Le premier boulet

Les forces rassemblées autour de Rennes étaient impressionnantes. Il avait fallu trois mille chevaux pour transporter l'artillerie. On comptait plus de cent canons et couleuvrines, des dizaines d'arquebuses et une quarantaine de canonniers. Durant tout le mois de juin, l'armée française s'était avancée sans rencontrer beaucoup de résistance. Divisées en quatre corps, les troupes avaient pris position autour de la cité.

Charles s'était levé tôt. Entouré de quelques hommes de confiance et de son maître d'armes personnel, il avait tenu, avant d'aller inspecter les avant-postes, à se livrer à ses exercices d'escrime matinaux. La clairière choisie bordait la Vilaine. Charles était légèrement vêtu, car l'air était déjà lourd. Les insectes entamaient leur mélopée, signe que le jour serait chaud et ensoleillé.

Le jeune roi s'élança. Il maniait sa lame avec d'autant de vigueur qu'il se sentait de belle humeur. Sa sœur aînée était en couches, et son barbon de mari ne la quittait pas. Lui avait les mains libres. Cette pensée nouvelle était à la fois exaltante et pleine de promesses. Depuis quelques mois, il lui semblait enfin porter cette couronne qu'on lui avait jadis posée sur la tête. Et il entendait bien, à Rennes, imposer sa marque.

Après une heure d'échanges entrecoupés de conseils dispensés par le vieux maître, on vint chercher le roi. Bernard le prévint que tout était prêt.

— Fort bien ! déclara Charles en réclamant un gobelet d'eau fraîche.

Les avant-postes dressés dans la poussière dominaient la plaine. Non loin s'élevaient les tours de la cité. Rennes était déclarée en état de siège et semblait se pelotonner derrière ses murs. Tandis que le général de La Trémouille lui expliquait leur installation en détail, le roi paraissait songeur.

Après cinq années de batailles plus ou moins constantes entrecoupées pour les Bretons d'une déchirante guerre civile, les peuples étaient las. Cela expliquait en partie pourquoi les populations n'avaient pas ou peu réagi devant leur avancée. Charles aussi sentait que le conflit avait assez duré. L'Europe avait les yeux rivés sur la Bretagne. L'Anglais voulait la conserver comme pied-à-terre sur le continent, l'Espagnol s'en servait comme d'un marchandage pour récupérer des possessions sous influence française, le saint empire romain lorgnait dessus surtout pour embêter Charles.

Un officier, Albon de Saint-André, déclara qu'il craignait que leur grand déploiement les mette à la merci d'une armée de secours.

— Si vous parlez des quelques Anglais débarqués récemment soi-disant pour aider la duchesse, rassurez-vous, fit La Trémouille. Ils n'ont pas l'air très pressé de se frotter à nous.

L'autre évoqua plutôt le roi des Romains. Charles se permit un sourire en coin. Des messagers secrets l'avaient en effet prévenu de la situation dans laquelle se débattait le « preux chevalier germanique ».

— En vérité, expliqua La Trémouille, il semble que les alliés mêmes de Maximilien lui refusent leur soutien. Ils craignent en effet qu'en se portant au secours de la duchesse, il ne devienne ensuite trop gourmand et puissant.

— Anne est bien seule, fit le roi d'une voix étrangement douce.

Il se reprit pour clamer haut et fort que toute la Bretagne était maintenant à eux.

— Il ne reste plus que cette ville et la fille en dedans de ses murs…

Là encore, le roi demeurait pensif. Ses yeux ronds furent à demi cachés par ses longs cils bruns.

— Je songeais, déclara-t-il tandis que sous eux ahanaient les artilleurs qui finissaient de placer leurs pièces, que…

Il s'interrompit pour s'enquérir avec violence :

— Cela vous surprend-il ?

Les officiers secouèrent vigoureusement la tête. Il reprit :

— Ma sœur avait ourdi un plan avec un ancien médecin de mon père…

— Adam Fumée, précisa Guillaume de Rochefort.

Le conseiller était en armure. Précaution un peu superflue, étant donné que les combats n'avaient pas encore débuté.

— Oui, reprit Charles, c'était il y a quelques années déjà…

Il avala sa salive. L'air était sec. On lui proposa un nouveau gobelet d'eau. Charles inspira profondément. La veille, il avait entendu ses soldats boire en galante compagnie. Il avisa les chariots stationnés en arrière et pensa aux filles de joie qui devaient encore y dormir, épuisées. Cette pensée lui ramena en mémoire un visage souriant et une voix surgie du passé : celle de son cousin D'Orléans, qui savait si bien plaire aux filles.

Bernard était certain que Charles réfléchissait toujours au problème posé par la cité de Rennes et surtout, comme on disait en riant volontiers, à la fille *en dedans*.

— Une si belle cité ! s'exclama Charles.

— … toute garnie de ses nouvelles enceintes, monseigneur ! renchérit Bernard.

— Je ne voudrais pas trop l'abîmer, fit le roi. Le mieux serait encore qu'ils se rendent.

Il avait utilisé le « ils » en référence aux citadins, mais pensait plutôt in petto à « elle », Anne, qui devait choisir ici même son avenir… et peut-être aussi celui du jeune roi. La lettre que lui avait écrite sa sœur à ce sujet — Anne travaillait même quand elle accouchait ! — était formelle. L'alliance envisagée jadis par leur père avec le roi des Romains était aujourd'hui beaucoup moins reluisante. Priorité devait être donnée à défaire l'étranglement qui menaçait la France.

Le bombardement commença. Il s'agissait surtout, pour les artilleurs italiens, de calibrer leurs pièces. Un boulet s'éleva dans le ciel bleu. Charles avait deux figures blondes dans la tête : Marguerite, dont il entendait le petit rire sucré et intelligent, et la duchesse Anne, dont il avait vu un portrait et dont lui avait beaucoup parlé — en bien — Bernard de Tormont. On est davantage fasciné, dit-on, par ce que l'on ne connaît pas ou si peu que par ce que l'on connaît. Ce pour quoi la blonde duchesse, avec ses traits encore incertains, ne quittait pas la pensée du jeune roi.

Le boulet s'écrasa avec fureur quelque part près de la porte Mordelaise.

* * *

Montauban sauta sur Anne et la força à se mettre à l'abri. Ces maudits Français avaient décidé d'ouvrir le feu ce matin, précisément sur ce segment des remparts où Anne avait tenu à commencer sa ronde d'inspection!

Bien entendu, elle avait refusé de porter cotte de mailles et heaume de protection. Ne serait-ce que pour se protéger des éclats de pierre arrachés des murs par l'impact des boulets. Anne était ainsi. Depuis quelques semaines, elle répétait à tout va que Dieu était avec les Bretons.

Ce n'était pas exactement ce que disaient les rapports secrets que sa chancellerie recevait de ses diplomates en poste à Ulm, à Londres ou à Madrid. En vérité, Anne croyait encore en l'intervention armée et triomphale de son beau mari.

— Il a besoin de la Bretagne! s'était-elle récriée en plein conseil, la veille. Ensemble, nous tiendrons la France dans un étau.

Anne pensait ainsi voir disparaître la menace de ce qu'elle appelait un « engloutissement de la Bretagne ».

Au moment où le premier boulet s'écrasait, Françoise, mais aussi le maréchal de Rieux, le baron Raoul d'Espinay et quelques autres étaient présents. Tous se rapprochèrent d'Anne et prirent sur eux les gravats et les volutes de poussière.

En même temps que l'inspection, ils faisaient le point sur la situation. L'argent tenait la première place dans leurs propos. Pour une raison bien simple : ils n'en avaient plus.

— Si nous ne payons pas bientôt les capitaines, dit Montauban, nous perdrons leur soutien.

— Battons encore monnaie, répondit Anne.

— On raconte que des Bretons se mêlent aux Français pour piller les campagnes, fit Raoul.

Anne lui jeta un regard noir. La jeune duchesse refusait qu'on lui parle de ces renégats qui s'alliaient à leurs ennemis. Elle savait qu'un grand cri s'élevait des gens de Bretagne : « Assez ! » Où qu'elle se trouve, dans son étude à tenter de régler des problèmes, dans la chapelle où elle priait chaque jour, dans sa chambre pendant ses longues nuits d'insomnie, c'était aussi ce qu'elle entendait dans sa tête et dans son cœur. La douleur des peuples était partout dans son corps.

— J'ai fait un rêve, cette nuit, messieurs, déclara-t-elle soudain.

Elle était immense. Elle marchait en Bretagne.

— Et puis, poursuivit-elle, je suis rentrée dans l'eau. Je tirais sur une longue corde. Je ne voyais pas exactement ce que je tirais, mais je savais que je voulais empêcher une embarcation de couler. Je tirais, messieurs ! J'en avais mal partout.

Tous comprirent que c'était la Bretagne tout entière que la duchesse tirait ainsi.

Françoise se renfrogna. Aux petites heures de l'aube, elle avait entendu sa sœur crier de douleur. Jeanne Porchet et

Awena étaient venues la chercher. Tandis que les médecins demeuraient introuvables, Françoise était allée quérir Guenièvre. La découvrir en compagnie de Benoît ne la surprit guère. Odilon couchait bien avec Simon ! On était au printemps, l'époque de l'antique fête celtique de Beltaine — le culte de l'amour libre et sauvage — qui battait son plein.

Guenièvre avait aussitôt fabriqué un baume de son invention, qu'elle avait ensuite étalé sur le ventre, mais aussi sur le bas du dos de la duchesse. Anne se plaignait de douleurs aux reins et à la vessie. La jeune guérisseuse évoqua les problèmes d'argent et également le sentiment de perte de territoire. Anne avait si peur de tout voir disparaître ! Cela avait-il vraiment un lien avec son mal ? Françoise était demeurée perplexe. Toujours est-il qu'au bout d'une dizaine de minutes, la douleur s'était de beaucoup atténuée. Le premier médecin s'était présenté avec ses lames et ses sangsues. Il avait été incontinent raccompagné par Françoise. Sa jeune sœur allait beaucoup mieux sans lui et ses congénères, merci bien !

Montauban hâtait l'inspection. Anne descendait les marches du rempart. D'autres boulets volaient dans leur direction. Le choc fut terrible. Des pans de mur explosèrent. Des cris s'élevèrent. Frayeur, rage, découragement. Anne courut vers une femme qui gémissait dans la rue. Guenièvre la suivait de près. Hélas, ce n'était pas de potions, mais d'instruments de chirurgie qu'avait besoin la blessée.

— Tu vas bien ? s'enquit Françoise.

Anne respirait par la bouche. Son bonnet avait glissé sur ses cheveux. Son teint était pâle, sa robe, couverte de poussière.

— J'étouffe, haleta-t-elle.

Françoise héla Simon et Le Guin, qui accoururent.

— La litière de la duchesse !

Mais Anne refusa de quitter la proximité des remparts. Il y avait d'autres blessés.

— Qu'on les amène au château, ordonna-t-elle en toussant.

Rieux saisit la balle au bond et promit d'organiser le transport des civils mis à mal par les boulets. Au même moment, une clameur s'éleva.

— Des hommes ont pu forcer le blocus des Français ! leur cria Benoît en oubliant en cet instant qu'il avait lui-même grandi à Paris.

Peu après survint un petit groupe de voyageurs. Françoise croyait rêver. Elle reconnaissait l'homme qui marchait en avant.

— Dunois ! s'exclama-t-elle, les larmes aux yeux. C'est bien vous !

Le comte était en effet de retour : pâle et affaibli par plusieurs mois de maladie, mais bien présent et souriant. Le prince d'Orange vint lui donner l'accolade tandis que Rieux, la comtesse Dinan et Raoul d'Espinay faisaient grise mine.

Anne accueillit le joyeux compagnon du duc d'Orléans avec chaleur. Elle avait toujours gardé pour lui une tendre affection. Cette venue fut pour elle comme un signe que lui envoyait le ciel. Tout n'était pas encore joué. Le meilleur allait survenir. Qu'importe ce qu'on lui disait à propos de Maximilien. Charles pouvait bien faire tonner son artillerie, Rennes était tout aussi lourdement armée.

— Nous tiendrons ! décida Anne, le visage crispé par de nouveaux tiraillements au niveau de la vessie.

« Oui, Max va venir. Je le verrai apparaître en armure flamboyante. Il chassera les Français. Ses hommes et lui paraîtront par la mer, ou bien ils auront, malgré les dangers, traversé la France. »

Sa figure se ferma. Sa décision était prise. Les secours venaient. Il fallait donc avoir foi en Dieu et résister.

Deux jours plus tard, Charles aussi prit une décision importante…

Chapitre 43

« Par ordre du roi ! »

À la tombée du jour, le 27 juin, des cavaliers quittèrent le château du Plessis. Ils étaient six, vêtus comme pour aller à la chasse. Pendant un long moment, ils galopèrent dans le crépuscule encore tiède. Charles inspirait par petites goulées les bonnes senteurs estivales et sucrées qui perduraient. Direction Montrichard.

Ils allèrent ainsi une partie de la nuit, traversant des hameaux endormis, s'arrêtant aux puits pour faire boire les chevaux et se restaurer discrètement. Ils dormirent quelques heures serrés les uns contre les autres pour se protéger du froid, et repartirent dès l'aube en longeant le Cher et ses eaux tantôt lentes et ombragées, tantôt tumultueuses et inondées de lumière.

Le jeune roi parlait peu, mais il réfléchissait beaucoup. Lorsqu'ils atteignirent un pont, il s'arrêta. Il se sentait aussi tendu qu'un arc. Le poids de sa décision, ses conséquences, ce que son royaume et lui vivaient en ce moment précis lui travaillait le corps et l'esprit. Un peu essoufflé, il déclara :

— Capitaine, nous voici.

Et pour Bernard de Tormont, qui s'arrêtait à sa hauteur :

— Messieurs, il est temps. Allez et faites ce que vous savez.

Ils convinrent d'un endroit où se retrouver, à quelques lieues de là. Charles devait, comme il le disait, organiser le « reste ». Béraud Stuart d'Aubigny opina. Comme Bernard, il pensait que Charles avait raison. Le sentant sans doute encore un brin hésitant, ils le lui assurèrent, puis disparurent dans la poussière soulevée par les sabots de leurs montures.

Charles se disait que c'était la bonne chose à accomplir. En tenant dans sa main la piécette d'argent qui lui venait de sa mère, il songeait aux nombreuses personnes qui lui avaient tenu le même discours. Les événements risquaient de stagner à Rennes. La cité était bien retranchée, et la duchesse, si opiniâtre qu'il leur fallait un intercesseur auprès d'elle : un homme en qui elle avait confiance. Une sorte de « champion », comme disait l'ami et panetier de Charles, René de Cossé. Bien que le roi n'ait pas aimé le terme, il devait convenir qu'il était dans le vrai.

Il rangea sa pièce dans son escarcelle et fit faire volte-face à son cheval. Puis il pria ses autres compagnons de le suivre.

* * *

Au même moment, le duc Louis d'Orléans commençait une autre triste, vaine et laborieuse journée. Après avoir été, comme chaque matin, réveillé dès cinq heures par la cloche, il pria à genoux en silence et se souhaita mentalement un « joyeux anniversaire ». En effet, en ce jour, ou bien était-ce hier ? — il n'était plus sûr de l'exactitude de la date —, il avait très exactement vingt-neuf ans.

Il avait ensuite mangé sa bouillie d'avoine froide coupée d'un trait d'eau au goût si ferreux qu'il avait failli la vomir. Puis il s'était forcé à faire quelques mouvements d'exercice. Il se rappelait les leçons données par son vieux maître d'armes. Pierre aussi se levait dans la cellule voisine. Ils avaient échangé quelques mots. Cela fait, Louis avait tiré sa couche de grain sous l'unique rayon de soleil qui tombait dans sa prison, et s'était installé pour entamer sa lecture, un traité fort intéressant de philosophie parlant de l'homme, de sa nature et de la manière de sortir de lui le meilleur.

Il avait à peine tourné quelques pages que le capitaine Albert Letellier entra dans le corridor menant aux cellules. Louis reconnut son pas lourd. Ce matin, par contre, l'officier n'était pas seul. La porte grinça et s'ouvrit.

Le duc plissa les yeux. Il n'était plus habitué à voir autant de monde à la fois. Un court moment, tout son être se crispa. Ses vieilles peurs lui revinrent. On venait pour lui annoncer qu'il devait mourir. Il s'était produit quelques événements politiques qui faisaient de lui une menace pour le gouvernement Beaujeu. La Bretagne, peut-être, ou bien l'Angleterre...

Le capitaine vint à lui. Louis devait rêver, car Bernard de Tormont entrait dans la cellule, puis également Pierre !

— Votre Grâce, dit le capitaine en souriant, par ordre du roi, vous êtes en ce jour libre !

Louis avait-il bien entendu ? Stuart d'Aubigny lui prit les mains et le félicita. Le prisonnier demeura plusieurs secondes pétrifié par ces mots qu'il n'espérait plus entendre. Sa vie longtemps enlisée dans le marécage putride de l'oubli se mettait à couler de nouveau. Il pensa « marais », et la puanteur de sa cellule vint l'embarrasser au plus haut point.

Les autres virent son visage se décomposer de honte. Le capitaine de la prison le fit sortir. Louis marcha, les jambes molles, de concert avec Pierre. Les deux hommes paraissaient aussi interloqués l'un que l'autre.

Louis n'osa s'informer de Rainier de Bourg, qui était somme toute le commandant de la place. Letellier les conduisit dans la pièce d'eau réservée aux sentinelles. Elle venait d'être nettoyée. D'Aubigny demanda au capitaine de le laisser parler. L'autre s'effaça sans mot dire.

— Je vous en prie, Altesse, dit-il alors, prenez le temps de vous prélasser, puis de vous vêtir. Nous vous attendrons à côté.

Bernard le fustigea du regard. D'Aubigny baissa les yeux et se reprit :

— Je veux dire, dehors… Après tout, il fait si beau !

Tormont leur montra les quatre jeunes femmes en fichu blanc qui terminaient de remplir les deux grands baquets d'eau chaude et d'installer habits propres et serviettes. Guilleret, il glissa à l'oreille du duc :

— Profitez-en. Elles sont peu farouches…

* * *

Une heure plus tard, c'étaient deux jeunes hommes nouveaux qui ressortaient de l'étuve. Propres, rasés de près, légèrement essoufflés et les joues rouges, ils se dirigèrent vers le petit groupe qui les attendait. Le rire des filles s'élevait gaiement dans l'air déjà chaud. Louis donna une tape dans le dos de Pierre, qui avait si peu bougé, dans le baquet, en se laissant laver ! L'ancien palefrenier n'avait toutefois pas eu la force de résister aux douces caresses qu'on lui avait prodiguées. Et il en paraissait encore tout gêné !

Louis redécouvrait pour sa part la vie qu'il avait connue et aimée.

— Messieurs, déclara-t-il tout ragaillardi, que me vaut…

— Votre Grâce, répéta D'Aubigny, le roi vous relâche et vous prie de venir le retrouver en un lieu secret.

Avant de quitter pour toujours — du moins l'espérait-il — cet endroit où il avait connu tant de désespoir, Louis tint à revoir quelqu'un.

Le capitaine opina :

— Notre commandant fait une nouvelle rechute, Votre Grâce. Une maladie attrapée autrefois.

Louis connaissait bien ces souffrances périodiques. Paludisme, fièvres, maux de ventre, envie de mourir.

— Je veux le voir seul à seul, exigea-t-il.

Louis entra dans la chambre. Elle sentait la pourriture, les miasmes. Il appliqua un morceau de linge trempé dans du vinaigre sur le bas de son visage et s'assit au pied de la couche. Rainier de Bourg grognait de douleur. Tordu comme un vieux chêne, le geôlier ne pouvait s'empêcher de claquer des dents. Le duc s'approcha et lui dit :

— Je sais maintenant qui vous êtes. Vous aimiez ma mère, n'est-ce pas ? Vous étiez toujours dans son ombre. Vous l'honoriez et la protégiez. Avec son maître d'hôtel, vous étiez son conseiller, son garde du corps. Mais c'est Rabodanges, qui était votre ami, qu'elle a finalement épousé.

Les traits exsangues, les cheveux poisseux de sueur, de Bourg était la proie d'anciens souvenirs. Il revoyait une femme très belle, majestueuse, à la voix claire. Une duchesse.

Et puis, autour, un vieil homme, son mari, et un tout jeune garçon — leur fils.

Louis hocha le menton. Lui aussi se rappelait.

— C'était ma mère, répéta-t-il. Vous l'aimiez, moi pas. Elle m'a trahi comme elle vous en a préféré un autre.

De Bourg lui prit soudain le bras. Il riva son regard sur celui de ce fils qui avait été, à sa façon, un autre obstacle entre lui et la dame de ses rêves.

— Elle est morte, fit Louis doucement en se libérant.

Avant de se relever, il daigna prononcer encore quelques mots :

— Je te pardonne, Rainier, pour ces trois années d'enfer. Mais ne parais plus jamais devant moi.

Bernard vint le chercher. Au lieu de le presser de partir, il lui avoua qu'il le trouvait généreux.

— Et vous, rétorqua Louis en inspirant dehors avec joie un air plus pur, vous êtes un ange de la providence !

— Juste un messager de notre bon sire, le roi, rectifia le vicomte. Et puis, ne vous ai-je pas moi-même mis aux fers après cette fameuse bataille !

Le ton était léger, de connivence. Louis sentit qu'une amitié sincère pouvait éclore entre eux. Ce pour quoi il répondit avec le même humour feutré :

— Cela, vicomte, je ne suis pas près de l'oublier.

* * *

Louis chevaucha quelques heures, puis il arriva finalement, fourbu, dans la cour d'une demeure en pierre assez cossue, mais isolée. Où donc pouvaient-ils se trouver ? Le galop habitait tout son corps. Un restant de faiblesse le faisait tourner de l'œil.

— Par ici, je vous prie, messeigneurs, les invita le capitaine D'Aubigny.

Ils entrèrent dans le vestibule. Des domestiques les accueillirent, toutes jeunes et belles. Louis y croyait à peine. Des voix d'hommes résonnaient dans un salon. Ils furent introduits par une enfilade de petites pièces. Parvenu devant une lourde porte, Bernard posa une main sur l'épaule de Pierre et l'entraîna à l'écart.

Louis devait entrer seul.

L'étude était toute en poutres et en beaux lambris. L'air fleurait bon la cire d'abeille, mais aussi les doux effluves de fruits et de vin. Louis avisa le carafon posé sur la table ronde et basse, la corbeille emplie de pommes et de poires.

Une voix grêle le salua. La silhouette se tenait dans l'ombre, entre la table et le rayon de jour qui entrait par l'unique fenêtre à meneaux. Le silence et la tiédeur de l'été en furent troublés. Louis leva les yeux et prit quelques secondes pour s'habituer au visage pâle encadré par les rouleaux de longs cheveux bruns, les traits lourds, la bouche un peu boudeuse, le nez démesuré, le regard sombre et velouté de ce jeune homme qui se tenait en pourpoint devant lui.

— Mon cousin ! s'exclama Louis, à la fois étonné et encore un peu craintif.

En lui se disputaient tour à tour les restes du fier duc d'Orléans et ceux de l'homme brisé qu'il avait été durant sa trop longue détention. Le jeune roi lui prit les mains avec chaleur.

— Cousin !

Il y avait dans ce mot unique un élan sincère et juvénile venu du temps insouciant où Louis était encore un séduisant prince, un joyeux fêtard, un impénitent coureur de jupons, et Charles, un timide adolescent. Bien de l'eau avait passé depuis. Le roi évitait de fixer Louis dans les yeux, car voir que la prison avait laissé à jamais sa marque sur ce beau visage lui causait de l'émoi. Pour preuve ces plissures, ce teint jauni et défraîchi, les marques noirâtres des boutons que les fièvres avaient abandonnés sur la peau du duc.

Ils se parlèrent pourtant d'emblée comme si rien de grave ne leur était jamais arrivé. Comme si Louis revenait non pas de prison, mais d'un pays lointain où il aurait guerroyé pour le service du roi. Il y eut cependant une formalité à sa libération complète. Charles lui rendait en effet sa vie d'avant avec tous ses titres et ses biens. Il ôtait de son nom et de ses épaules toutes les charges, les accusations, les trahisons, les actes de rébellion à la seule condition que Louis jure d'être dorénavant un fervent défenseur et un vassal soumis du roi. De plus, signature à l'appui, il promettait aussi de ne pas répudier sa femme, Jeanne, et d'être pour elle un véritable époux.

— Tu sais, lui dit le roi alors que Louis paraphait le document, Jeanne m'a tant prié pour ton salut !

À ce moment, une joyeuse compagnie entra dans la pièce. Il y avait là une dizaine de seigneurs dont le duc d'Alençon, le comte de Montpensier, le vieux Alain d'Albret, Pierre de Rohan, le maréchal de Gié, les comtes de Foix et de Candale : des hommes qui s'étaient tous, il n'y a pas si longtemps, dressés contre le roi et Anne de Beaujeu.

Vraiment, Louis ne savait que penser. Cela voulait-il dire que Charles avait pris de la distance vis-à-vis de sa terrible sœur ? Le roi sembla deviner ses pensées, car il ajouta :

— Anne est en couches à Moulins. Je tiens seul, désormais, les rênes du gouvernement.

Il se tut, prit son cousin à l'écart et ajouta à mi-voix :

— À ce propos, cousin Louis, j'ai un grand service à te demander…

Chapitre 44

Une joute courtoise

En fin de matinée, un cavalier parvint sous la tour Mordelaise et demanda à livrer un message. Le mot circula sur les chemins de ronde aux cris de : « Une ambassade pour notre duchesse ! » Ce n'était en fait qu'une invitation dans le but de détendre quelque peu le siège. Pour faciliter les négociations à venir, Louis de La Trémouille avait en effet pensé à relâcher les tensions. Car après tout, l'encerclement de la ville était maintenant complété, les routes, surveillées, puis les vivres commençaient à manquer. Et les quelques escarmouches ou combats engagés pour desserrer l'étreinte française s'étaient révélés vains.

— Des joutes ! s'exclama Anne, stupéfaite.

Depuis quelques jours, elle avait le teint blême. Elle passait de longues heures à contempler la nouvelle pièce qu'elle avait fait frapper et qui mêlait les armes de la Bretagne et celles de l'Autriche… Dans le même temps, elle savait que dans les rues, l'argent valait si peu que les habitants se payaient maintenant en pièces de cuir.

— Une joute, répéta Dunois, un demi-sourire aux lèvres. Cela ne peut qu'être salutaire pour le moral de tous.

Montauban salua le commentaire. Le maréchal de Rieux tempêta qu'il fallait au contraire tenter une sortie. On racontait qu'il y avait des vivres en abondance du côté du camp français installé près d'Urfé.

— Désignons un champion pour affronter le chevalier français, décida au contraire la jeune duchesse.

Plusieurs se présentèrent. Pour des raisons de sécurité, puisqu'Anne devait être présente près de la lice, on choisit le capitaine Le Guin. Cela créa des remous de mécontentement parmi les courtisans encore fidèles — nombre d'entre eux avaient en effet déserté la ville juste avant l'arrivée des Français. Raoul d'Espinay se plaignit au maréchal, mais Rieux lui intima le silence.

On entendait la cognée des ouvriers qui installaient une estrade sur les fossés. Françoise en profita pour aller voir le capitaine tandis qu'il se préparait. Le Guin se faisait mettre son armure. Deux écuyers prêtés plaçaient tour à tour son plastron, ses cuissardes, ses grèves, ses gantelets.

— Je sais à qui vous songez, se permit le capitaine.

Il la toisa ; elle sourit faiblement.

— Tenez, dit-elle.

Elle lui tendit un lourd écu. En le voyant, le capitaine eut un choc, car c'était celui du duc François. Des larmes lui montèrent aux yeux. Un accès d'émotivité qu'il cacha aussitôt en baissant le front.

— Mon père aurait voulu qu'il en aille ainsi, ajouta Françoise. Pour l'honneur d'Anne et de la Bretagne.

Comme Le Guin hésitait toujours, la jeune femme lui assura qu'Anne aussi était d'accord.

Lorsque les champions se firent face, les deux camps étaient rassemblés de part et d'autre de la lice improvisée.

Sur les remparts se tenaient les Bretons. Devant, sur des estrades hâtivement montées, étaient installés les Français. Derrière se devinaient les silhouettes inquiétantes des pièces d'artillerie.

— Par Dieu, se récria Rieux en apercevant la dégaine du chevalier choisi par les Français, mais il ressemble à saint Georges !

Une joute en ce lieu si inapproprié, en ces circonstances si désastreuses était soit une idée saugrenue, soit un trait de génie. Soudain, alors que le maréchal en était encore à hésiter entre les deux, les champions s'ébranlèrent.

Des destriers harnachés lancés au grand galop montés par de fiers gaillards en armure suscitaient toujours l'émoi. Le fracas des sabots, les heaumes empanachés, les éperons de joute qui étincelaient… Les dames retenaient leur souffle. Les hommes fronçaient les sourcils. Tous attendaient le choc à venir.

Les chevaliers se mesurèrent par cinq fois, se heurtant avec fureur, mais aussi dans les règles de l'art. Anne craignait qu'on ne mange avec ostentation dans l'autre camp. Mais les Français surent se tenir. Un moment, sur le chemin de ronde, un garde maugréa :

— On joue, on s'amuse, mais nous, on mange des chiens !

Anne se retourna promptement. Mais il y avait trop de têtes au-dessus des créneaux pour identifier cet impudent qui, hélas, n'avait pas tout à fait tort. Elle se pencha vers Montauban et dit, tandis que les champions mettaient pied à terre :

— Avons-nous fini de payer De Lornay et ses mercenaires avec ce qui nous reste d'argent ?

Le chancelier secoua la tête. Il craignait d'ailleurs qu'à cause de cela ne surviennent des mutineries. Anne n'insista pas, changea plutôt de sujet et demanda à Dunois :

— Il me semble que cet officier, là-bas, est le général de La Trémouille, n'est-ce pas? Mais où est le roi?

Le comte était distrait. Sans doute le soleil ardent l'indisposait-il. Comme il tardait à répondre, Anne poursuivit avec humour :

— S'il est souffrant, nous pourrions lui prêter Guenièvre!

Elle se sentait en effet beaucoup mieux depuis les remèdes administrés par la jeune Bretonne.

Les champions s'affrontaient maintenant à l'épée. Simon observait le combat de près. Ayant appris à se battre auprès de Le Guin, il connaissait chacune de ses bottes. Il en vint une, justement, qui étonna tout le monde, et Le Guin lui-même! Simon renifla : il croyait être un des seuls à connaître cette technique développée par le capitaine…

Lorsque les combats furent terminés, les chevaliers se donnèrent une franche accolade qui souleva l'enthousiasme dans les deux camps. On était en guerre, mais on savait reconnaître la bravoure quand on la voyait.

Anne se leva. Elle tenait à récompenser dignement le champion français. Awena serrait fort la main de Françoise. Les deux femmes n'avaient pas échangé plus de quelques paroles. Cependant, Françoise se doutait combien Bernard devait manquer à son amie. Et puis, cette manière de se battre, cette façon de tourner autour de l'adversaire était, comment dire…, bretonne.

Un peu plus tôt, en suivant le regard d'Anne, qui tentait de son côté d'apercevoir le jeune roi, Awena s'était exclamée :

« C'est lui ! » en parlant de Bernard. Mais était-ce Dieu possible ?

Le Guin et son vis-à-vis se présentèrent devant Anne. Le capitaine leva sa visière ; l'autre ôta carrément son heaume. Un flot de cheveux bruns en jaillit. Le jeune homme redressa la tête et planta ses yeux dans ceux de Françoise.

Des yeux bleus extraordinaires. Un regard comme il n'en existait qu'un. Anne et Françoise ouvrirent la bouche au même instant. Ce fut le séduisant chevalier, pourtant, qui parla le premier. Il mit un genou à terre et se présenta :

— Pierre de Clair-Percé, seigneur d'Anjou, pour vous servir.

Dans l'estrade, les dames étaient saisies de stupeur. Le Guin ne paraissait pas autrement étonné.

— Seigneur, balbutia Anne en clignant nerveusement des paupières, vous faites honneur à votre rang. Laissez-moi vous remercier comme il se doit.

Elle fit un signe à Montauban, qui s'approcha du champion pour lui remettre de précieuses épices. Il y eut des vivats de part et d'autre, puis le seigneur de Clair-Percé se retira avec sa monture et son écuyer. Il laissait derrière lui la plus vive stupéfaction. Les dames vinrent entourer Le Guin. Le capitaine remit un pli scellé à Awena et un autre à Françoise. Puis il livra de vive voix le message qu'un « ami » adressait à la jeune duchesse.

— Une surprise ? s'étonna celle-ci.

Le soir même, des troupes bretonnes parmi lesquelles s'étaient glissés des mercenaires allemands firent mouvement vers Urfé. L'engagement fut brutal et soudain. Les Français ne purent se défendre efficacement. La Trémouille, cependant, réagit sur le vif et fit poursuivre les attaquants, qui durent soit tuer, soit abandonner leurs prisonniers. Ce qui fit écrire au chroniqueur Alain Bouchard que l'on joutait le jour et que l'on s'égorgeait la nuit.

Fort heureusement, cet épisode n'assombrit pas les négociations secrètes déjà en cours…

* * *

La salle de réception du château était comble. Au bout, sur un dais, avait été installé le siège en bois massif de la jeune duchesse. Autour d'elle se tenaient ses proches ainsi que les membres de son conseil, dont le maréchal Wolfgang de Polheim.

On annonça les deux cavaliers introduits plus tôt dans la cité :

— Monseigneur le duc Louis d'Orléans, et messire Pierre de Clair-Percé.

Les courtisans tendirent le cou. Sur l'estrade, Françoise ne se tenait plus de joie. Car ce Pierre était bel et bien le sien, revenu de l'enfer avec le duc, ressuscité d'entre les oubliés et même les morts ! Elle le vit s'avancer dans sa belle armure, mais croisa soudain le regard furibond de son époux. Raoul d'Espinay ne la quittait pas des yeux. L'espace d'un court instant, elle crut lire sur son visage cette menace qu'il avait un jour proférée, et elle se mit à trembler. Il faisait chaud, pourtant, sous les chandeliers tout illuminés !

L'ambassadeur du roi des Romains paraissait aussi très mal à l'aise. Son secrétaire lui parlait tout bas. Plus tôt, durant la journée, Anne l'avait mandé auprès d'elle pour se plaindre de l'attitude de Maximilien.

— Votre Grâce, ne perdez pas espoir en mon cousin ! avait plaidé Polheim. Max n'attend que l'accord de la diète pour vous envoyer du secours.

— Mais, Monsieur le maréchal, s'était emportée Anne, on meurt, ici, vous savez !

De leur côté, le roi Ferdinand prenait tout son temps pour assiéger la ville de Grenade, et Henri VII avait fort à faire avec ses propres nobles en rébellion. Et il s'avérait que le mari qu'on avait donné à la jeune fille attendait l'approbation d'un conseil de notables pour voler à son aide !

Tout sourire, drapé dans un grand manteau de brocart jaune et brun foncé, Louis d'Orléans était resplendissant. Son chapeau portait panache. Il était de surcroît ganté et chaussé de poulaines en cuir presque aussi étincelantes que l'armure de son compagnon. Pierre s'arrêta à quelques pas de l'estrade, mais Louis vint s'agenouiller devant Anne.

La jeune fille l'observa. Il était… différent. Oh ! Son œil bleu foncé pétillait toujours autant. Seulement, son instinct de femme lui soufflait que ces années de détention avaient laissé leur empreinte sur le duc. Et cela avait peu à voir avec les traces qu'il portait sur le visage.

— Notre bien-aimé cousin ! le salua-t-elle d'une voix forte et claire.

Elle se leva ; il lui tendit le bras. Ils entrèrent ensuite tous deux dans un salon à part.

* * *

— Vous, ici ! s'exclama-t-elle, tout énervée. J'ai tant prié !

L'heure, ils le savaient, était grave. Avant d'engager la conversation, Louis tint à s'assurer qu'avec Montauban, ils étaient bien seuls. Heureusement, Simon et Benoît montaient la garde devant la porte. Dans l'antichambre, Rieux et les autres piaffaient de frustration. Surtout Raoul, qui hésitait encore entre demeurer près des autres nobles ou bien aller s'entretenir avec sa femme…

Anne s'assit et invita le duc à en faire autant. Montauban se plaça, lui, au plus près des flammes qui ronflaient dans l'âtre.

Elle félicita son cousin :

— On m'a raconté que l'on fêtait votre libération jusqu'en Touraine !

Louis n'y avait que peu assisté, pressé qu'il était de rentrer en Bretagne.

— Le roi a été généreux, répondit-il.

Elle posa une main sur son bras. Il s'était déjà écoulé trois longues années depuis cette terrible bataille.

— Vous avez changé, dit-il.

— J'ai grandi et surtout beaucoup mûri.

Anne n'aimait pas les dialogues de sourds. Elle reprit son souffle, le fixa droit dans les yeux et demanda au duc d'être honnête.

— Vous êtes revenu chez nous pour m'aider à vaincre ?

Louis n'hésita que très brièvement.

— Oui, Anne, c'est cela.

Toute la question, maintenant, concernait la manière.

— Vous avez une proposition de la part de votre maître ? demanda assez rudement Montauban.

Cet homme toujours plein de finesse et de politesse était le seul encore, au conseil ducal, à voir d'un mauvais œil ce qui se dessinait pour l'automne. Il avait tant espéré en Maximilien ! Hélas, la situation se dégradait rapidement. La ville était surpeuplée. On craignait que n'apparaissent le choléra ou la peste. Le chancelier savait Anne déchirée. D'un côté, il y avait l'idée d'une Bretagne forte et indépendante défendue par son père et par les autres ducs avant lui. De l'autre, le peuple qui souffrait le martyre.

— Certes... finit par répondre Louis.

Anne marqua sa stupéfaction de même que sa déception. Ainsi donc, le beau prince n'était pas seulement revenu pour elle !

Louis se racla la gorge, mais Anne l'interrompit avant qu'il ne puisse prononcer une seule parole.

— Que ce soit vous qui me priiez d'accepter cela, Louis !

Son visage crispé dénotait une grande souffrance intérieure.

— La situation n'est plus ce qu'elle était en 1484, Anne. La vérité est que l'empereur ne laissera pas son fils vous porter secours. Ils ont besoin de leurs troupes pour surveiller leurs frontières orientales menacées par les Turcs. De plus, Maximilien est, je crois, plus occupé à chercher à regagner la Bourgogne que de...

Anne leva sa main. Elle devinait bien tout cela !

— Du fond de votre cœur, Louis, y a-t-il un piège pour nous dans votre proposition ? Un piège pour moi ?

Montauban luttait contre lui-même pour continuer à se taire.

— Aucun, répondit le duc d'Orléans. Charles a donné des ordres pour que Rennes ne soit pas bombardée. Il a aussi renoncé à batailler dans vos campagnes. Il est désormais maître de son royaume. J'en suis la preuve !

— Mais je suis déjà mariée ! s'exclama la jeune duchesse. Dites-le-lui, Philippe !

Montauban se raidit sur son banc. Elle continua :

— Et le roi est déjà fiancé à Marguerite !

— Par contrat, expliqua Louis, il peut rompre ses fiançailles avant qu'elle n'atteigne sa douzième année.

Anne se leva et fit les cent pas.

— Quant à votre mariage par procuration, poursuivit le duc, s'il a été béni par l'archevêque, il s'est fait en violation du traité du Verger signé par feu votre père.

— Philippe ! se récria Anne, à bout de nerfs.

Louis observa quelques instants de silence. Allait-il trop loin ? Il devait sa liberté au roi, et franchement, même en considérant cela, après avoir été mis au courant de la situation, il devait hélas bien admettre que la solution qu'il proposait était la plus viable de toutes. Il savait combien Anne craignait de décevoir ses peuples, d'être perçue comme une traîtresse.

Il plaida encore :

— En venant, dit-il, j'ai rencontré vos paysans furieux. Ils ont tout perdu. Ils sont à cran. Je crois que d'épouser le roi de France, et avec vous comme reine, déplairait moins aux Bretons que de périr ainsi lentement au bout de leur sang.

Philippe de Montauban voulut protester. Mais ce que disait le duc était, hélas, vrai.

— Je n'y crois pas ! répliqua Anne. Je devrais donc, pour sauver mes peuples, accepter de devenir l'épouse de mon pire ennemi !

— Ce sont vos états eux-mêmes, Anne, qui ont lancé l'idée.

Pendant qu'Anne pestait contre cette fameuse idée, Montauban laissa entendre que l'avis des états était en la circonstance très facile à orienter dans un sens comme dans un autre.

— Vous savez, Anne, renchérit Louis, Charles n'est pas un mauvais garçon.

La jeune duchesse revint se rasseoir. Elle avait froid, soudain. Et peur. Elle croisa les bras sur sa poitrine, soupira et se tut pour de bon.

Chapitre 45

Retrouvailles glaciales

Ce soir-là, Anne pria beaucoup. Son chanoine commençait à ressentir de douloureux picotements aux genoux à force de demeurer immobile. La jeune duchesse semblait pour sa part vivre une véritable communion avec l'invisible. Au bout d'une longue heure d'un silence devenu pesant, Awena entra dans la chambre pour remplacer les bougies. Au service de sa sœur, Françoise vint également procéder au coucher de la souveraine.

Anne rouvrit brusquement les yeux. Elle inspira goulûment comme si elle revenait d'un long voyage intérieur et prit quelques instants avant de retrouver ses repères.

— Il est tard, lui murmura Françoise en la tirant avec douceur par les épaules.

La jeune fille frissonna à l'idée de prendre son bain. Elle vit le baquet que Marie remplissait d'eau chaude et secoua la tête.

— Faisons cela vite, demanda-t-elle.

Le chanoine se retira. Il n'avait, ce soir, rien pu tirer de la duchesse au sujet de son aparté privé avec le duc d'Orléans, et cela l'ennuyait fort. Anne expédia son traditionnel coucher. Qu'on fasse simplement chauffer son lit. Elle avisa Awena, qui semblait assez contente d'elle-même.

— Ah ! L'amour, c'est cela ? Oui, je le vois.

Awena avait en effet pu revoir Bernard, venu dans la suite du duc d'Orléans.

— Hélas, ajouta Anne en soupirant, je ne le connais point.

Awena lui prit les mains et l'encouragea ; cela ne saurait tarder, à présent…

Cette simple remise en contexte provoqua chez Anne un froissement rapide, mais violent, de tout son visage. Elle n'avait donc pas le droit d'oublier un seul instant la grave décision à prendre ! Tout le monde, autour d'elle, guettait le moindre signe, la moindre expression de sa figure.

Françoise faisait grise mine. N'avait-elle pas revu elle aussi son beau Pierre nouvellement doté en terres et en titres ? Puisque les gens semblaient impatients de l'entendre s'exprimer sur ce qu'ils venaient de vivre, Anne lâcha vertement :

— Ainsi, de tous nos alliés, seul notre ennemi pourrait, à en croire certains, nous apporter la paix et la prospérité ! C'est un comble !

Et, sur ce, elle se coucha.

Elle ne tarda pas à sombrer dans un rêve étrange. Les images étaient encore imprécises, mais il semblait qu'Anne courait dans une forêt assez sombre dont le sol était parsemé de dangereuses racines. Parfois, l'une d'elles s'enroulait autour de ses chevilles.

Cela survint, et Anne perdit l'équilibre. Une main l'empêcha néanmoins de tomber.

— Françoisine ?

En même temps qu'elle nommait si affectueusement l'unique sœur qui lui restait, Anne se demandait pourquoi elle lui redonnait ce sobriquet issu de l'enfance. La comtesse de Clisson-Palet la releva et répondit dans un souffle rauque :

— Viens, il faut partir.

— Mais...

Le ciel rougissait au-dessus des frondaisons. L'air sentait la poudre. Un boulet défonça un rideau d'arbres et explosa. Françoise coucha Anne sous elle.

— Les Français attaquent la ville ? balbutia la jeune duchesse.

Françoise ne pipa mot, mais l'aida à se remettre debout.

— Nous devons nous séparer, dit-elle.

— Comment ? Mais, je...

Il n'y avait pas à discuter, et Anne, qui avait l'habitude de commander, n'aima pas que Françoise la pousse vers un sentier tandis qu'elle-même en prenait un autre. Les projectiles suivirent la jeune femme. Anne lui cria « bonne chance ! », puis elle s'enfonça dans une partie sombre du bois.

Elle parvint au bord d'un étang. Un court instant, elle eut la sensation d'être observée, une présence qui la glaçait des pieds à la tête. Elle se retourna et poussa un cri d'horreur. Un serpent gigantesque dressé sur sa queue la menaçait. Sa gueule béait, ses yeux d'or scintillaient, sa langue fourchue pointait. Anne fut happée à l'intérieur du reptile.

Il faisait chaud, humide et gluant au fond de la gorge. Anne commença par étouffer. Alors qu'elle s'était résolue à périr, une voix lui parvint :

— Père ? s'écria-t-elle.

— Fais-toi confiance, lui répondit le duc.

D'abord, Anne se rebella. Elle ne voulait pas être engloutie, digérée, disparaître. Mais les parois étaient visqueuses, et elle glissait irrémédiablement. Son père lui réitéra son surprenant conseil d'une voix de commandement qui n'était guère dans ses anciennes habitudes. Subjuguée, Anne lâcha prise.

Il lui sembla alors qu'elle grandissait à l'intérieur du reptile. Ses bras touchèrent les parois de chair. Consciente de posséder la force d'une graine plantée dans un terreau fertile, elle se mit à pousser avec ses mains. Elle sentit la gorge du serpent se distendre. Le reptile éructa de douleur. Puis, tout éclata.

Anne battit des paupières. Elle était certaine de se réveiller dans son lit. Au contraire, elle se trouvait toujours dans la clairière. Le serpent avait disparu. Au-dessus de sa tête brillait une douce lumière dorée. Elle cligna des yeux, plaça une de ses mains en visière. Avait-elle la berlue ? Perdait-elle l'esprit ? Était-elle morte ?

Son père flottait, souriant, dans cette aura. Il était vêtu d'un splendide manteau de brocart à parement de fourrure, portait ses bagues préférées et la merveilleuse couronne ducale sur sa tête.

— Ma fille, dit-il, tu as fait du bon travail. Comme tu peux le voir, il y a plusieurs façons de vaincre. Parfois, le ciel te met sur une voie que tu n'avais auparavant pas envisagée.

Il lui indiqua une direction. Anne s'attendait encore à voir l'immonde reptile. À l'endroit même où s'était dressé le serpent se tenait une belle hermine toute blanche, debout sur ses pattes, majestueuse. Anne réfléchissait encore que son père disparaissait dans un immense sourire de lumière. Les arbres devinrent translucides, les murs de sa chambre se dessinèrent dans les lueurs chaudes et tremblotantes du feu de cheminée.

— Père ! appela encore Anne. Père !

La dernière vision qui perdura de son rêve fut cette hermine vengeresse qui la fixait droit dans les yeux.

* * *

Au même moment, au plus profond de la nuit, la lueur vacillante d'une bougie jetait son voile diaphane sur deux amants. Ils n'étaient cependant ni couchés ni dévêtus, mais se tenaient frileusement l'un en face de l'autre dans une petite alcôve. Pierre serrait les mains de Françoise dans les siennes. Et, pour l'heure, ils ne faisaient que se parler à voix basse.

Le jeune homme était loquace. Lui qui avait été plutôt de nature taciturne, voire méfiant, il s'exprimait sans plus de retenue.

— Tu aurais dû voir la tête de Le Guin quand il m'a reconnu après la joute !

C'est durant le combat à l'épée que le capitaine avait formellement identifié son adversaire. Pierre avait en effet utilisé une des bottes secrètes que lui avait autrefois enseignées son mentor. Ça avait été le premier indice.

Il ajouta, un rien sentimental :

— Il n'a pas changé. J'ai appris qu'il avait bien veillé sur vous.

Sa voix se brisa. Le souvenir des morts, sans doute : Isabeau et puis Antoine…

Il orienta ensuite la discussion sur sa providentielle libération. Au bout de trois années de détention, Pierre comme

Louis, d'ailleurs, avaient perdu espoir. Ils se voyaient vieillir, oubliés de tous, abandonnés telles des charognes sur un champ de bataille : proprement emmurés et déjà enterrés.

— Et puis, Bernard est venu. Un ordre du roi. Charles s'est dressé contre sa sœur. Il a vraiment pris le pouvoir.

Françoise le regardait, tête baissée.

— Est-ce que tu vas bien ? s'enquit Pierre, contrarié. Tu as les mains glacées.

— Je n'arrive pas à me réchauffer, admit la jeune femme.

Pierre voulut la prendre dans ses bras. Depuis Bourges, il ressuscitait. Ses frayeurs s'éloignaient. Comme Françoise n'ajoutait rien, il reprit :

— C'est La Trémouille qui a eu l'idée de m'envoyer jouter. Il se prépare un plan. Je devais, en plus, m'acquitter d'une mission.

— Les plis pour Awena, Anne et moi ?

Pierre hocha la tête. Autour d'eux, le silence était parfois troublé par des bruits de pas furtifs. Ce n'étaient certes pas les sentinelles… Pierre sourit. Que l'on soit à Nantes ou bien ici, à Rennes, en temps de paix ou comme maintenant en plein siège, la nuit appartenait aux amours clandestines. Raison pour laquelle Pierre avait hâte que Françoise… redevienne Françoise ! Car enfin, elle ne ressemblait guère ce soir à la fougueuse amazone qui avait jailli en armure dans sa prison pour se donner à lui !

— Tu es souffrante ?

Elle soupira. Il voulut lui voler un baiser ; elle se recula comme s'il pouvait la brûler.

Pierre poursuivit, un ton plus bas :

— La veille de la bataille de Saint-Aubin, Louis ne m'a pas seulement adoubé chevalier. Si nous en réchappions, il m'avait promis un titre et une terre prise sur les siennes. Depuis, il a tenu parole.

Ses yeux brillaient à la lueur du chandelier.

— Seigneur de Clair-Percé ! C'est un petit bourg, certes, mais avec une demeure solide, des champs tout autour, des paysans…

Il rêvait à tout cela, se voyait déjà seigneur en terre de France.

— Comme tu as changé, murmura-t-elle.

Ce fut à son tour de soupirer.

— En bien. Crois-moi !

Il se revoyait simple palefrenier avide de liberté. Il s'était imaginé allant sur la Loire en fugitif traqué. Mais ce qu'il vivait maintenant était cent fois mieux. Il était réellement libre. Et il pouvait marcher dans le monde aux côtés des plus grands. N'était-il pas l'ami du duc d'Orléans ! Et Louis avait retrouvé tout son crédit auprès du roi.

Elle murmura :

— Je suis mariée.

— Je ne l'ignore pas ! s'emporta-t-il.

Elle le pria de parler moins fort.

— Tu as peur, je le sens bien. C'est si… surprenant !

Il ajouta dans un souffle :

— Je ne suis plus un moins que rien. Je suis chevalier du roi.

— Du roi ?

— Ne me regarde pas comme tu le ferais pour un traître. Seulement, il va se passer de grandes choses, bientôt…

Pierre était embêté. Il n'était pas venu parler de politique. Il tenta à nouveau de l'enlacer : elle se défila. Il tomba alors sur ses yeux si bleus une sorte de voile de douleur et d'incompréhension.

— Mais, diantre, que t'arrive-t-il ?

Des pas revenaient de leur côté. Françoise répéta qu'il était temps de se séparer.

— Je t'aime toujours autant ! lui cria-t-il, la gorge nouée. Et toi ? Tu as changé. Je ne te reconnais plus. Parle-moi, je t'en prie !

— Va.

Il la força tant qu'elle dut lui bailler un baiser rapide sur la bouche. Il souleva ensuite la draperie, puis, toujours aussi troublé, il s'en fut dans la pénombre. Françoise demeura seule dans l'alcôve. Son cœur battait si fort ! Des larmes coulaient sans plus de retenue sur son visage.

Une silhouette vint la rejoindre. Durant tout l'aparté, l'homme était resté derrière une porte voisine, à quelques pas seulement. Raoul d'Espinay était grave. Et il n'était pas seul. Lové contre son torse, Arnaud dormait paisiblement. Dans son autre main, le baron serrait le manche du poignard dont la pointe, répéta-t-il une fois de plus à Françoise, n'avait jamais été éloignée de la gorge de l'enfant.

— Vous êtes ignoble, lâcha-t-elle en retenant ses sanglots.

— Non pas, madame. Je suis votre époux et votre maître. N'oubliez pas que je tiens aussi à disposition un homme à moi chargé de s'occuper d'Arnaud si jamais vous revoyez votre amant…

* * *

Au matin, Louis s'éveilla fort gaillard. La servante qui lui avait tenu compagnie durant la nuit sortit du lit sans faire de bruit. Ils étaient encore tous deux un peu rouges et essoufflés.

« Dieu que c'est bon de vivre ! » se dit le duc.

Avant de descendre rejoindre ses amis Pierre, François de Dunois, Jean d'Orange et quelques autres, il convenait de faire mentalement le bilan de la situation. Depuis sa libération, il n'était plus un paria, mais de nouveau le premier prince de France. Il devait tant à Charles qu'il était obligé de mettre de côté ses propres rêves de grandeur — pour un temps, du moins. Charles était le roi, et lui, son fidèle vassal. Après toutes ces intrigues, ces guerres et ces trahisons, la formule avait de quoi surprendre. Un peu comme une viande apprêtée sans sel. Et que lui demandait Charles ? Une épouse. Ou comme il le disait en souriant, « la fille en dedans des murs ». Le duc lui-même était obligé d'admettre que l'idée n'était pas en la circonstance si mauvaise. Il le croyait honnêtement, et c'était ce qu'il avait clairement signifié à Anne.

Après avoir vu ses amis, il irait ensuite quérir pour le roi la réponse de la jeune duchesse. Que la vie était changeante ! Hier, c'était lui qui était promis à Anne par le duc François. Et aujourd'hui…

Il y songeait encore quand des coups retentirent à sa porte. Pierre entra sans cérémonie.

— Monseigneur, déclara-t-il.

— Mon ami, comme tu es bien mis ! constata Louis.

Le duc terminait de se vêtir. C'était une belle journée qui commençait. Il songea à son secrétaire particulier, Chaumard. Il fallait le faire revenir, tout comme ses autres anciens compères. Reformer sa petite cour d'autrefois, mais se placer désormais prudemment dans le sillage du roi.

— Eh bien ? s'enquit Louis. Ils sont là ?

— Le comte de Dunois vous mande.

Pierre ressemblait à un jeune coq. Cela devait lui faire tout un effet de revenir parmi les siens, de croiser ses amis palefreniers et domestiques de bouche d'autrefois, mais de porter cette fois un titre ! Louis savourait autant sa revanche que celle de celui qui avait été son ami le plus proche pendant ces trois longues et pénibles années. Il posa une main sur son épaule et dit :

— Voici donc celui que l'on appelait jadis le « faux chevalier ».

Ils hochèrent tous deux la tête.

— Il faut croire en ses rêves, Pierre de Clair-Percé ! ajouta le duc. Ne te l'avais-je point dit ?

Ils marchèrent en direction de la chambre où logeait Dunois. En chemin, ils croisèrent plusieurs domestiques que Pierre avait côtoyés du temps où il n'était encore qu'un jeune garnement. Louis vit combien son ami était triste et déçu de la froideur ou de la crainte affichée par ceux-là mêmes qui le traitaient de rêveur ou bien de prétentieux.

Avant d'entrer chez Dunois, il lui bailla ce conseil :

— Tu n'es plus vraiment des leurs, il faudra bien t'y habituer. Dans la vie, tu es seigneur ou bien serviteur. C'est une nouvelle existence qui s'ouvre devant toi, chevalier !

La porte se referma. Dans la chambre, la lumière paisible du matin se mêlait habilement avec les ombres encore présentes de la nuit. Le duc cligna des yeux. Son vieil ami Dunois était assis sur son lit, immobile, en bras de chemise.

Un filet de jour entrant par la fenêtre éclairait son front dégarni, sa chair blanche, ses yeux fatigués.

Quand il vit que Louis était entré, le vieux comte sortit de sa rêverie. L'impression de faiblesse qui se dégageait de lui s'effaça presque aussitôt, et il se présenta devant son jeune ami tel qu'il était trois ans plus tôt : chaleureux, l'œil brillant, rassurant.

La veille au soir, ils avaient bu, ri et parlé ensemble. À un moment donné, le front du comte s'était plissé, il haletait presque. « L'alcool et la vieillesse ne font pas bon ménage », avait-il plaisanté. Après les joyeuses retrouvailles, ils devaient ce matin aborder des sujets plus graves touchant à la politique et à l'avenir de la France et de la Bretagne.

Louis tira deux chaises, qu'il plaça dans une tache de soleil. Dunois approuva : cela irait. Il s'étira, puis s'assit en face de celui qui, il fallait dire les choses telles qu'il les ressentait, avait été pour lui comme un fils de substitution. Ou à la rigueur un frère plus jeune qu'il avait fallu encadrer, conseiller et quelquefois conduire.

— Louis, fit encore Dunois, qui devenait sentimental en prenant de l'âge, je bénis le ciel de pouvoir te revoir. Si tu savais ! Tes amis et moi avons tant œuvré pour que tu sois libéré !

Le duc avait appris de la bouche même du roi combien Dunois, Jean de Chalon, le prince d'Orange, mais aussi Georges d'Amboise s'étaient démenés depuis trois ans.

— Je constate, poursuivit le comte, qu'à part quelques traces sur ton visage, la prison ne t'a pas trop défait…

Il laissa sa voix en suspens — attendait-il une confirmation ou bien une infirmation ? — tant il était vrai que connaître aussi longtemps le cachot et les privations devait laisser des marques profondes.

— Fort heureusement, fit Louis, je n'étais pas tout à fait seul.

Dunois approuva. Pierre était un bon et honnête compagnon. Le comte était heureux que le destin de l'ancien palefrenier ait pu aussi bien bénéficier de leurs épreuves communes.

Sa bouche se froissa soudain. La lumière du soleil atténuait la pâleur de ses joues. Louis répéta qu'il était enthousiaste à l'idée de revoir bientôt ce qu'il appelait « tout son monde ». Dunois grimaça un peu.

— Ce qui se passe en ce moment est important, mon ami.

Louis soupira.

— Nous perdons, c'est cela ?

Il faisait sans doute référence au triomphe de la monarchie contre la vieille féodalité. Un domestique apporta un carafon de vin et une corbeille de fruits. Ainsi donc, les denrées commençaient à revenir dans la cité !

— En quelque sorte, expliqua Dunois, c'est l'œuvre du roi Louis XI qui va finalement s'accomplir. Que l'on ne se leurre pas. La Bretagne va intégrer le giron de la France. Déjà, les juristes préparent le contrat de mariage.

— Avant même qu'Anne ne rencontre Charles ?

Dunois opina.

— Ce projet d'union, nous le savons, ne date pas d'hier.

Louis baissa les yeux. Il avait des rêves, lui aussi. De grands rêves. Et un temps, il avait cru, en épousant lui-même Anne, que…

— Ne désespère pas, Louis ! le rassura Dunois. Tu as toi aussi ta propre route à suivre.

Il voulut poursuivre, mais le serviteur versait le vin dans des gobelets en bois. Les deux seigneurs sourirent : il était temps que la paix revienne, car ils souffraient tous deux de voir Anne si désargentée.

Le comte poursuivit, lorsqu'ils furent de nouveau seuls :

— La France se doit de s'unir, je l'ai toujours pressenti. Les autres familles royales d'Europe s'entre-déchirent. À moyen et long terme, cela les affaiblira. Une France forte pourra alors prendre l'avantage. C'est dans ce dessein que s'inscrit le mariage entre Anne et Charles.

— Et nous autres, seigneurs ?

Louis exposait là la crainte nourrie par tous ceux de leur condition. Dunois secoua la tête. L'heure n'était plus ni aux petits fiefs ni aux petits pouvoirs qui, sans cesse, s'opposent.

— Mais ne t'inquiète pas. Les seigneurs trouveront simplement d'autres moyens pour se maintenir sous l'autorité d'un roi plus fort à qui ils ne tarderont pas à devenir indispensables.

Dunois voulait aussi parler du bonheur dont les peuples, dans cette France unie, allaient forcément bénéficier, quand on toqua à la porte. Entrèrent les autres amis : Jean de Chalon, Charles d'Angoulême, Georges d'Amboise. Chacun se donna l'accolade, et l'on fit venir d'autres cruchons et d'autres gobelets.

Un peu plus tard, avant que ne commencent de nouvelles séances du conseil ducal, Louis se rendit sur une terrasse. Le soleil était déjà chaud. Il songeait à ce que lui avait dit Dunois, mais aussi à l'état de santé de ce dernier. Depuis trois années qu'ils ne s'étaient vus, François avait affreusement maigri. Il haletait au moindre effort, mais buvait toujours autant de vin. Cela était-il bon signe ?

Une présence le fit se retourner.

— Anne ! s'écria Louis, quelque peu crispé.

La jeune souveraine était pensive. Louis savait la force des pressions qui s'exerçaient sur elle. Hier encore, elle avait lutté bec et ongles contre cette idée de mariage qui faisait son chemin chez tous ses proches. Aujourd'hui, même Philippe de Montauban s'y était rangé ! Et cependant, elle paraissait toujours hésiter entre les Flandres, la France, la Bretagne.

— Vous aviez raison, Louis, dit-elle finalement.

Le duc la fixa sans comprendre.

— Je parle du roi, bien entendu. Nous allons devoir nous voir, assurément.

Elle s'inquiétait pourtant d'une chose.

— Quoi donc ?

— Dites-moi, Louis… Charles a-t-il vraiment le nez aussi long et tordu qu'on le raconte ?

Chapitre 46

Par un froid matin de novembre

Jusqu'à la dernière minute, Charles demeura hésitant. Plus que les lettres envoyées par sa sœur, plus que l'insistance de ses proches conseillers, c'est l'exemple de son grand-père, le sauveur de la France durant la longue guerre contre l'Anglais, qui le décida finalement.

Il vint non loin des murailles de Rennes et arrêta son cheval devant le vieux bâtiment de l'église Notre-Dame de Bonne-Nouvelle, sis étonnamment à l'extérieur des murs. Depuis le début du siège, les deux camps avaient tenté par tous les moyens de ne pas l'abîmer ; la raison hautement politique de ces efforts n'en apparaissait clairement qu'aujourd'hui…

Les cent hommes qui accompagnaient le jeune roi mirent pied à terre. Non loin de là, sur les chemins de ronde, les sentinelles rennaises leur tournaient le dos. Quoique vexante, cette attitude était convenue. Après une dernière tergiversation, guettant du coin de l'œil les toits du bâtiment où pouvaient se cacher archers et assassins, Charles s'engagea sur la petite esplanade. Il était accompagné par plusieurs seigneurs, dont le vicomte Bernard de Tormont. Avaient-ils conscience de marcher vers la gloire ? De *faire* l'histoire ? En vérité, Charles était las de cette guerre. En cette aube grise et terne, il avait pourtant la certitude d'être le maître, même si, pour l'instant, les portes de la cité lui restaient encore closes.

Les sentinelles bretonnes se disaient sans doute que ce jeune homme était le roi de France. Qu'après avoir affamé leur peuple, il venait finalement signer la paix.

Charles portait sur son pourpoint une cotte de mailles au col relevé également tissé de métal — pour protéger sa gorge. Il se rappelait cette nuit d'été où, après avoir jouté, les Bretons avaient sournoisement attaqué le camp d'Urfé.

— Tout se passera bien, tenta de le rassurer Bernard.

La façade de l'église de Notre-Dame de Bonne-Nouvelle avait tout de même souffert des bombardements. Une épaisse couche de poussière lui donnait l'aspect de ces mendiants fatigués, mais qui se tiennent malgré tout encore debout.

Le capitaine d'Aubigny ordonna à ses hommes de se déployer. Dans leur encerclement du bâtiment, ils se heurtèrent aux soldats de la jeune duchesse, venus eux aussi se poster aux endroits stratégiques. Bernard salua de loin Le Guin. Par gestes, ils s'entendirent sur une stratégie qui éviterait aux uns et aux autres de trop se gêner.

— Il est temps, sire, fit-il.

Charles soupira. Puis sans répondre, mais en ôtant son feutre, il entra dans l'église par un portail. Le silence monacal et le froid pénétrant de l'endroit le prirent aussitôt au corps. Maintenant qu'il n'était plus exposé aux flèches ennemies, il laissa ses pensées lui revenir au galop. Il était décidé à rencontrer la jeune duchesse seul à seul. Malgré tout, il tenait mordicus à son idée de ne pas l'épouser s'il ne la trouvait pas assez belle pour son goût. « Ne faites pas l'enfant ! » s'était récriée sa sœur aînée. En marchant sous les voûtes, Charles tremblait encore de rage au souvenir de cet entretien dont il était une fois de plus sorti rabaissé.

S'il était délivré de la peur de recevoir un mauvais coup, il gardait la main sur la poignée de son épée au cas où ces colonnes cacheraient un assassin payé par le parti breton.

Il se mit à chercher la statue dont on lui avait parlé, mais se demandait en fait comment il pourrait la différencier des autres. Dans son autre main, il serrait sa fameuse pièce porte-bonheur. Le métal lui transmettait sa force, sa chaleur, sa noblesse. L'adolescent traversa la nef, fouillant les taches d'ombre et guettant tout à la fois une silhouette dissimulée entre les rangées de bancs.

Mais à cette heure et en ce jour, il ne devait y avoir personne dans l'église — hormis eux ! La pensée qu'en venant, il trahissait Margot l'effleura et le peina. Que ne devait-il faire pour la sauvegarde de son royaume et de ses peuples !

Son instinct plus que ses sens ordinaires le guida vers l'endroit précis où l'attendait la duchesse : au fond du chœur, au pied de plusieurs statues. Elle était là, immobile, fragile, agenouillée sur les dalles froides, la tête penchée en avant, perdue dans ce qui ressemblait à une profonde ferveur.

* * *

Anne aussi s'était longtemps fait torturer et forcer la main avant d'accepter ce qu'elle nommait dans le fond de son cœur « l'inenvisageable destinée ». Ce qui l'exaspérait le plus était la manière avec laquelle les choses avaient été conduites en sous-main par les diplomates. Seul Louis avait vraiment été clair et honnête. Selon lui, elle avait le choix et demeurait libre de son avenir, et en même temps son avenir était scellé.

« Le roi vous propose cent mille écus, lui avait-il dit. Vous en disposerez en toute conscience pour rester auprès de lui ou pour partir avec tous vos gens et vos meubles, vaisselles et draps rejoindre Maximilien, votre époux, que la France vous reconnaît. Charles vous prêtera même une escorte digne d'une princesse royale. »

Anne n'avait pas été dupe de ce marché. Elle savait que si elle quittait Rennes pour retrouver dans les Flandres un mari qu'elle n'avait somme toute jamais vu en personne, il était entendu qu'elle perdrait à jamais la Bretagne et qu'elle se perdrait aussi aux yeux de ses peuples.

Tout en priant devant la statue de sainte Marguerite, Anne bouillait en dedans. « Maximilien ! s'écriait-elle, pourquoi m'abandonnes-tu à la nécessité ? »

Malgré les paroles rassurantes de son chanoine, la question religieuse la déchirait davantage que tout. « Sa Sainteté le pape ne vous en voudrait pas, mon enfant, d'épouser Charles… avait-il plaidé. »

Mais elle était *déjà* mariée, et le roi, fiancé à la fille de son époux ! Les mains jointes, les joues glacées, Anne revivait en pensée la douloureuse réunion du conseil qui avait rassemblé tous les membres de son gouvernement :

— Je me suis engagée auprès des rois de Castille et d'Angleterre ! s'était-elle écriée. Je ne puis trahir ma parole.

— Votre Grâce, avait rétorqué le prince d'Orange, Maximilien n'a honoré aucune des siennes.

À présent gagnés à l'idée du mariage français, le maréchal de Rieux et la comtesse de Dinan avaient opiné — mais ils ne cherchaient sans doute qu'à plaire à leur futur nouveau maître.

Anne était rouge d'indignation. Elle avait répété :

— Soit j'épouse notre ennemi, soit je fuis et je perds tout. C'est cela, avouez !

Françoise seule lui avait donné ce conseil étrange qui avait su, finalement, la décider.

— Rappelle-toi le rêve que tu as fait. Le serpent et l'hermine. Notre père qui t'apparaissait auréolé de lumière !

En dernier ressort, Anne s'était tournée vers Philippe de Montauban, qui, baissant les yeux, avait simplement dit :

— Faire ou non le bonheur de vos peuples est entièrement entre vos mains.

— Mais la position de l'Église ?

— Votre union avec le roi des Romains n'a pas été consommée, s'était à son tour emporté le maréchal de Rieux. Il est donc nul.

« Consommer ». Que ce mot était attirant, troublant, enfiévré, mystérieux ! On consommait d'ordinaire un potage ou une viande. Mais des êtres humains ! Tout en priant, Anne revit briller les yeux et les joues d'Awena et ceux de sa sœur Françoise. Un homme pouvait ainsi faire briller une femme. Et en fait d'homme, elle n'avait pour le moment qu'un mari absent et un ennemi pressant.

Sa tête menaçait d'éclater. C'était trop de décisions à la fois — ça n'en était en fait qu'une seule. Elle en arrivait là dans ses douleurs et ses réflexions intimes quand elle entendit rouler un objet sur les dalles. Elle baissa la tête, vit la pièce d'argent heurter sa poulaine. Presque aussitôt après, une voix un peu aiguë lui demanda :

— S'il vous plaît, je l'ai laissée tomber, rendez-la-moi !

* * *

La jeune fille leva les yeux. Devant elle se tenait un frêle jeune homme d'une vingtaine d'années. Mains tendues, elle ne vit d'abord de son visage que les lourds rouleaux de mèches brunes. Ensuite seulement se détachèrent le visage blanc laiteux, et puis les traits assez grossiers : la bouche aux lèvres roses et bourgeonnantes, les yeux noirs aux extrémités qui tombaient, les sourcils arqués dans un éternel sentiment d'étonnement. Enfin, le nez épais et long qui ressemblait à la lame tordue d'une vieille épée. Le torse était large et semblait prendre une grande partie du corps. Les bras étaient plus longs que d'habitude, les mains, osseuses et agitées. Anne songea immédiatement que dans ce jeune homme angoissé qui se donnait des airs assurés perdurait encore l'enfant prisonnier.

Elle ramassa la pièce, la contempla.

— N'est-ce point là le portrait du roi Louis ?

— Non pas, répondit le roi, mais celui de son père, Charles, septième du nom.

— Le restaurateur de la France ?

Charles opina fièrement et ajouta :

— On m'a appris à l'aimer et à respecter ce qu'il a fait pour le royaume.

— Et vous êtes sans doute le huitième…

Le « sans doute » aurait pu offusquer le jeune monarque, mais il ne releva pas la remarque. Anne se releva, lui rendit sa pièce. Une vive douleur aux genoux la fit grimacer. Charles lui prit aussitôt le bras. Anne cligna des paupières. Il avait la poigne solide et en même temps, il souriait. Ce sourire transfigurait son visage. Un court instant, l'enfant réapparut. Anne en fut toute retournée.

Elle se reprit néanmoins, car il y avait à peine une année, cet « enfant » avait nommé le vicomte de Rohan gouverneur général de Bretagne, comme si le pays lui appartenait déjà. Depuis qu'elle était elle-même petite fille, elle ne songeait au roi de France que comme un ogre qui pillait ses campagnes, affamait ses peuples, détruisait ses villes. Il avait de plus conduit son père à la mort par constants soucis et épuisements. Raisons pour lesquelles sans agressivité, mais aussi sans complaisance, elle libéra son coude de la main du jeune roi.

Elle boitilla jusqu'à la plus proche croisée. Charles sourcilla, puis la suivit. Dehors, leurs soldats respectifs se tenaient en sentinelles. Les deux jeunes gens se parlèrent encore pendant quelques minutes. Bernard de Tormont avait dit à Anne que le roi aimait lire la vie de Charlemagne. Elle-même appréciait beaucoup l'épopée de Nominoë que lui lisait autrefois son père. En causant de littérature et d'histoire ancienne, ils évitaient les sujets brûlants et pénibles. Puis, alors qu'une certaine gêne s'installait entre eux, Charles admit qu'il avait froid. Sans doute Anne aussi, même si elle ne frissonnait pas.

— Le fond de l'air est glacial, avoua-t-elle.

Ils convinrent sans se parler que, pour une première rencontre, celle-ci avait assez duré. Le malaise grandissant, ils se serrèrent simplement la main, puis repartirent chacun vers une sortie.

Quand il vit revenir sa souveraine, Philippe de Montauban alla au-devant d'elle avec une chaude couverture, qu'il plaça incontinent sur ses épaules. Anne tremblait si fort !

— Alors ? laissa-t-il tomber.

Pour toute réponse, il n'obtint qu'un sourire pincé. Fort heureusement, il connaissait sa duchesse, qui avait par ailleurs les joues toutes rouges...

De son côté, le capitaine Stuart d'Aubigny obtint encore moins de précision. Charles était un être secret qui savait cacher ses pensées. Le roi dit simplement avec une bonne humeur qui tranchait avec ses contrariétés du matin :

— Rentrons au camp !

* * *

Charles demeura jusqu'au soir dans une excitation et une énergie surprenantes. Sous sa tente, il régla avec ses proches conseillers les détails devant faire aboutir les négociations en cours. La cité de Rennes serait, comme décidé au préalable, confiée au prince d'Orange et au duc d'Orléans, et déclarée ville neutre. Concernant les étrangers qui étaient toujours dans les murs, Charles déclara avec fermeté :

— Je suis prêt à payer les mercenaires pendant trois mois. Ensuite, tout de même, ils devront s'en aller.

— Il faut songer aux affaires matrimoniales, sire, fit benoîtement le conseiller Guillaume de Rochefort.

— En effet, confirma le roi. Pour cela, envoyez à la duchesse la proposition dont nous avons débattu. Outre le fait d'aller retrouver le roi des Romains, elle aura le choix entre trois autres époux.

— Nul de ces trois-là n'est roi ou fils de roi, objecta La Trémouille.

— C'est pure forme, je sais, admit Charles. Mais c'est le plan, n'est-ce pas !

— Il ne faut pas que la duchesse semble se jeter dans les bras de son vainqueur, expliqua Rochefort. Nous devons encore, sire, préparer la petite formalité à laquelle, selon votre vœu, la jeune duchesse devra se soumettre…

— Que vous êtes fin diplomate ! le félicita Louis d'Orléans en poussant le roi à part.

Charles s'éloigna avec Louis et demanda ensuite à tout le monde de sortir. De dehors leur parvenaient le murmure des troupes stationnées, la conversation en italien des artilleurs, le pas des allées et venues ainsi que les fumets d'appétissants gibiers cuits à la broche en plein air.

— J'ai pensé à ce que tu m'as demandé l'autre jour, Charles, fit Louis à voix basse.

Il frappa discrètement dans ses mains. Une silhouette se dessina derrière une tenture. Charles souleva le pan de brocart et resta bouche bée.

— Elle s'appelle Marie-Fleur, déclara Louis.

— Fleur ?

Le duc ricana.

— Je puis t'assurer, cousin, qu'elle en a toutes les agréables senteurs…

Fine de taille, bien faite de gorge, des yeux de chat, une longue chevelure de miel, une peau brune délicate, des mains joliment dessinées et une bouche qui promettait mille plaisirs, la fille était vraiment superbe.

— Elle m'a à plusieurs reprises distrait de mes soucis, avoua Louis. Elle connaît tous les us et les coutumes de l'amour.

La belle sourit et se passa la langue sur les lèvres, ce qui fit rougir le roi jusqu'au bout des oreilles. Louis savait combien Charles était à la fois craintif et impatient des choses intimes. Puisqu'il devait prendre femme — finalement, après avoir trouvé Anne bien banale, il avait avoué s'être laissé séduire —, il convenait d'être à la hauteur de sa tâche.

— Marie-Fleur... répéta Louis en reculant.

Avant qu'il ne parte, Charles lui prit le bras et le remercia :

— Cousin, dit-il, tu me sauves !

Chapitre 47

L'humiliation

La grande demeure ducale située rue des Dames bruissait de mille conversations. Diplomates, nobles et courtisans étaient agglutinés dans les antichambres, près du salon clos où la délégation française attendait l'arrivée de la jeune duchesse. C'était la première fois depuis la fin du siège que des Français entraient dans Rennes. Conduits par le duc d'Orléans et le prince d'Orange, ils étaient arrivés au matin avec leur suite.

Anne était en retard. On murmurait qu'elle n'avait pas dormi de la nuit.

— Cela se comprend aisément, fit un courtisan en se retenant de rire.

Le capitaine Le Guin soupira. Il n'aimait pas ce qui se préparait. La paix était encore trop récente, pensait-il, pour accueillir dans la cité autant d'importants personnages du gouvernement français. Il y avait forcément des soldats « ennemis » pour assurer leur sécurité, et cela déplaisait aux habitants encore affamés, et aussi aux mercenaires toujours officiellement en poste.

Enfin, après vingt minutes de retard, Anne apparut au bout du corridor. Elle était accompagnée par ses dames d'honneur et encadrée par Awena et Françoise. Au fur et à mesure que la duchesse approchait, le brouhaha diminuait d'intensité. Les regards s'attisaient. Tous cherchaient à percer le masque d'indifférence et de mépris qu'Anne avait choisi de se composer.

Soudain, la jeune fille grimaça de douleur. Françoise se pencha, l'interrogea silencieusement. Anne posa sa main sur l'avant-bras de sa sœur : elle allait bien. Son teint, pourtant, était cireux. En voyant passer le cortège, la comtesse de Dinan se mordit les lèvres. C'est elle, et non pas Françoise la bâtarde, qui aurait dû conduire Anne ! Hélas, la rancune de la jeune duchesse était proverbiale, et la comtesse était désormais condamnée à un rôle de simple figurante.

Anne avait passé une nuit effroyable. La seule pensée de ce qui l'attendait la mettait en rage. Cette rage se déversait dans son corps comme un acide. Sa vessie et son dos l'avaient fait souffrir pendant des heures. Les médecins avaient été appelés. Si les hommes de science préconisaient leurs traditionnelles purges et sangsues, Françoise avait soufflé à la jeune duchesse que des plantes pourraient être plus efficaces. Réflexion qui avait offusqué les médecins. Finalement, Anne avait également fait venir Guenièvre.

Juste avant d'atteindre la porte du salon, elle lâcha sans desserrer les dents :

— Puisqu'il le faut, marchons et finissons-en !

Françoise et Awena échangèrent un regard contrit. Anne était prête à tout pour aller au bout de ce qui, contre son gré, avait finalement été décidé pour elle et pour la Bretagne.

Avant de se séparer, Anne serra brièvement la main de sa sœur. Geste à la fois tendre et suppliant.

— Tu es forte, lui souffla Françoise. Si quelqu'un peut le faire, c'est bien toi.

Anne entra. Dans la foule, Françoise aperçut le duc d'Orléans qui parlait au capitaine Stuart d'Aubigny, dont l'oncle, évêque de son état, spécialement dépêché par le roi de France, était déjà dans le salon. La jeune femme les vit se faufiler juste avant que l'on ne referme les portes.

Awena l'aborda. Elles hochèrent la tête et convinrent qu'il fallait prier pour insuffler à Anne la force de faire face à ce que la duchesse appelait « cette iniquité » ou « cette humiliation » qu'on lui imposait surtout, à son avis, pour se venger de sa trop longue résistance.

— J'espère, fit Awena en frissonnant, qu'ils ont suffisamment tisonné les âtres…

Dans le salon, Anne était seule. Elle marcha jusqu'au milieu de la vaste pièce et s'arrêta. La délégation française l'entourait telle une meute de loups. Si on ne la quittait pas des yeux, les regards fusaient de temps en temps en direction d'une estrade montée exprès pour accueillir plusieurs dames venues en grand apparat. Celles-ci cachaient leurs visages sous de longs voiles. À bien y regarder, leurs expressions étaient sinon tendues, du moins chargées de mépris. L'évêque d'Aubigny frappa dans ses mains. Il était temps de procéder.

Anne soupira, mais donna son assentiment. Alors Marie, sa fidèle servante, commença de la déshabiller. Le silence était palpable, la gêne et un malaise croissant aussi. Louis était un des seuls hommes présents, avec l'ecclésiastique. Un instant, il croisa le regard d'Anne, puis il baissa aussitôt la tête.

Vêtue uniquement de son dernier sous-vêtement, le dos, les jambes et les pieds nus, les bras croisés sur sa poitrine, la jeune duchesse traversa la pièce à pas lents. Une, deux, trois fois. L'évêque se déclara enfin satisfait au nom du roi. La duchesse boitait légèrement, certes, mais elle ne portait aucune tare qui puisse l'empêcher « d'avoir descendance ».

Anne s'arrêta finalement devant l'estrade face à une femme encore jeune, mais d'aspect sévère, brune de cheveux, au front droit et dégagé. Son ventre paraissait quelque peu distendu sous sa robe. Mais Anne de Beaujeu, titrée duchesse de Bourbon, se relevait à peine de ses couches. Anne s'approcha d'elle et, sans la toiser, lâcha de sa voix nette :

— Vous répéterez bien les paroles de votre évêque à votre frère…

Elle fit ensuite volte-face et alla se rhabiller. Anne de Beaujeu demeura immobile. Une jeune fille aux cheveux bouclés se tenait derrière elle. Louise de Savoie sentit une froideur tomber sur la figure et les épaules de sa tante. Ses yeux noisette fixèrent Anne, qui, là-bas, remettait sa robe et ses poulaines. Elle sentait d'instinct que ces deux femmes, qui s'étaient d'ores et déjà opposées sur l'échiquier politique, étaient officiellement et pour longtemps, ce matin, devenues des ennemies jurées. Cette situation promettait de devenir un spectacle des plus instructifs pour les années à venir…

Les portes du salon s'ouvrirent toutes grandes. On annonça la duchesse Anne et la duchesse de Bourbon, qui sortirent côte à côte sans se regarder. Lorsque le froissement des longues robes se fut atténué, Wolfgang de Polheim entendit un courtisan lancer à un compère que la chose était entendue et que leur duchesse s'en allait être reine de France.

Le sang de l'ambassadeur du roi des Romains ne fit qu'un tour. Ainsi donc, c'était cela qu'on lui cachait ! Le courtisan l'aperçut et osa l'inviter à la noce.

Furieux, Polheim le souffleta avec son gant. Puis, il invita son secrétaire et ses compagnons à le suivre, et ils gagnèrent incontinent les écuries, sellèrent des chevaux et partirent aussitôt pour les Flandres.

* * *

Quelques jours plus tard, Charles galopait vers le château d'Amboise. Il n'était accompagné que de quelques fidèles, parmi lesquels se trouvaient Bernard de Tormont et le capitaine Stuart d'Aubigny. Le jeune roi se disait satisfait des affaires en cours. Lentement, malgré les nombreuses oppositions, l'idée de son mariage avec Anne de Bretagne faisait son chemin dans les esprits. Le projet était présenté aux ambassadeurs comme le résultat d'un véritable coup de foudre entre les deux jeunes gens. En somme, malgré ce que tous voudraient bien en penser, il s'agissait d'un « imprévu » voulu par cupidon, indépendant de la volonté humaine.

Bernard sentait cependant que son souverain cachait ses véritables sentiments. Si Charles parlait de la beauté, de la douceur et de l'intelligence d'Anne, s'il était désormais rassuré sur son léger handicap, il paraissait toujours aussi anxieux et tourmenté. Spécialement alors qu'ils entraient dans la ville…

Ils gagnèrent le château. Charles mit pied à terre et s'amusa un moment à donner des coups de botte aux cailloux. Les palefreniers déharnachaient les destriers. Le roi leva les yeux vers la façade du bâtiment et déclara qu'il fallait bien y aller, n'est-ce pas?

— Certes, déclarèrent conjointement Bernard et d'Aubigny.

Mais Charles commença par se tromper d'escalier, puis d'aile. Ses lieutenants lui indiquèrent la bonne chambre. Devant étaient rassemblées les dames d'honneur et la gouvernante de la jeune Marguerite d'Autriche. À la vue du roi, elles éclatèrent toutes en sanglots.

Charles n'avait vraiment pas besoin de ça. Son visage pâle se ternit davantage. Il fronça les sourcils, hésita, puis entra dans la pièce. D'abord, il ne vit rien, car les draperies n'avaient pas été tirées. Il s'approcha du lit, appela doucement :

— Margot?

Il froissa les courtines dans ses mains, mais la jeune fille n'était pas blottie sous les couvertures. Sur la courtepointe se trouvait une de ses poupées préférées. Perplexe, il s'approcha. Était-ce Dieu possible que le jouet ait été lacéré, écrasé, piétiné, vidé de ses chiffons? Marguerite était une fillette si enjouée, si calme, si pleine d'humour! Sur le palier, les pleurs redoublaient d'intensité. De plus en plus inquiet, Charles appela encore.

Soudain, une silhouette bougea près de la fenêtre. Était-ce le chat ou bien... La fillette sortit de sous la draperie et fixa Charles de son regard bleu azur pour l'heure noyé de larmes. Le cœur du jeune roi chavira. Si durant sa chevauchée il n'avait songé qu'à Anne, il était hélas à présent mis devant les conséquences de ses actes.

Il ravala difficilement sa salive.

— Que t'a-t-on dit ? bafouilla-t-il.

Marguerite se jeta sur son lit et pleurnicha :

— Vous allez l'épouser, n'est-ce pas ? Avouez !

Charles était pétrifié d'effroi. Il n'avait jamais su gérer les querelles de femmes. Avec sa sœur aînée, il avait appris à rire ou bien à se taire. Mais devant Margot, qui n'avait pas encore douze ans, il devait faire le roi.

— Vous aviez juré ! lui reprocha-t-elle.

Charles se rappela en effet qu'à Tours, en 1488, il avait fait serment, la main posée sur l'Évangile, de lui être fidèle. Ne pouvant ouvrir la bouche, être à la fois brutal et honnête et lui dire que oui, ce serait Anne et non pas elle qui deviendrait reine de France, il s'assit sur le lit et lui tapota le dos.

Marguerite, alors, se tourna à moitié. Il la prit dans ses bras et, ne pouvant faire plus ou mieux, il joignit ses larmes aux siennes. En un chapelet d'images, il se vit non plus aux côtés d'Anne, mais de Marguerite. Dans ce cas-ci, ce ne serait pas la Bretagne qu'il aurait, mais la Bourgogne.

Ils passèrent plusieurs minutes à se lamenter sur cet avenir auquel ils avaient cru et qui leur était si violemment retiré. Tandis qu'il sentait les joues brûlantes de la fillette contre les siennes, Charles ne pouvait voir son regard bleu se durcir, sa jolie bouche en cœur se froisser. Répudiée, Marguerite cristallisait en elle une amertume telle qu'elle se changerait, avec les années, en une véritable haine pour le roi, mais aussi pour la France.

Lorsque Bernard et Stuart d'Aubigny revirent le jeune homme, il avait certes les yeux gonflés. Devant ses capitaines, il se rengorgea néanmoins : c'était enfin chose faite !

Et en avait-il finalement autant souffert qu'il y paraissait ?

Chapitre 48

La chute

Les fiançailles d'Anne et de Charles furent célébrées en secret dans cette même église de la Bonne-Nouvelle où ils s'étaient rencontrés. Puis Anne quitta Rennes avec toute sa suite, dont faisaient partie Philippe de Montauban, le prince d'Orange, le comte de Dunois, mais aussi Olivier de Coëtmen et le sieur de Guéméné. En bout de cortège venaient Awena, Françoise, Guenièvre. Toutes trois assistaient Odilon, qui donnait naissance à son premier enfant. Pour respecter les convenances, elle et Simon avaient été mariés en hâte par Guy Desvaux, le sympathique curé de Champeaux.

Le futur père se trouvait au milieu de la troupe qui les escortait vers le château du Plessis-lès-Tours, où était mort le roi Louis XI. Ainsi, ils se rendaient en terre ennemie. C'était la première fois, et cette naissance providentielle, qui survenait plus tôt que prévu, était perçue par tous comme un heureux présage.

Dans la nuit du 5 au 6 décembre, peu avant trois heures du matin, Françoise fit un nouveau cauchemar et se réveilla en sursaut. Le fantôme de son père lui était réapparu, tordu de douleur. De son doigt maigre, il pointait le contrat de mariage d'Anne. Du sang coulait de sa bouche. La jeune femme ne put refermer l'œil, et Arnaud pleura à plusieurs reprises, comme s'il comprenait la souffrance de sa mère. Raoul se leva et alla bercer son fils.

Peu après, des domestiques vinrent les prévenir de se préparer à partir sur-le-champ pour un lieu tenu secret. Contrairement à ce que tout le monde pensait, le mariage n'allait donc pas être célébré au Plessis…

Le capitaine Le Guin était chargé de veiller sur la duchesse et sur les membres de sa suite. Au milieu d'eux se glissaient six compères : Yves Brullon, qui était le procureur des bourgeois de Rennes, et cinq de ses amis, tous chargés d'une mission bien particulière — officiellement diplomatique. Le capitaine ne s'en souciait guère, du moment que ces civils demeuraient bien sagement au fond de leur chariot.

La sécurité était omniprésente, car on craignait que des mercenaires aux ordres de Maximilien ne viennent enlever la duchesse. Pour cela, Le Guin collaborait avec son homologue du camp royal, le capitaine Béraud Stuart d'Aubigny, avec lequel il avait en quelque sorte sympathisé.

Parmi les chariots qui quittaient l'enceinte du château, plusieurs étaient recouverts de draps noirs. Ils transportaient ce que l'on appelait « la chapelle », c'est-à-dire les objets de culte nécessaires au mariage royal, ainsi que les lits, les draps, les pièces d'argenterie et les nouvelles toilettes d'Anne — toutes choses réglées par le roi, qui dépensait sans compter.

Ils roulèrent pendant un temps sur des chemins surveillés de loin en loin par les soldats, puis ils gagnèrent les rives de la Loire, où les attendaient des bateaux affrétés dans la plus grande discrétion. Les militaires procédèrent au transfert des invités. Anne et les membres de sa maison montèrent sur un navire, le roi et sa cour, sur un autre.

Le Guin, mais aussi le prince d'Orange, Louis d'Orléans, Dunois et Pierre de Clair-Percé demeurèrent à cheval. Ils avaient pour mission d'escorter les navires en longeant la rive, et de coordonner la sécurité conjointement avec D'Aubigny et Bernard de Tormont, qui agissaient de même sur la berge opposée.

Françoise prit place à côté de sa sœur. Son visage demeurait tendu.

— Ont-ils vraiment besoin de tout cela ? s'enquit Awena.

Anne et elle fixèrent Françoise, mais la jeune femme haussa les épaules.

— Je ne pense pas, ajouta Awena, que le roi des Romains tente quoi que ce soit.

Malgré tout, cette croisière nocturne avait du charme. Même s'il faisait très froid et que les courtisans ne paraissaient guère rassurés — ce qui les fit bien rire. Au bout d'un moment, tout de même, avisant l'embarcation du roi, qui filait en silence devant la leur, Anne avoua qu'elle se demandait si leur convoi était nuptial ou bien funèbre. Françoise lui prit la main. Elle était glacée.

— La Bretagne est en deuil, murmura Anne en réprimant un sanglot. Père…

Françoise lui entoura les épaules.

— Non pas, Anne. Il y a plusieurs façons de gagner. Rappelle-toi ton rêve !

Elles savaient toutes les trois néanmoins que ce mariage était le prix bien lourd à payer pour sauver la Bretagne de l'anéantissement total.

À un moment donné, des bruits s'élevèrent de la rive tenue par Le Guin et le duc d'Orléans.

— Serait-ce une attaque ? se récria Anne.

Leur embarcation prit de la vitesse. Sans doute craignait-on un incident armé. Un cri s'éleva. Anne et Françoise crurent reconnaître la voix de Louis d'Orléans. Elles tendirent l'oreille… Leurs cœurs battaient à l'unisson, mais rien d'autre ne se produisit, que la nuit qui fuyait vers l'ouest et le soleil qui rosissait le bas des nuages.

Parvenues à destination, elles se raidirent en voyant se découper, près d'un impressionnant promontoire, un lourd château médiéval doté de tours rondes, de toits en ardoise et de murailles crénelées renforcées par de macabres mâchicoulis.

— C'est la forteresse de Langeais, fit un courtisan assis non loin d'elles. Louis XI l'a fait édifier pour se protéger de ses ennemis lors de ses démêlés avec les grands du royaume[2].

Un frisson parcourut les trois jeunes femmes. Simon et Benoît vinrent les trouver. Il était temps de descendre. Le Guin tardait à les rejoindre. Ce furent les deux soldats qui aidèrent les officiers français à contrôler chaque invité, de peur, disait-on, qu'il ne se glisse parmi eux des espions ou des assassins flamands.

Avant d'entrer sous le porche de pierre, Françoise jeta un long regard en direction des rives de la Loire. Un frémissement intérieur la prenait au corps et aux tripes. Elle songea à Pierre, qui se trouvait près de Le Guin. Awena fit demi-tour et vint la chercher.

— Quelque chose ne va pas ? demanda-t-elle.

Françoise vit arriver Raoul, qui bavardait gaiement avec les deux François, d'Avaugour et Châteaubriant. Une

2. Cette guerre fut surnommée plus tard « la ligue du Bien public ».

servante lui amena Arnaud. Le petit demanda à voir Odilon. Mais sa nourrice était en ce moment même transportée sur une civière dans le château, sa petite fille nouvellement née blottie sur son sein.

* * *

Une heure plus tôt, sur la rive orientale de la Loire, Le Guin et ses hommes suivaient les bateaux à petites foulées. Tantôt un sentier bordait le fleuve, tantôt ils devaient s'en éloigner ou bien couper à travers bois. Des soldats allaient devant et derrière le groupe des officiers. De temps en temps, un homme de tête venait faire son rapport. Sans jamais ou presque quitter les bateaux des yeux, ils trottaient en discutant à mi-voix.

Dunois et Louis s'étaient laissé distancer de quelques toises. Le comte était encore ensommeillé. Même si à son âge, disait-il, on ne dormait jamais très longtemps, il se sentait fatigué. Le duc aussi s'était réveillé trop vite. Il avait été un des seuls, pourtant, à avoir été prévenu la veille de ce départ pour le moins brutal.

— Louis, fit le comte après un long silence alors que les premières lueurs de l'aube se dessinaient dans le ciel encore enténébré, il faut que tu saches quelque chose. Ta mère…

Dunois savait le sujet périlleux. Pourtant, il sentait qu'il devait aller jusqu'au bout.

— Ta mère, reprit-il, a toujours cru en toi. En ton destin. Ce que je veux dire, c'est…

Comment mettre sa pensée en mots ? Des gargouillis lui venaient des entrailles. Le ventre lui cuisait alors que sa peau était parcourue de frissons. Il reprit son souffle :

— Tu penses peut-être que ce mariage sonne le glas de ce que l'on t'a prédit autrefois.

Louis feignit l'étonnement.

— Je suis au courant, figure-toi ! ajouta Dunois.

Le comte se tut de nouveau. Son destrier avançait-il droit, ou bien lui-même voyait-il soudainement trouble ?

— Tu sais, Louis, on peut devenir roi de bien des façons. Dans ta famille, vous avez par Valentina Visconti, ta grand-mère, des droits sur le Milanais…

Dunois tendit sa main. Louis vint pour la prendre. Avant qu'il ne le puisse, son ami glissa de sa selle et tomba du haut de son cheval.

— Hooo ! s'écria le duc en mettant aussitôt pied à terre.

Il courut en arrière et tint Dunois entre ses bras.

— Eh bien, mon ami, dit-il, je crois que…

Il se tut. Le comte avait les yeux grands ouverts, les lèvres et la peau blême. Louis se pencha sur son visage pour guetter son souffle. Rien. Il l'allongea, posa son oreille contre la cuirasse…

Pierre s'était aperçu de leur absence. Il faisait demi-tour à bride abattue quand il entendit le duc pousser un cri de désespoir. Quand il arriva sur place, Louis était en pleurs, et le comte de Dunois, déjà mort d'une crise d'apoplexie.

Chapitre 49

La première nuit

Françoise et Awena terminaient d'habiller Anne. Tous s'attendaient à voir paraître la jeune duchesse vaincue, habillée de noir peut-être, et courbant le dos comme un paria.

— Je vais les surprendre, déclara Anne de sa voix si nette.

Elle sortait avec ses dames quand la tragique nouvelle atteignit le château. Tout d'abord, Anne crut qu'il s'agissait d'une odieuse rumeur. Son regard suivit celui de Françoise. Elle sut alors qu'il n'en était rien.

— Mais... lâcha-t-elle, toute pâle.

Autour d'elles, des domestiques allaient et venaient avec des paquets. Awena arrêta l'un d'eux.

— C'est hélas la triste vérité, madame, avoua celui-ci. Monseigneur le comte est tombé de cheval et n'a pas survécu.

Anne fit volte-face et retourna dans la chambre où elle s'était changée. Elle marmonnait que cette mort violente était un mauvais présage. Et si son choix, finalement, n'était pas le bon ? Et si elle devait au contraire poursuivre la lutte ! Elle quêta une réponse de Françoise, qui baissa les yeux avant de répondre que non, l'occasion était à saisir, que leur affaire était par trop engagée. Anne balbutia alors que le manteau en laine d'agneau noir qu'elle portait n'était pas d'allure assez royale pour son mariage.

— Je préfère finalement celui en martre et en zibeline.

Toutes les trois étaient consternées. Françoise sentit que le moment n'était guère opportun pour raconter à Anne son cauchemar de la nuit. Cette dernière soupira, puis se recroquevilla sur un siège.

— Cette mort, le jour même de mes épousailles, est un mauvais présage, répéta la future reine en se tordant les mains.

Montauban vint les chercher. Avant même qu'elles ne l'interrogent, le conseiller hocha du chef. C'était vrai. Dunois discutait avec le duc d'Orléans quand il avait été victime d'une crise de poitrine qui l'avait jeté au bas de sa monture.

— Il y aura une messe pour le repos de son âme, Votre Grâce, mais le temps presse, le roi s'impatiente.

Il avait le souffle court. La pointe de ses bottes dégoulinait de boue. À croire qu'il était allé rejoindre le duc pour l'aider à prendre soin du corps du malheureux comte. Anne se releva, droite, fière, décidée.

— Allons, dit-elle seulement en serrant les dents.

Françoise avait les yeux gonflés de larmes. Marchant derrière sa jeune sœur, elle songeait combien Anne possédait de courage et de majesté. Elle pensait aussi à Dunois, au duc Louis, à Pierre, à son petit Arnaud et même à Odilon et à son bébé qui venait de naître. Dieu donnait, Dieu reprenait. Et les murailles grises de la forteresse lui paraissaient se changer peu à peu en glace.

Ils longèrent un corridor dans lequel patientaient gardes et serviteurs, puis entrèrent dans la grande salle du château où devait se tenir la cérémonie. Anne voulait étonner : elle y parvint. Vêtue d'une splendide robe faite de drap d'or cousue presque sur son corps, elle était un véritable rayon de soleil dans cette pièce lugubre décorée de trophées de chasses, d'écus et de lances. Les parois avaient été égayées de longues tapisseries qui servaient, au mieux, à conserver le peu de chaleur qui se dégageait des convives.

Les dames poussèrent des oh ! et des ah ! admiratifs. Elles-mêmes et leurs seigneurs étaient pourtant habillés de somptueux brocarts, de velours et de satins noirs, brun tanné ou cramoisis. À une extrémité, l'estrade qui servait ordinairement au seigneur des lieux avait été transformée en autel.

Anne vivait dans un état second. Sa nuit sans sommeil, leur arrivée sur le fleuve, l'humidité, le froid de l'air et celui des membres de la famille royale à son égard plus, surtout, le décès de celui qui avait toujours été un de ses plus fidèles soutiens, tout concourait pour la tenir dans une torpeur glacée. Un coup d'œil au duc d'Orléans, présent malgré le drame, ne la rassura guère. Louis paraissait profondément ébranlé, et il avait toutes les difficultés du monde à afficher un sourire de parade.

Sans doute que les membres de la cour étaient eux-mêmes choqués et ahuris par la disparition de celui qui était somme toute l'oncle de jeune roi. Mais, politique oblige, le mariage devait avoir lieu, et vite !

Il était à peine sept heures du matin. Une aube grise montait aux fenêtres. Louis d'Amboise, qui était évêque d'Albi, s'avança et recueillit le consentement des futurs époux. Lui et son collègue, Jean de Rély, semblaient pris de court. Ils officiaient en effet sans la permission du pape…

On guida ensuite Anne vers l'autel. Derrière le roi et la duchesse se tenaient les invités, dont les sœurs de Charles, Pierre de Beaujeu, mais également les témoins : Jean de Foix, Louis d'Orléans, Guillaume de Rochefort, François de Vendôme, Bernard de Tormont, Pierre de Clair-Percé ainsi que le séduisant et athlétique Charles d'Angoulême, qui faisait apparemment, malgré leur grande différence d'âge, les yeux doux à la jeune Louise de Savoie.

Anne était consternée. Ces épousailles à la sauvette n'étaient pas ce qu'elle avait imaginé pour son mariage. Certes, elle épousait un roi. Mais alors qu'elle avait pensé se trouver dans une cathédrale ou dans une basilique, elle liait son destin à Charles dans la salle à manger d'un petit seigneur de province !

Après la cérémonie proprement dite, elle fut conduite devant une table où l'attendait son contrat de mariage. Le document, négocié bec et ongles, avait occupé clercs, notables et diplomates pendant des semaines. Ses conditions étaient draconiennes pour la Bretagne. En vérité, Anne échangeait son duché contre le titre, certes glorieux mais sonnant creux, de reine de France. Fâchée d'en arriver aussi bas, la jeune duchesse avait à plusieurs reprises, à Rennes, quitté la table des négociations pour y revenir ensuite calmée par les bons offices de Montauban, de Dunois et du duc d'Orléans.

Elle avait tout de même pu obtenir que le duché n'échoie pas au fils aîné qu'elle aurait avec le roi, mais au second ou au cadet, ce qui, dans son esprit, était un frein à l'engloutissement de la Bretagne dans la France. Si elle mourait sans laisser d'héritier, la Bretagne reviendrait par contre entièrement au roi. Si ce dernier décédait sans qu'ils aient conçu d'enfants viables, Anne recouvrerait son bien, mais serait par contre forcée d'épouser le futur roi de France, « s'il lui plaisait et si faire se pouvait ». Disposition assez floue voulue par les diplomates français et qui avait tracassé Anne pendant des jours entiers.

Ce matin, elle était mise devant le fait accompli. On lui tendit une plume. Les regards s'affûtaient autour d'elle. Charles ne la quittait pas des yeux. On aurait presque dirigé son bras. Mais malgré ses quatorze ans, Anne était une femme.

Françoise se tenait immobile à quelques pas. Raoul était près d'elle, de même que Pierre. Elle ne les regardait pas. Toute son attention était concentrée sur Anne, qui, une fois le document signé, serait reine de France, mais déchue en quelque sorte de ses droits sur la Bretagne. Sa jeune sœur repensait-elle à toutes les luttes, à tous les efforts et les sacrifices consentis en vain pour sauver ce qu'elle devait aujourd'hui céder ?

Ses yeux étaient voilés de larmes. Derrière elle, dans le silence pesant, elle crut entendre ricaner la duchesse de Bourbon. Cela l'agaça prodigieusement. Elle toisa Charles, qui avait le faciès ridicule de ces angoissés qui espèrent. Philippe de Montauban pleurait en silence. La comtesse de Dinan-Laval et le maréchal de Rieux étaient aussi impassibles que des statues. Le fantôme de François II ne parut pas. Françoise en rendit grâce au ciel.

À huit heures du matin à peine, Anne apposa finalement sa signature.

* * *

Durant l'après-midi, entre festin, audiences, préparatifs et promenades, les chirurgiens officièrent sur le corps de Dunois. La dépouille du comte fut exposée en chapelle ardente le soir même, alors que des coursiers partaient pour annoncer la triste nouvelle à sa famille.

Louis et ses proches attendirent que les courtisans se soient retirés pour venir se recueillir devant leur ami disparu. Le duc resta prostré plus longtemps que les autres, ressassant tout ce qui avait été fait et dit, tout ce qui restait à accomplir et qui, hélas, demeurerait inachevé.

Françoise s'agenouilla et pria avec lui. Puis elle lui remit ce message que Dunois lui avait confié avant de partir rejoindre sa famille, au printemps dernier.

— Je suis désolé de ne pas vous l'avoir baillé plus tôt. Les circonstances…

Louis prit le message cacheté et le plaça sans le lire dans un pli de son pourpoint. Ce fut ensuite au tour d'Anne de paraître. C'était une faveur de reine, car elle était pressée par ses dames et devait incontinent se rendre dans la chambre nuptiale y rejoindre le roi pour y vivre sa nuit de noces.

Après un temps de silence durant lequel tous deux mesuraient à la fois leur courage et leur abnégation, Anne murmura :

— Je l'aimais aussi. Il était fort et bon. Dieu garde son âme dans la paix et la joie.

Elle effleura l'épaule de Louis, qui devait ce soir dormir avec sa propre femme, puis ajouta :

— Bon courage.

Le duc redressa la tête. Ses yeux étaient toujours rouges. Il sourit pauvrement, prit sa main, la baisa et lui répéta ce même mot, chargé pour eux deux de tant de choses innommables.

La chambre avait été admirablement préparée et décorée. Vaste, aérée, il y trônait un lit à baldaquin à courtines et, dans ses angles, de lourdes draperies chargées de dissimuler les chaises percées et un grand baquet d'eau chaude. Un feu ronflait dans l'âtre ; ses bûches craquaient follement. D'en bas leur parvenaient des notes de lyre, de viole, de harpe.

C'était un mardi soir. Anne se rappela brusquement, elle ne savait trop pourquoi. Après avoir été soigneusement baignée, lavée et parfumée, elle ne portait plus qu'une fine chemise de nuit en lin blanc léger. Autant dire qu'elle courut se mettre au lit sans même l'aide de ses dames, dont Awena, qui avait été particulièrement attentionnée.

Charles avait, pour la chambre tout du moins, fait les choses en grand. Les draps étaient doux, et les courtines, façonnées en tissu couleur or et cramoisi doublé de taffetas rouge. Le ciel du lit était peint de nuages blancs floconneux. Aux murs avaient été disposés des panneaux jaune et violet dont la symbolique était hautement suggestive.

Awena baisa la jeune duchesse au front. Un instant, les rouleaux blonds de sa chevelure si soyeuse ondulèrent sur les joues d'Anne.

— Merci, susurra la reine-duchesse. (Elle prit la main de l'ancienne courtisane.) Pour tout, ajouta-t-elle dans un souffle.

Awena se retira. Déjà, le roi venait, entouré par plusieurs seigneurs de son âge. En dernier parurent Anne de Beaujeu et Jeanne de France, chargées d'encourager et de rassurer la jeune épousée. Des deux, seule Jeanne était réellement avenante et sincère. Malgré son visage ingrat, on devinait chez elle une véritable compassion et un amour pur et léger pour tous les êtres, toutes les choses. Anne fut touchée par les bons mots qu'elle prononça, mais pas du tout impressionnée par ceux qui tombèrent de la bouche méprisante de la sœur aînée du roi.

Enfin, la porte fut refermée. Il y avait eu tant de monde dans la pièce qu'Anne avait du mal à croire que Charles et elle fussent à présent bien seuls !

Le roi était pour sa part confiant. Il avait encore sur les lèvres et sur tout le corps les douces leçons d'amour offertes par l'ardente et fougueuse Marie-Fleur. Il se tourna à demi vers Anne et lui dit :

— N'ayez pas peur, surtout. Je vous aime.

Anne ne broncha pas. Aussi simplement vêtue, elle n'était plus duchesse, encore moins une reine, mais une simple fille qui avait longtemps rêvé, anticipé et craint ce moment mystérieux entre tous. Fort heureusement, elle avait également bénéficié des conseils d'Awena, qui était une connaisseuse dans l'art de plaire et de donner du plaisir aux hommes. Toutes deux en avaient parlé en catimini durant les agapes. Anne avait rougi ; ses yeux s'étaient tour à tour agrandis d'étonnement, puis de peur. Mais elle avait souri, aussi, et compris bien des choses. En la circonstance, Awena avait fait figure de mère. Anne savait qu'elle lui en serait éternellement reconnaissante.

Elle se tourna à demi et tomba nez à nez — et quel nez ! — avec son époux. Au bout d'un moment, alors qu'ils avaient l'un et l'autre moins froid, Charles osa une caresse, puis une autre. Heureusement, ses mains étaient chaudes, et il était soigneusement parfumé. Anne huma profondément. La fragrance créée spécialement pour l'occasion par Raoul d'Espinay aviva leurs sens.

Charles s'enhardit, cela même si Anne demeurait pour l'heure pétrifiée. Elle gardait les yeux clos, tentait de respirer calmement et de donner sa chance au roi. Elle sentit soudain qu'il défaisait les cordons de sa chemise, qu'il glissait le plat de sa main sur sa peau. Il l'enlaça, l'approcha plus près de lui. Leurs lèvres se frôlèrent. Si peu, d'abord ! Charles lui déroba un premier baiser. En même temps, ses mains gagnaient le dos et les épaules d'Anne, ses hanches s'emboîtaient aux siennes. Awena avait parlé de fièvre. Anne la ressentit effectivement dans ses reins et se cabra.

Ensuite, Charles la remit sur le dos et la dénuda complètement tout en restant lui-même sous la couverture. Il glissa et y disparut pour de bon. Anne eut tôt fait de sentir où il s'en allait ainsi. Et lorsqu'il se tint immobile, elle poussa un petit cri de surprise, car Charles l'embrassait de nouveau.

Au début, elle grimaça, car elle n'était pas certaine d'aimer ces baisers en cet endroit. Et puis, elle se détendit. Le feu qui couvait dans son ventre se réveilla. Elle gémit de plus belle. Charles s'arrêta. Faisait-il toujours bien ?

— Non ! éructa-t-elle.

Elle songea aussitôt avec dépit : « Mais il s'arrête, le bougre ! »

Sans un mot, elle le prit par les cheveux et l'incita à poursuivre. Un bruit lui parvint de derrière une tenture. Était-ce un éternuement ? Un raclement de gorge ? Ou bien simplement une bûche qui craquait plus fort que les autres ?

La sentant fin prête, Charles remonta à la surface du drap pour la mettre sous lui. Ils entamèrent un premier voyage. Plus tard, après s'être assoupie, Anne s'aperçut que sa jambe nue était posée sur celle du roi et que sa main frôlait son aine. Ce fut elle, alors, qui s'enhardit et se cacha sous la couverture. Ils voyagèrent de nouveau, et Anne, qui avait eu bien mal la première fois, constata que la douleur valait bien le plaisir en retour.

Le jeune roi était encore essoufflé qu'elle se plaça sur lui pour le mener à son tour. D'autres raclements de gorge lui parvenaient, mais elle était désormais trop en chemin pour s'y attarder.

Le matin les trouva tous deux endormis et souriants.

Alors seulement, les six notables de Rennes sortirent de derrière les tentures et quittèrent la chambre sur la pointe des pieds. Ils avaient pour mission de rédiger leur rapport sur les ébats du couple royal et n'avaient pour leur part aucun doute sur la consommation de cette union qui devenait pour l'heure et à jamais indissoluble.

Le même jour, Anne et Charles quittèrent Langeais avec tous leurs gens et leurs bagages, et dans le cœur et les yeux un sentiment étrange et tendre à la fois de complicité et de contentement réciproque.

Chapitre 50

« Un de nous deux... »

Le château du Plessis était une véritable forteresse. Dans ses derniers mois de vie, Louis XI l'avait, disait-on, renforcée dans le but que ses hauts murs le protègent de la mort. Vain espoir, car le roi y était décédé en août 1483. Après la célébration presque clandestine de leur mariage à Langeais, Charles et Anne s'étaient installés dans les anciens quartiers du monarque défunt.

Louis d'Orléans détestait cet endroit qui lui rappelait trop sa jeunesse soumise au tyran. Hélas, il était bien obligé d'y habiter, qui plus est dans l'appartement qu'il occupait naguère, avec un seul lit étroit et sa femme, Jeanne, à son côté ! Le duc devait en effet jouer au mari. Sur ce point, Charles avait été très clair : c'était d'ailleurs une des conditions de sa remise en liberté.

Louis se tournait et se retournait sur la couche et sentait bien que Jeanne s'arrangeait pour le frôler du pied, de la cuisse et même de la main. *La nuit, tous les chats sont gris.* C'est ce que certains seigneurs se plaisaient à dire à Louis quand venait le soir et que chacun se retirait pour aller rejoindre qui son épouse, qui son amante. Car même si les alcôves étaient moins nombreuses au Plessis, il en demeurait tout de même. Au besoin, des domestiques complaisants prêtaient leurs quartiers à leurs seigneurs.

Louis reçut soudain la main de Jeanne sur son aine. Il luttait contre lui-même et cette envie d'aimer, d'embrasser et de jouter qui le tenaillait si fort en présence d'une femme, même si la sienne était fort disgracieuse. Jeanne s'enhardit et se rapprocha encore. Louis savait qu'elle s'était fait laver et parfumer par ses dames. Elle portait même, suprême vilenie, la même fragrance que sa douce et bonne Marie-Fleur!

Louis était tout crispé. Jeanne posa alors sa main sur son entrejambe et poussa un petit cri. Le duc avait été fort sage depuis les épousailles de son cousin. Et ce soir, l'envie lui démangeait de serrer une femme dans ses bras. Jeanne commença un massage trop lourd, trop nerveux. Louis n'y tint plus et sortit du lit.

— Pas ce soir, bredouilla-t-il.

Il s'habilla à la hâte et sortit sans prêter attention aux pleurs de Jeanne, qui était une fois de plus repoussée et humiliée.

Louis gagnait à grands pas le couloir menant aux salles d'apparat quand plusieurs sentinelles venant en contresens le forcèrent à s'adosser contre le mur.

— Que diable se passe-t-il? s'écria-t-il, de fort méchante humeur.

Les hommes ne répondirent pas, mais montèrent l'escalier. Démangé de curiosité, Louis leur emboîta le pas. Quelle ne fut pas sa surprise en découvrant, sur le seuil menant aux toits, Françoise recroquevillée et toute défaite!

— Mon amie? s'étonna-t-il en s'agenouillant près d'elle.

La jeune femme se tenait le visage à deux mains. Louis aperçut l'hématome qui bleuissait sa joue droite.

— On vous a molestée ?

Il songea immédiatement à ce rustre de Raoul d'Espinay. Les soldats de la garde escaladaient l'échelle. L'un d'eux redescendit, l'air morose, et lâcha entre ses dents :

— Ils sont fous !

Louis prit aussitôt les choses en main. Qui était fou ? D'ailleurs, qui se trouvait en ce moment sur les toits du château, à braver la bise d'hiver ? Puisque Françoise ne paraissait pas en état de répondre, il repoussa les sentinelles et décida d'aller voir par lui-même.

Parvenu au sommet de l'échelle, il faillit se faire jeter dans le vide par une violente rafale. Les bourrasques sifflaient à ses oreilles. N'avait-il pas entendu pendant des heures les tuiles s'entrechoquer au-dessus de sa tête ?

— Par les tripes du diable ! s'exclama-t-il.

Raoul d'Espinay affrontait Pierre à l'épée sur la pente raide du toit. Louis se baissa et ordonna :

— Que l'on apporte des torches !

Il redescendit ensuite pour interroger Françoise.

— Que s'est-il passé ?

La jeune femme frissonnait. Dans ses yeux brillait une terreur sans nom. Elle bredouilla qu'on avait essayé d'assassiner son fils.

— Vain Dieu ! se récria de nouveau Louis.

On lui tendit une torche. Il remonta incontinent sur le toit.

* * *

Pierre avait encore du mal à croire qu'il ferraillait contre Raoul. Une heure plus tôt, il avait reçu des mains d'un domestique un pli que lui adressait Françoise. Il n'avait pas reconnu son écriture, mais s'était tout de même rendu jusqu'à sa chambre. Tout de suite, il leur était apparu que ce message était un faux. Pis que ça, un piège ! Le silence aidant, leur passion toujours aussi ardente s'était manifestée. Sevrée de caresses et de baisers, Françoise s'était blottie dans ses bras. C'est alors que, sans prévenir, elle lui avait avoué dans un souffle :

— Arnaud est ton fils. Pardonne-moi. C'est par trop injuste, je sais, mais je ne peux plus me taire. Raoul…

Le baron avait surgi sur ces entrefaites. L'épée au poing, accompagné par un acolyte à l'aspect peu engageant, il avait séparé les deux amants tout en vomissant sur eux un torrent d'injures. Tandis qu'il entraînait Pierre loin de Françoise, il répétait à son endroit :

— Traîtresse ! Vous avez passé les bornes ! Ne voyez-vous pas que vous le tuez !

Pierre n'était pas certain de comprendre, mais Françoise passa subitement de la frayeur à la fureur. Elle fit un barrage de son propre corps et gronda au domestique qui voulait entrer dans la chambre :

— Recule !

L'autre ricana. Il avait des ordres. Alors, Françoise fit volte-face et hurla qu'on voulait assassiner son fils.

— Pierre ! glapit-elle. Pierre !

Mais le jeune seigneur de Clair-Percé était déjà entraîné dans un combat qui frisait le corps à corps. À son grand dam, il recula d'abord dans le couloir, puis fut forcé de se rabattre dans l'escalier. La surprenante révélation de

Françoise le jetait dans un trouble grandissant. La pénombre aidant, il perdit pied et fut contraint de se replier aux étages, jusqu'à l'échelle déjà préalablement appuyée contre le mur.

C'est alors qu'il comprit que tout ceci avait été ourdi avec une intelligence démoniaque. Raoul s'était décidé à passer à l'action. Ne sachant pas ce qui se tramait dans la chambre, Pierre était trop contrarié pour bien bretteler. Raoul se sentait le plus fort, et il l'était ! Pierre fut ainsi conduit en haut de l'échelle, puis poussé sur la pente du toit.

Le baron espérait-il que son ennemi se donne la mort ? Il faisait assez froid et mauvais, en tout cas, pour qu'un homme tombe et se tue par seul accident.

Pierre tenta de raisonner son adversaire.

— Pas un mot, fiente de porc ! le coupa le baron. Ma femme est mienne, notre fils aussi ! Ton nouveau titre ne te donne aucun droit sur eux. Par le diable, un de nous deux est de trop !

Les coups étaient de plus en plus féroces et violents. La lame de Raoul frôla la joue de Pierre, trancha quelques mèches de cheveux. D'Espinay visait les yeux, la gorge, le bas-ventre. Il hurlait des insultes aussitôt emportées par le vent.

Pierre perdit soudain l'équilibre. Son épée lui échappa et glissa. Il se baissa pour éviter le terrible coup d'estoc. De la lucarne s'élevaient les flammes vives des torches brandies par les sentinelles. Pierre crut reconnaître la voix de Louis. Un moment, l'espoir lui revint. Il y avait des témoins. Le plan de Raoul échouait. Quoi qu'il advienne, on saurait.

Le baron rampa jusqu'à lui et tenta de l'étrangler.

— Cela ne peut recommencer entre vous. Je ne le tolérerai pas !

Pierre était incapable de réagir. Arnaud était donc son propre fils ! Comment avait-il pu être aussi stupide ? « Les yeux, songea-t-il, parlent davantage que les êtres. » Avait-il été aveugle pour ne pas s'en rendre compte par lui-même ?

Il étouffait. La poigne de Raoul était par trop puissante. Deux hommes rampaient vers eux. Étaient-ce Louis et Le Guin ? Pierre le pressentit. L'air, hélas, lui manquait. Ses idées s'embrouillaient. Raoul se redressa et tâtonna pour récupérer la lame. Il s'étirait le bras pour l'atteindre...

Pierre donna un violent coup de hanches.

Le baron éructa, puis éclata de rire. Une main plaquée sur la gorge de son adversaire, il brandissait son épée de l'autre. En un ultime effort, Pierre remonta ses genoux sur son estomac et rua. Raoul en eut le souffle coupé. Son visage se contracta, puis il bascula en avant. Pierre l'entendit rouler sur les tuiles. Le bruit était assourdissant : rafales tonitruantes et bris d'ardoise. Raoul parvint in extremis à se suspendre avec les mains au fragile rebord.

Louis et Le Guin arrivèrent jusqu'à Pierre. Les deux hommes lui tendaient la main tandis que Raoul suppliait qu'on lui vienne en aide.

Le jeune homme refusa de se laisser tirer par ses amis et se laissa plutôt glisser vers le baron. Il sentait les tuiles ployer et craquer sous son poids. Il tendit sa propre main à Raoul et l'encouragea :

— Accrochez-vous !

Louis et Le Guin approchaient à plat ventre.

— Non, non ! leur jeta Pierre, les tuiles ne...

Un craquement sinistre retentit. Les deux sauveteurs s'immobilisèrent aussitôt. Pierre rencontra le regard de Raoul.

— Tenez bon ! lui cria-t-il encore.

Un éclair de totale incompréhension passa dans les yeux du baron. La moitié du corps dans le vide, le souffle court, les veines du front tendues à se rompre, il brûlait ses ultimes forces, et il le savait. Il ouvrit la bouche, happa une dernière goulée d'air.

Pierre parvint encore à s'avancer de quelques centimètres. La chair glacée par le vent et l'eau qui ruisselait le long de la pente, il commençait lui-même à trembler. Raoul lui murmura quelques mots à l'oreille, puis il se laissa tomber dans le vide. Son corps tourbillonna et disparut dans la nuit échevelée.

* * *

Tôt le lendemain matin, Pierre, Françoise, le capitaine Le Guin ainsi que le duc d'Orléans furent convoqués chez le roi. Dans l'antichambre tempêtaient les amis du baron. C'était un assassinat ! Une cabale ! Il fallait punir les coupables ! Celui qui criait le plus fort était le maréchal de Rieux.

Charles venait à peine de se lever. Anne se tenait ensommeillée à ses côtés. Heureusement, un feu crépitait dans l'âtre. La grisaille de l'aube entrait par la fenêtre à meneaux.

Louis prit aussitôt sur lui de faire le récit détaillé des événements de la nuit. À un moment, Françoise prit la parole pour expliquer que Raoul avait tout organisé. Le messager, le pli, le guet-apens.

Les sourcils froncés, Charles s'adressa directement à Pierre :

— Tout de même, vous vous êtes rendu à la fausse invitation.

Le jeune chevalier contemplait le bout de ses bottes. Louis intervint de nouveau :

— Il a été provoqué ! J'ai été le témoin de l'échange d'armes. Pierre n'a jamais voulu occire le baron. La preuve, c'est qu'il a même tenté de lui porter secours.

Le Guin et plusieurs hommes de la garde royale allaient également dans le même sens. Anne vint trouver sa sœur et la prit dans ses bras.

— Arnaud est sauf, murmura Françoise. Simon est intervenu juste à temps pour occire le tueur envoyé par Raoul.

Anne avait du mal à comprendre comment un homme qui se prétendait aussi un père aimant pouvait, par jalousie pure, ourdir un plan si horrible. Mais tout le monde le savait à la cour : Raoul d'Espinay était un drôle d'escogriffe.

Charles semblait embêté. Après tout, le baron était le frère d'André d'Espinay, l'archevêque qui devait couronner Anne à peine quelques semaines plus tard ! Vu le nombre des témoignages, il ne pouvait pas, non plus, punir Pierre. Et Louis qui jouait aux champions !

Toute décision de roi entraînait inévitablement des frustrations et des mécontentements. Aussi hocha-t-il du chef et demanda-t-il à Pierre et à Françoise de relever la tête. Anne sourit. Lorsque Charles fit mander le capitaine Stuart d'Aubigny et qu'il lui ordonna d'aller rechercher le corps du malheureux baron, tous comprirent que l'affaire était close.

En sortant du cabinet du roi, Françoise demanda à Pierre :

— Que t'a dit Raoul en dernier ?

Le jeune chevalier lui prit la main et avoua :

— Il m'a fort encouragé à prendre pour lui bien soin de vous deux.

Chapitre 51

Une reine pour la France

Il faisait froid en ce 9 février. Le convoi royal approchait du bourg de Saint-Denis. Pour l'occasion, la foule s'était rassemblée nombreuse le long du parcours. Déjà, en prévision de l'entrée à Paris qui devait avoir lieu le lendemain, on tendait les rues de tapisseries. Des décorations étaient suspendues aux faubourgs.

Anne voyageait dans une litière tirée par deux haquenées caparaçonnées de velours cramoisi brodé des lettres A et C entrelacées. Le roi avait préféré faire une partie du trajet à cheval, entouré par ses jeunes seigneurs et amis. Peu avant d'arriver dans la petite cité, il avait cependant rejoint sa femme sous les fourrures.

Le Guin était comme toujours chargé de la sécurité de la nouvelle reine. Simon et Benoît avançaient au pas, le premier en tête, l'autre en queue. Cela leur faisait tout drôle de parader en plein cœur du royaume de France ! Les cicatrices étaient encore si vives qu'ils ne pouvaient se défendre d'un sentiment de crainte et de suspicion mêlées. Anne elle-même gardait encore des réserves. La veille au soir, elle avait demandé à Françoise si… Mais la jeune femme n'avait pas fait de nouveaux cauchemars.

— Alors, avait répondu Anne, comme toute chose, il faut s'en remettre à Dieu.

Charles ne manquait heureusement pas de la rassurer.

— Vois comme les Français t'aiment déjà !

Cela paraissait si vrai ! Les gens l'acclamaient. Elle les saluait en retour, leur souriait. Quelle étrange destinée que la sienne ! S'être tant battue et se retrouver en ce jour prête à vivre ce qu'aucune autre reine avant elle n'avait eu le privilège de vivre : être à la fois couronnée et sanctifiée.

La litière était suivie par un interminable convoi composé des cours de France et de Bretagne. Grandes dames et nobles seigneurs étaient au rendez-vous de cet événement qui était en quelque sorte l'apothéose des cérémonies qui avaient précédé. Un détail assombrissait quelque peu la joie d'Anne : le sort de la « petite reine », Marguerite d'Autriche. Anne avait en effet appris que l'ancienne fiancée de son mari était baladée de château en château, délaissée et ignorée de tous, et qu'elle vivait même à demi recluse en attendant que la question de son retour en Flandres soit résolue.

— Je t'en prie, Charles, avait-elle supplié, sois bon et généreux pour elle. Après tout, elle a été ta fiancée pendant près de dix ans, et ma belle-fille durant presque un an !

Touché par la bonté de sa femme, Charles avait promis. Pourquoi Anne n'écrirait-elle pas directement à Marguerite ?

La jeune reine approuva, prit le bras du roi et descendit de litière. Depuis le mois de décembre et leur première nuit passée ensemble, il s'en était écoulé de nombreuses autres, au point que l'on craignait, dans leur entourage, que les époux ne s'épuisent en joutes amoureuses.

Ils entrèrent dans le bâtiment par le transept sud. Là les attendait un ecclésiastique en grand manteau de cérémonie. Anne s'agenouilla pour recevoir l'eau bénite. Puis le roi s'éloigna et fut remplacé par nul autre que Louis d'Orléans. En tant que premier prince du sang, l'honneur revenait en effet à Louis de conduire la reine auprès de l'archevêque André d'Espinay. Ce dernier ne semblait pas trop chagriné par la brutale disparition de son fougueux frère.

Grand seigneur, Louis paraissait joyeux et détendu. Anne était pour sa part vêtue d'une magnifique robe de damas blanc. Les cheveux épars et dénoués sur ses épaules, elle semblait fragile, presque enfantine. Sa longue traîne fut installée et portée par les dames les plus influentes des deux cours, dont Anne de Beaujeu et Louise de Savoie pour la France. En face d'elles se tenaient respectivement Françoise et Awena, mais également la comtesse de Dinan.

La nef était déjà comble. Tout ce qui comptait en France et en Bretagne se trouvait pour la première fois réuni. L'intérieur de la basilique aussi avait été décoré. Anne n'avait jamais vu pareil déploiement de splendeurs. Charles le lui avait bien dit qu'il se rattraperait de leur pauvre cérémonie de mariage !

Anne parvint devant l'archevêque plus vite qu'elle ne s'y était attendue. La veille, elle avait pourtant répété et compté chaque pas avec Françoise et Awena. Dans le chœur se trouvait une vingtaine de prélats en belle tenue. L'archevêque portait la mitre et le manteau de brocart blanc cousu d'or. Une fois encore, pour cet événement, la France se passait de la bulle papale…

Anne s'agenouilla devant André d'Espinay. Contrairement au roi, qui avait reçu l'onction à neuf endroits, la reine n'en reçut qu'à quatre. On lui appliqua le saint chrême sur la tête, la poitrine et entre les épaules. D'Espinay lui remit ensuite l'anneau d'or qui unissait la reine à la sainte Église, puis, tour à tour, le sceptre dans le poing droit et la main de justice dans le gauche. Lorsqu'arriva le moment de lui ceindre la tête de la couronne de saint Louis, celle-ci se révéla à la fois trop large et trop lourde. Alors, Louis d'Orléans fit preuve d'initiative et la lui tint au-dessus du front. Ils allèrent ainsi sur l'estrade spécialement préparée pour la reine et y restèrent, Anne assise sur un trône, Louis debout derrière elle, la couronne dans les mains, pendant tout le temps que dura la messe.

Les cloches carillonnèrent, la foule s'enthousiasma et fit une ovation à Anne aux cris de : « Noël ! Noël ! » Devant autant de visages, il était difficile de bien lire les états d'âme des personnes les plus en vue. La duchesse de Bourbon, cependant, faisait grise mine. Comment aurait-il pu en être autrement alors qu'elle perdait en ce jour la place qu'elle occupait précédemment auprès de Charles ? Quelques mois plus tôt, elle tenait les rênes du gouvernement, et elle n'était plus désormais qu'une dame parmi d'autres. Cette humiliation se lisait en grosses lettres sur sa figure.

Contrairement au roi, la reine ne prêta pas serment. Elle n'avait donc pas le droit de revêtir la tunique et la dalmatique royale. Si ce sacre était destiné à imposer la nouvelle reine au mépris de ce que pouvaient en dire ou en penser les autres souverains d'Europe — et surtout Maximilien d'Autriche, qui ne décolérait pas ! —, il était également destiné à forcer la main au pape, qui se faisait toujours tirer l'oreille pour donner ses consentements.

À la fin de la messe, comme le roi avant elle lors de son propre sacre, Anne fit le don du pain et du pichet de vin, et elle distribua les rituelles treize pièces d'or.

— Au moins, murmura la duchesse de Bourbon à la jeune Louise de Savoie, elle n'ira pas ensuite guérir les scrofuleux !

Cette réflexion les fit rire un peu méchamment, car ce rituel était l'apanage seul des rois.

Anne avait mal au cœur. Pourtant, elle fêtait avec délectation ce qu'elle appelait « sa juste revanche ». Elle voulait tout voir, tout entendre et aussi montrer sa bienveillance aux amis fidèles, dont son conseiller, Philippe de Montauban, présent dans l'estrade au bras de sa fille. Il fallait également toiser les ennemis d'hier qui pouvaient à présent se révéler dangereux pour demain. Anne ne fit à cet effet qu'effleurer du regard le couple Beaujeu, qui se tenait non loin au milieu des princes.

« Père ! songea la jeune reine, aucun de nous n'aurait pu imaginer ce dénouement. »

En ces instants de triomphe total, elle se rappelait le rêve de l'hermine blanche sortie de la gorge du reptile. Après des heures de désespoir et d'égarement, le sens de ce rêve lui apparaissait enfin : clair, concis, pareil à un véritable plan d'action. Pourtant, hélas pour ceux qui craignaient de tomber sous une sorte d'influence bretonne, Anne ne pensait qu'à son premier devoir de reine : donner un fils au roi et à la France. C'était à ce prix-là, seulement, qu'elle gagnerait. Et autant se l'avouer, les efforts consentis pour faire ce fils avec Charles ne lui pesaient pas outre mesure. Elle rougit en pleine nef. Sous la somptueuse couronne que Louis tenait toujours pour elle à bout de bras, cela fut du meilleur effet.

Charles était pour sa part assez satisfait. En faisant sacrer la reine, il en imposait à tous ceux qui, par le passé, l'avaient sous-estimé et mal considéré. Il n'était plus le frère de sa puissante sœur, mais le roi de France. Que cela se sache ! À ce titre, il partageait avec Anne une même soif de reconnaissance. Maintenant que la guerre de Bretagne était enfin terminée et le duché placé bien au chaud, croyait-il, dans le giron de la France, il convenait de tourner les yeux vers un autre diadème à conquérir. Déjà, plusieurs de ses conseillers le pressaient d'intervenir dans les guerres incessantes que se faisaient les princes italiens. Son astrologue ne lui avait-il pas promis un destin hors du commun dans des pays situés au sud du sien !

Anne revint prendre le bras de son mari. Ils étaient prêts, maintenant, à ressortir.

Louis d'Orléans avait très mal aux bras. Cette fichue couronne était vraiment trop lourde ! Cependant, il souriait. Il était redevenu le premier héritier de France, le jeune homme séduisant et insouciant d'autrefois. Ses chances d'accéder au trône étaient certes compromises par Anne, qui semblait prendre un réel plaisir aux joutes amoureuses. Mais comme le lui avait dit et écrit Dunois, il existait d'autres royaumes, en Europe, dont il pourrait certainement un jour porter la couronne. Quand une porte se referme, une autre s'ouvre. Il faut juste se tenir prêt et à l'affût.

Françoise était à la fois nerveuse, joyeuse et bouleversée. Nerveuse, car ils se retrouvaient entourés de partout par les ennemis d'hier. Joyeuse, car après tout, Anne devenait reine. Et bouleversée à cause de Pierre, qui venait de la demander en mariage. Il était trop tôt, bien sûr, pour conclure. N'était-elle pas, malgré le couronnement, vêtue de ses habits de deuil ? Placés de part et d'autre de la nef, tous deux se cherchaient des yeux, mais sans trop d'insistance. Depuis cette terrible nuit venteuse de janvier, ils s'étaient vus et aimés de nouveau à de nombreuses reprises. Pierre avait enfin rencontré son fils.

Anne quittait maintenant la basilique sous les vivats. Françoise était fébrile. Promis également l'un à l'autre, Awena et Bernard vivaient leur amour au grand jour. Simon et Odilon, Benoît et Guenièvre étaient déjà tous les quatre mariés.

Françoise s'imaginait elle-même en future comtesse de Clair-Percé, une terre qui allait s'ajouter à la seigneurie de Clisson qu'elle possédait déjà par son père. À moins qu'elle n'en fasse don à son frère, d'Avaugour, qui était dernièrement revenu à la charge, la menaçant même d'un procès ! Elle sourit à Awena et à Bernard. L'union de Charles et d'Anne était finalement une chance formidable pour la France et pour la Bretagne de grandir et de s'enrichir mutuellement. Il convenait donc à présent et en toute humilité de rendre grâce au ciel pour tous ces bienfaits et de se tenir debout, ensemble, pour contempler en face ce nouveau soleil et cette nouvelle ère…

Index des personnages historiques

Alain d'Albret : Gascon, seigneur d'Albret, puissant allié, puis opposant au duc François, également prétendant malheureux, mais obstiné, d'Anne de Bretagne.

Anne de Beaujeu : fille aînée et aimée de Louis XI, qui l'initie secrètement aux affaires. Épouse de Pierre de Beaujeu, régente du royaume de France pour le compte de son jeune frère, Charles VIII. D'après son père, c'est « l'être le moins fol de France ».

Anne de Bretagne : fille aînée (si l'on excepte Françoise, qui est illégitime) du duc François II, future duchesse de Bretagne et reine de France.

Béraud Stuart d'Aubigny : capitaine du roi Charles VIII.

Charles VII : père de Louis XI, grand-père de Charles VIII.

Charles VIII : fils de Louis XI, roi de France en 1483 à la mort de ce dernier, premier époux d'Anne de Bretagne, dernier roi de la branche aînée des Valois.

François d'Avaugour : fils illégitime de François II et d'Antoinette de Maignelais, frère de Françoise et demi-frère d'Anne et d'Isabeau, comte de Vertus, de Goëllo, baron d'Avaugour.

François de Châteaubriant : fils de Françoise de Dinan-Laval, seigneur de Châteaubriant.

François de Dunois : comte de Dunois, cousin bâtard de Louis d'Orléans et son ami fidèle. Fils d'un père célèbre. Intelligent, entreprenant, courageux, il défend ses droits de seigneur face à l'expansion du pouvoir royal. Mort en 1491 d'une crise d'apoplexie.

François II : dernier duc d'une Bretagne indépendante (dans le contexte des liens l'unissant étroitement au royaume de France), père entre autres d'Anne, d'Isabeau et de Françoise. Il a passé les dernières années de sa vie à tenter par tous les moyens d'empêcher son duché de tomber aux mains du roi de France. Passé maître dans l'art de tisser des liens matrimoniaux pour marier ses filles, c'est un bon vivant, hédoniste, généreux, bon, doux avec ses enfants, sa femme et ses maîtresses.

Françoise de Dinan-Laval : noble dame de Bretagne, gouvernante d'Anne et d'Isabeau, comtesse de Laval apparentée aux Rohan et amie du duc François II. Intrigante, elle s'allie tantôt avec le duc, tantôt avec les barons.

Françoise de Maignelais : demi-sœur d'Anne, fille de François II et d'Antoinette de Maignelais, titrée dame de Villequier. Nous ne connaissons que peu de choses au sujet de Françoise.

Guillaume de Rochefort : conseiller du jeune roi Charles VIII.

Isabeau de Bretagne : sœur cadette d'Anne et de Françoise, décédée d'une pneumonie à l'âge de douze ans, en 1490.

Jean II de Rohan : noble breton, le plus proche héritier de la Bretagne après le duc François, opposant au duc, puis son allié et de nouveau son adversaire. Il croyait pouvoir marier ses deux fils aux filles du duc, d'où sa rage et sa frustration quand il voit que François œuvre si fort pour les marier ailleurs.

Jean IV de Rieux (ou maréchal de Rieux) : noble breton, tour à tour allié, puis opposant au duc, selon où le portent ses intérêts.

Jeanne de France : fille cadette de Louis XI, première femme de Louis d'Orléans, bossue, déformée, pieuse, aimante, mais laide. Sœur de Charles VIII et d'Anne de Beaujeu. Elle aimera jusqu'au bout son mari ingrat. Compassion, bonté et grandeur d'âme, innocence, patience figurent parmi ses qualificatifs. Hélas, elle n'était pas belle. Que n'aurait-elle fait si elle l'avait été !

Louis d'Orléans : duc d'Orléans, premier prince du sang et héritier présomptif de la couronne de France, futur Louis XII et deuxième époux d'Anne de Bretagne.

Louis de La Trémouille : homme de guerre, chevalier et jeune général des armées françaises durant la bataille de Saint-Aubin-du-Cormier.

Louis de Lornay : commandant des mercenaires allemands de la duchesse Anne en 1489.

Louise de Savoie : cousine du roi, élevée par sa tante, Anne de Beaujeu. Future mère de François Ier et future ennemie de la reine Anne.

Marguerite d'Autriche : fille de Maximilien d'Autriche, le « roi de Rome », petite fiancée de Charles VIII, répudiée en 1491 pour permettre au jeune roi d'épouser Anne de Bretagne. Charmante, intelligente, elle se sentira trahie et rejetée par la France, et en gardera un ressentiment éternel et tenace.

Marguerite de Foix : mère d'Anne et d'Isabeau, morte en 1486. Jeune, belle et innocente, elle accepte pourtant les maîtresses de son mari, ainsi que ses enfants illégitimes.

Marie de Clèves : mère du duc Louis d'Orléans.

Michel Guilbé : évêque de Rennes, de 1482 à 1507. C'est lui qui couronne Anne le 10 février 1489, et qui la mariera ensuite avec Maximilien d'Autriche.

Olivier Barrault : clerc parisien du roi Charles VIII.

Philippe de Montauban : conseiller et ami fidèle de François II. Il apprécie vraiment le duc, le comprend et partage sa vision. Il sera d'une fidélité indéfectible à la duchesse Anne.

Pierre de Beaujeu : époux d'Anne de Beaujeu, corégent, un fidèle de Louis XI, puis de Charles VIII. Sage, posé, intelligent, bon gestionnaire et assez humble pour à la fois aimer et craindre sa femme.

Pierre Landais : ministre et conseiller du duc François, fils de drapier, mal-aimé par les nobles de Bretagne, car il s'approprie leurs prérogatives en manœuvrant pour devenir l'unique conseiller du duc François. Farouche défenseur de l'indépendance de la Bretagne contre les visées expansionnistes des rois de France, il sera pendu en juillet 1485.

Prince d'Orange (Jean de Chalon) : neveu du duc François et oncle du jeune Charles VIII, allié, puis adversaire du duc et du roi.

Rabodanges : maître d'hôtel de Marie de Clèves, puis son époux.

René de Cossé : panetier et ami du jeune roi Charles VIII.

Wolfgang de Polheim : ambassadeur des Flandres et cousin du roi Maximilien d'Autriche chargé de négocier le mariage par procuration entre Anne et son maître.

Index des personnages fictifs

Adam Forget : chapelain à la cour de la duchesse Anne.

Albert Letellier : capitaine chargé de la surveillance du duc Louis d'Orléans aux prisons de Lusignan, Poitiers et Bourges.

André Le Guin : capitaine de la garde ducale, supérieur et ami de Pierre.

Arnaud d'Espinay : fils de Françoise et du baron Raoul d'Espinay.

Awena : jeune maîtresse du duc François II.

Benoît Vamier : soldat français devenu garde auprès de la duchesse Anne.

Bernard de Tormont : noble français apparenté à Louis de La Trémouille, bon escrimeur et compagnon.

Grisot : chaton d'Isabeau.

Guenièvre Bois : nièce et élève de la guérisseuse Magdeleine Bois.

Guy Desvaux : le sympathique curé de Champeaux.

Joseph et Isaac Febish : marchands juifs d'Angers, usuriers de la couronne de Bretagne.

Magdeleine Bois : vieille magicienne et guérisseuse bretonne qui vient en aide à Françoise lors de la bataille de Saint-Aubin-du-Cormier.

Marie Bucy : blanchisseuse et amante du duc Louis d'Orléans dans sa prison de Poitiers, mère de son fils illégitime, Michel. (Cette femme a par ailleurs réellement existé, quoiqu'elle ne se soit peut-être pas prénommée Marie.)

Norbert Aguenac : chanoine attitré à la famille ducale à Nantes.

Odilon : servante de la maison du baron Raoul d'Espinay, passée au service de Françoise.

Pierre Éon Sauvaige : fils de Jean Éon Sauvaige, soldat au service du duc et mari de la première nourrice d'Anne de Bretagne (deux personnages ayant réellement existé).

Rainier de Bourg : geôlier du duc Louis d'Orléans durant sa longue détention après la défaite de la bataille de Saint-Aubin-du-Cormier.

Raoul d'Espinay-Laval : baronnet d'Espinay, affidé du maréchal de Rieux, cousin de Françoise de Dinan-Laval, prétendant, puis époux de Françoise de Maignelais.

Simon, dit le Gros : garçon d'écurie, puis écuyer et chevalier aux côtés de son ami Pierre.

Vincent Menez : soldat français devenu l'amant d'Awena et page à la cour d'Anne de Bretagne.

Quelques repères historiques

28 juillet 1488 : Grande bataille de Saint-Aubin-du-Cormier.

19 août 1488 : Signature du traité du Verger, au château du même nom.

9 septembre 1488 : Mort du duc François II. Exil volontaire d'Anne à Guérande.

Janvier 1489 : Rupture entre Anne et le maréchal de Rieux, fuite de celui-ci pour Nantes, où il s'installe et crée un gouvernement parallèle à celui, officiel, de la jeune duchesse.

10 février 1489 : Couronnement, à Rennes, d'Anne de Bretagne et signature du traité de Rennes avec l'Angleterre.

Printemps 1489 : Guerre de succession de Bretagne.

Juillet 1489 : Traité de Francfort par lequel les Français promettent de se retirer de Bretagne.

Octobre 1489 : Premières démarches pour obtenir la réconciliation avec le maréchal de Rieux.

Mars et avril 1490 : Anne effectue son grand tour de Bretagne.

Août 1490 : Mort brutale d'Isabeau.

Décembre 1490 : Mariage par procuration d'Anne et de Maximilien d'Autriche.

Mars 1491 : Furieux de voir la duchesse lui échapper, Alain d'Albret livre la ville de Nantes au roi Charles.

Fin juin 1491 : Libération de Louis d'Orléans.

Août 1491 : Siège de Rennes.

6 décembre 1491 : Mariage d'Anne et de Charles au château de Langeais.

9 février 1492 : Couronnement d'Anne à la Basilique Saint-Denis.